ジェノサイド 上

高野和明

目次

プロローグ

移り住んだ豪邸での生活は、何年経っても慣れるということがなかった。毎夜の眠りが浅くなっているのは、加齢のせいだけではないだろう。熟睡と言うにはほど遠い、意識を失っているだけの時間が過ぎた後、グレゴリー・S・バーンズはいつものようにモーニングコールのベルの音で目を覚ました。

オペレーターと短いやりとりをしてから、しばらくベッドの中にとどまって、何事にも煩わされない貴重な一時を過ごす。それからおもむろに起き上がり、両腕を高く上げて伸びをし、できるだけ大きく口を開けて欠伸をする。水温を低めにしたシャワーで寝惚けた頭をすっきりさせ、妻が用意していたスーツに着替える。

ダイニングルームに顔を出すと、妻と二人の娘が朝食を摂っていた。起き抜けで機嫌が悪い娘たちが学校への不満を口にしているが、適当に相づちを打って聞き流す。家族への気遣いが疎かになっても、妻が以前のように小言を並べることもない。これも、バーンズが長い闘いの末に勝ち取った特権の一つかも知れなかった。

自宅は職場を兼ねているので、ホールに出れば、そこはすでに公的な空間だ。まず、足元に置いた重量四十ポンドのブリーフケースを部屋から出す。このケースは、『核のフットボール』という通称で呼ばれている。中身は、その名の通りの物騒な代物で、人類絶滅の引き金になりかねない。バーンズが核攻撃を命令する際に、なくてはならない物だった。

「おはようございます、大統領閣下（ミスター・プレジデント）」

あらかじめ呼んでおいたサミュエル・ギブソン海軍中佐が歩み寄って来た。彼は、徹底した身辺調査をクリアした『潔白なアメリカ人（ヤンキー・ホワイト）』だ。

「おはよう、サム」

ブリーフケースを受け取った中佐が、ケースの把手（とって）と自分の手首を手錠で繋（つな）いだ。バーンズは彼とともに階下に下り、シークレット・サービスの警護官と合流して、ホワイトハウス西棟に向かった。途中で国家安全保障局（NSA）の職員に会い、小さなプラスティック・カードを受け取る。こちらの通称は『ビスケット』。表面に、乱数に基づいて生成された核ミサイルの発射コードがプリントされている。このランダムな文字列を、『核のフットボール』に組み込まれたキーボードを使って入力すれば、核攻撃の命令が間違いなく大統領から発せられていると認証されるのだ。バーンズはそのカードを財布に入れ、上着の内ポケットにしまった。

楕円形の執務室（オーヴァル・オフィス）の窓からは、朝日に照らされたローズ・ガーデンが見渡せた。バーンズは、大統領日例報告のメンバーが現われるのを待った。やがて、副大統領、大統領首席補佐官、国家安全保障問題担当大統領補佐官、国家情報長官、それに中央情報局長官といった面々が、入室許可を得て姿を見せた。

ソファに着席して朝の挨拶を交わすうち、バーンズは参加者が一人多いことに気づいた。末席に連なった初老の白人男性。科学技術担当大統領補佐官のメルヴィン・ガードナー博士だ。彼は自分が場違いであると感じているらしく、すぼめた両肩に居心地の悪さを滲ませている。銀髪の下で輝く知的で穏和な瞳、それに虚勢を張らない地味な装いは、この惑星の最高権力者が主催するパーティーに参加するには適性を欠いているように見えた。

バーンズは、穏やかに話しかけた。「おはようございます、博士」

「おはようございます、大統領」

ガードナー博士が微笑を浮かべると、場の空気がわずかに和んだ。集まった面々の中で、この科学者だけが持っている得難い特質があった。無害、だ。

「ワトキンス氏のお招きを得て参上しました」とガードナーは言った。

バーンズは、国家情報長官のチャールズ・ワトキンスに目を向けた。

「ガードナー博士の助言が必要だったので」と、ワトキンスは言った。

バーンズは不満を顔に出さないように気をつけながら、小さく頷いた。博士を連れて来るなら、ワトキンスは事前に許可を申し出るべきだった。国家情報長官というポストが新設され、ワトキンスが着任してからというもの、繰り返される独断専行にバーンズは苛々させられていた。

ガードナー博士が呼ばれた理由はいずれ分かるだろうと、バーンズは気を取り直した。突発的な怒りをいかに抑え込むかが、彼自身の近年の課題だった。

「今朝の大統領日報です」

ワトキンスが、革張りのバインダー・ノートを差し出した。過去二十四時間に、アメリカの全情報機関が集めた重要情報の要約だ。

最初の二件は、バーンズ自身が始めた中東での戦争に関するものだった。イラク、アフガニスタン両国での戦況は思わしくなかった。イラクの治安は悪化の一途を辿り、アフガニスタンに潜伏するテロリストの居所は依然として摑めず、アメリカ軍兵士の損耗は増える一方だった。戦死者数を示すグラフは、大統領の不支持率と一致しているはずだ。開戦時に国防長官の進言を鵜呑みにしたことが悔やまれた。陸軍参謀総長の要求した兵力のわずか五分の一で、敵地に侵攻してしまったのである。十万人に満たない戦力は、独裁者を狩り、小国の主権を潰滅させるには十分だったが、占領地全土の治安を回復させるにはあまりにも無力だった。

三件目は、さらに不穏な兆候を物語るレポートだった。中東で活動しているＣＩＡの準軍事要員に、二重スパイの疑いがあるというものだった。

ＣＩＡ長官のロバート・ホランドが、発言の許可を求めてから説明した。「その二重スパイの件ですが、情報漏洩（ろうえい）の形態としては新しいものです。嫌疑（けんぎ）が事実とすれば、この被疑者は機密情報を敵国にではなく、人権監視団体に漏らしていることになります」

「ＮＧＯか？」

「そうです。我々が行なっている『特別移送（スペシャル・レンディション）』に関する情報がリークされたようです」

詳細に耳を傾けてから、バーンズは仏頂面で言った。「この件は、法律顧問を交えてあらためて協議しよう」

「分かりました」とホランドが言った。

四件目は、同盟国指導者の健康状態に関するもので、一国の首相が鬱病（うつびょう）に罹患（りかん）し、執務不能の状態に陥（おちい）っているとあった。首相交代は時間の問題だが、同国の親米路線に変わりはないだろうと報告書は述べていた。

五件目、六件目と紙を繰り、適宜（てきぎ）、分析官の補足説明に耳を傾けながら、最後のページに辿り着いた。見出しには次のように書かれていた。

『人類絶滅の可能性

アフリカに新種の生物出現』

バーンズは、バインダー・ノートから顔を上げた。「何だ、これは？　ハリウッド映画の要約か？」

大統領の軽口に、首席補佐官だけが口元をほころばせたが、他の者たちは戸惑いを隠そうともせずに黙り込んでいた。バーンズは国家情報長官を見据えた。大統領の視線を正面から受けたものの、年長のワトキンスはたじろぐ素振りを見せなかった。「NSAからの報告です」とだけ言った。

そう言えば、とバーンズは思い出した。過去に致死率の高いウイルスがワシントン近郊のレストンに出現し、合衆国陸軍伝染病医学研究所（USAMRIID）と疾病対策予防センター（CDC）が共同で封じ込め作戦を行なったことがあった。今回もその手の問題だろうか。

バーンズは報告書に目を戻し、本文を読み始めた。

『コンゴ民主共和国東部の熱帯雨林に新種の生物が出現。この生物が繁殖した場合、合衆国にとって国家安全保障上の重大な脅威となるだけでなく、全人類が絶滅の危機にさらされる可能性がある。尚、この事態は、一九七五年に提出されたシュナイダー研究所の報告書〝ハイズマン・レポート〟によって、すでに警告されていた――』

数分かけてじっくりと報告書に目を通してから、バーンズはソファの背にもたれかかった。この会議に科学顧問が呼ばれている理由が分かった。彼の口をついて出たのは、皮肉のこもった冗談だった。「イスラム過激派を見間違えたんじゃないのか?」

ワトキンスは事務的な口調を変えなかった。「信頼に足る情報です。専門的知識を有する分析官が精査した結果――」

「もういい」とバーンズは遮った。報告書そのものが不快だった。内容だけではなく、そんな文書が存在すること自体が許せない思いだった。「ガードナー博士の意見を聞きたい」

議論の主役の座は、遠慮がちに控えていた初老の科学者に移った。不機嫌な最高権力者を相手に、ガードナーは口ごもりながら言った。「こうした事態が起こり得ることは、二十世紀の後半から予想されておりました。大統領日報が言及している『ハイズマン・レポート』も、そうした議論を反映して書かれたものでしょう」

大真面目な答弁に、あらためてバーンズは驚かされた。科学者の考えることは、門外漢の理解を超越しているようだ。しかし、心の奥底にわだかまる屈辱感は晴れなかった。人類を絶滅に追い込む新種の生物が出現したなどと、誰が信じられる？「博士も、この情報には信憑性があるとお考えですか？」

「否定はできません」

「『ハイズマン・レポート』も用意してあります」ワトキンスが新たな書類をフォルダーから取り出した。「当該箇所に付箋を貼っておきました。五番目の項目です」

バーンズは、前世紀に書かれた報告書にも目を通した。彼が読み終わるのを待って、ガードナー博士が言った。「今回の情報自体は、間接的なものです。情報の発信者を除いては、まだ誰もこの生物を確認していません。合衆国政府が職員を派遣し、何が起こっているのかを確かめるのは有意義なことだと思いますが」

ワトキンスが言葉を継いだ。「現段階なら、この問題に対処するのは簡単です。コストもかかりません。おそらく数百万ドル程度で済むでしょう。ただし、秘密保全には万全を期さねばなりませんが」

「具体的なプランがあるのか？」とバーンズは訊いた。

「『ハイズマン・レポート』を作成したシュナイダー研究所に、対処計画の立案を命じてあります。今週末には、オプション・プランを提出してくるでしょう」

バーンズは素早く頭をめぐらせた。何がどう転んでも、損のない話に思えた。戦争当事国の大統領としては、余計な面倒はさっさと片付けてしまうに限る。今や彼は、この問題に対して激しい敵意を抱いていた。「いいだろう。出来上がったら見せてくれ」

「はい」

早朝の恒例行事が済むと、九時からの閣僚級会議で、ふたたびこれらの問題が俎上に載せられた。国防長官のラティマーは、最後の「生物学上の問題」を、たった二分の議論で総括した。「こんな下らない話は、シュナイダー研究所に任せておけ」

最後に大統領の呼びかけで、全員が頭を垂れて至高の存在に祈りを捧げた。

会議終了後、CIA局員が閣議室に招き入れられ、閣僚たちに配られた大統領日報のコピーをすべて回収した。最高機密に指定されているこの文書は、ラングレーにあるCIA本部に保管されることになる。二〇〇四年の晩夏に行なわれた今回の会議についても、どのような情報が提供され、何が話し合われたかについて知る者は、全世界で十名に満たなかった。

第一部　ハイズマン・レポート

1

舞い上がる砂埃(すなぼこり)の中を、装甲車両に改造された三台のGMCサバーバンが疾走していた。最後尾を走る大型SUV車は、後部ハッチを開け放したままになっていた。荷台部分には、脚を取り払った一人掛けのソファが進行方向とは逆向きに設置されている。その粗木な銃座に座り込み、ジョナサン・″ホーク″・イエーガーは、後方監視の目を光らせていた。

安全地帯(グリーン・ゾーン)にある宿舎に到着するまで、あと五分だった。三カ月に及んだバグダッドでの仕事も、これでようやく一区切りつく。

雇用主のウエスタン・シールド社から割り振られた任務は、要人警護ばかりだった。アメリカからやって来た報道関係者、戦後復興の進捗(しんちょく)状況を視察に訪れたイギリスの石油会社の重役、アジアの小国の大使館関係者——世界各国から入れ替わり立ち替わり現われるVIPを、イエーガーは仲間とともに守り続けた。

護衛任務が始まった頃には肌を突き抜けるように強かった日差しも、ずいぶんと和らいでいた。午後遅くともなれば、ボディアーマーやタクティカル・ギアを着けた重装備でも肌寒さを覚えるほどだ。これ以上気温が下がったら、煤けた色の低層住宅が建ち並んでいるだけのこの街は、もっと荒涼として見えるに違いない。それでもイエーガーは、明日から始まる一カ月の休暇を憂鬱に感じていた。バグダッドにとどまっていたかった。文明都市が享受するべき当然の平和から見放されたこの街は、イエーガーにとっては虚構の遊び場となっていた。

住宅地の屋根をかすめて低空飛行する武装ヘリ。夜の静寂を切り裂く迫撃砲弾の飛翔音。荒れた砂地に置き去りにされた戦車の残骸。そして、いつも死体が浮いているチグリス川。人類の文明発祥の地は、五千二百年もの永きに亘って幾多の戦乱にさらされ、二十一世紀初頭の現在、新たな敵の侵略を受けていた。攻め込んで来た異種文明は政治的イデオロギーを掲げていたが、真の狙いが地下に眠る莫大な石油資源にあることに疑いの余地はなかった。

この戦争に正義が介在しないことは、イエーガーにも分かっていた。だが、それは彼が知ったことではなかった。重要なのは、ここには金になる仕事があるということだ。家族のもとに帰れば、戦場よりも辛い苛酷な現実が待っている。バグダッドにいさえすれば、一人息子のそばにいてやらなくても、与えられた責務を果たしているのだと自分に言い訳をすることができる。

遠くから、散発的な銃声が聞こえてきた。アメリカ軍の使用するM16攻撃用（アサルト）ライフルの発砲音だ。AK47の応射が聞こえないところからすると、本格的な戦闘ではないのだろう。

視線を戻すと、はるか後方、後続車両の群れの中から、一台の小型車が飛び出してくるのが見えた。イエーガーは、サングラス越しに車体を確認した。古ぼけた日本車だ。バグダッドではもっともありふれている車種で、それ故（ゆえ）、自爆テロを目論（もくろ）むテロリストたちにも愛用されている。爆破目標に突っ込むまで、人目を引くことがないからだ。

アドレナリンの作用で、イエーガーの視野がわずかに狭まった。サバーバンが車列を組んで走っているこの幹線道路は、殺戮地帯（キル・ゾーン）に指定されている。出動前に行なわれたブリーフィングでも、危機的な状況が報告されていた。過去三十日間で武装勢力の攻撃目標が変化し、米軍兵士ではなく民間軍事会社の契約者（コントラクター）までもが狙い撃ちにされるようになっていたのだ。このわずか数キロの道路上でも、十数名の警備要員が殺害されている。

無線機を通じて、車列の先頭車から報告が入った。「右前方の路側帯に不審車両。立体交差の下に一台停まってる。朝にはなかった車だ」

簡易型爆弾（IED）搭載車の可能性が高かった。離れた地点からこの幹線道路を監視している武装勢力が、遠隔起爆装置のスイッチに指をかけているに違いない。簡易型爆弾とは言え、爆発すれば装甲車両をも吹き飛ばす威力がある。

「どうする、引き返すか？」

「待て」とイエーガーは、口元の無線マイクに向かって言った。「後方から小型車が接近中」

日本車は、今や五十メートルの距離まで近づいていた。

「下がれ！」イエーガーはM４カービン銃を右腕で支え、左腕を振って後続車に合図を送った。だが車は、減速するどころか、急加速して追いすがって来た。

「妨害電波を確認しろ」護衛隊リーダーのマクファーソンの声が飛んだ。テロリストの遠隔起爆装置には携帯電話機が使われることが多く、妨害電波を発信していれば爆発を阻止できる。

「妨害電波発信中」と先頭車両が応じた。

マクファーソンが指示した。「このまま直進する。後続車を追い払え」

「了解」とイエーガーは応え、再度、声を張り上げて日本車に後退を命じた。

だが、相手は従わなかった。砂塵で汚れたフロントグラスの向こうに、敵意を剝き出しにしたイラク人ドライバーの顔が見えた。民間警備要員に課せられた交戦規則に従い、イエーガーは直ちに発砲した。速射された四発の弾丸が日本車のバンパーのすぐ前に着弾し、コンクリート片を宙に弾き飛ばした。

警告射撃を受けても、小型車の速度は落ちなかった。イエーガーは銃口を上げ、ボンネットに狙いを定めた。

「IEDに注意！」

無線機からマクファーソンの怒鳴り声が響いた直後、低い爆発音が車体を震わせた。爆発が起こったのは前方の立体交差ではなく、イエーガーの銃口の先、数百メートル離れた後方の路上だった。沿道にぽつんと佇（たたず）むナツメヤシが、立ち上る黒煙に取り巻かれている。また誰かが、熱烈な信仰心と憎悪にまみれて死んだ。バグダッドの日常だ。同じことが後方の小型車で起これば、イエーガーの体も瞬時に無数の肉片となって飛散する。

二段階目の警告射撃を省（はぶ）き、イエーガーは運転手を射殺するべくM4小銃の狙いを修正した。照準器に浮かぶ赤い光点が、イラク人の鼻の付け根あたりに漂った。

目をつぶるな、と運転手に向かってイエーガーは心の中で叫んだ。自爆するテロリストが最期の瞬間に浮かべる悲壮な表情を見せるな。さもなければ撃つ。

イラク人ドライバーの顔に、初めて恐怖の色が走った。死ぬつもりか。イエーガーは引き金にかけた指に力をこめたが、照準器の中の男の像は急速に小さくなっていった。小型車がようやく減速したのだ。

一瞬、闇が路面を覆い、サバーバンの車列が立体交差をくぐり抜けた。橋の真下に置かれた不審車両が爆発することもなかった。

後続車が車線を変えるのを待って、イエーガーは報告した。「後方はクリア」

「了解」と、一台前の車からマクファーソンが応じた。「このまま帰投する」

イエーガーは考えた。小型車の運転手はテロリストではなく、一般市民がこちらを挑発しただけだったのか。立体交差の下の車は偽装爆弾ではなく、エンストを起こして停車していただけだったのか。

何も分からなかった。確かなのは、自分が烈(はげ)しい憎悪にさらされ、恐怖を覚え、言葉を交わしたことすらない人間を撃ち殺そうとしたということだ。

三台の装甲サバーバンは、米軍の検問所でチェックを受けた後、自動車爆弾(VBIED)の突入を防ぐために設定された迂回(うかい)路を抜けて、安全地帯に入った。首都の中心部、かつてこの国を統(す)べていた独裁者の宮殿を囲む一帯だ。

ウエスタン・シールド社の宿泊所は、宮殿からそう遠くない道路沿いにあった。コンクリート・ブロックで造られた、ペンキの剝(は)がれかけた細長い二階屋。やたらと部屋数が多いこの建物が、民間軍事会社に貸し出される前に何に使われていたのかは誰にも分からなかった。役所の寮か、あるいは学校の寄宿舎だったのかも知れない。

前庭に停車した車列から、計六名の護衛隊メンバーが降りてきた。イエーガーを含め、全員がアメリカ陸軍特殊部隊、いわゆる〝グリーンベレー〟の出身者だ。一同は拳(こぶし)を突き出し合って、任務終了を祝った。車に駆け寄って来た車両整備係が、先頭車両の車体側面に高性能ライフルの狙撃痕を見つけたが、意に介する者はいなかった。よくあることなのだ。

「おい、ホーク」と、マクファーソンが、宿舎に向かうイエーガーを呼び止めた。「発砲の報告書は書かなくていい。今夜は屋上でパーティーだ」

「了解」イエーガーは、口元に微笑を作って謝意を表した。マクファーソンは、お別れパーティーを開いてくれるつもりなのだろう。明日の交替要員の到着を待って、イエーガーだけがこの隊を離れる。三ヵ月の勤務と一ヵ月の休暇は、この稼業の標準的なローテーションで、次に復帰した時、同じ仲間と仕事ができるとは限らない。どこからともなく飛んで来る弾丸の軌道次第では、二度と顔を合わせることもなくなる。

「休暇はどう過ごす？　国に帰るのか？」

「いや、リスボンだ」

ポルトガル行きの理由を知っているマクファーソンは、小さく頷いてから言った。「頑張れよ」

「ああ」

二階にある四人部屋に戻ったイエーガーは、M4小銃を二段ベッドに置き、戦闘用装備を解いてロッカーに入れた。武器弾薬などの支給品は、ここに残していくことになる。引っ越し作業は、数少ない私物をバックパックに詰め込むだけだ。

イエーガーは、束の間、作業の手を休めて、ロッカーの扉に貼った家族の写真に見入った。六年前、一家がまだ幸福だった頃に撮られたものだ。ノース・カロライナ州の自宅。イエーガーと妻のリディア、それに息子のジャスティンが、居間の長椅子に腰掛けてカメラに微笑みかけている。イエーガーの膝（ひざ）の上に乗ったジャスティンは、両手を伸ばしても父親の体に隠れるほど小さい。父親のダークブラウンの髪と、母親のブルーの瞳が、しっかりと子供に受け継がれているのが分かる。ジャスティンは無邪気に笑うとリディアに似るが、機嫌を損ねた時はいかにも無頼漢風の、特殊部隊員であるイエーガーのミニチュアになった。将来、この子はどっちに似るだろうと、夫婦はよく話題にしたものだった。

イエーガーは読みかけのペーパーバックに写真をはさみ、携帯電話を取り出した。かけた先は、リスボンにいる妻だった。時差は三時間。向こうはランチタイムが終わった頃だろうが、病院にいるリディアが一回目のコールでは捕まらないと分かっていたので、電話を折り返すように留守番電話サービスに吹き込んだ。それからM4小銃のメンテナンスを手早く終え、携帯電話とラップトップ型コンピューターを持って宿舎一階に下りた。

〝娯楽室〟は、今日も賑（にぎ）わっていた。それほど広くない部屋に、古ぼけたテレビやソファセット、コーヒーメーカー、自由に使用できるパソコンなどが置かれている。インターネットのポルノ・サイトを覗（のぞ）き込んで冗談を言い合っている一団から離れ、イエーガーは自分のコンピューターを高速回線に繋（つな）いだ。失望を味わうのを承知の上で、学術論文の検索サイトを見ていく。

やはり、今日も収穫なしだった。『肺胞上皮細胞硬化症』の治療につながる画期的な研究など、どこにも見当たらなかった。

「イエーガー」

戸口から呼ぶ声に振り向くと、宿舎の管理責任者、アル・ステファノが手招きしていた。

「俺のオフィスに来てくれ。お前さんに客だ」

「俺に？」一体、誰だろうと訝りながら、イエーガーはステファノに続いて娯楽室を出て、階段のたもとにある管理事務室に向かった。

ドアを開けると、接客用ソファに座っていた中年男が立ち上がった。身長は六フィートほどで、イエーガーと変わらない。半袖Tシャツにカーゴパンツの服装は警備要員と同じだが、年齢はイエーガーより二回り上の五十代だった。険しい表情のまま微笑を浮かべるという、軍人特有の器用な表情で、男は握手を求めてきた。

ステファノが紹介した。「こちらはウエスタン・シールド社の取締役、ウイリアム・ライベン氏だ」

名前は聞いたことがあった。イエーガーを雇用している民間軍事会社は、陸軍最強と謳われるデルタ・フォースの元隊員たちによって創設されたもので、ライベンはナンバー2の実力者のはずだ。会社の急成長は、経営陣とアメリカ軍との太いパイプによるものである。歴戦の兵であるはずのウイリアム・ライベンも、他の特殊部隊出身者と同じく、決して強面ではなかった。

気安く応対するのもどうかと思ったので、イエーガーは握手に応じながら、「初めまして、ライベンさん」と当たり障りなく言った。「ジョナサン・イエーガーです」

「コールネームはあるか？」と、すかさずライベンが訊いてきた。

「〝ホーク〟です」

「よし、ホーク。座って話そう」ライベンはソファを勧め、ステファノに向かって言った。「我々だけで話せるか？」

「ええ、もちろん」とステファノは答え、自分のオフィスから出て行った。

二人きりになると、今さら気がついたというように、ライベンは小さな部屋を見回して言った。「この部屋の秘密保全措置は大丈夫か？」

「ステファノが、ドアに耳を当てていない限りは」

ライベンは、にこりともしなかった。「まあ、いいだろう。早速、本題に入るが、明日からの休暇を先延ばしにできるか？」

「どういうことです？」

「あとひと月ほど、仕事をしてもらえないだろうか」

リスボン行きを延ばしたら、リディアが何と言うだろうかとイエーガーは考えた。

「悪くない話だ。日当は千五百ドル出す」

現在の稼ぎの倍以上の額だった。イエーガーは喜ぶよりも警戒した。ここで初めて、どうしてウエスタン・シールド社のナンバー2が、自ら出向いて仕事を持ちかけているのだろうかという疑問が湧いた。「アル・ヒッラですか？」

「何だって？」

イエーガーは、イラクで最悪の戦闘地域を引き合いに出した。「アル・ヒッラでの仕事ですか？」

「違う。任地はこの国じゃない。別の国に行ってもらう。二十日間を準備に充て、作戦遂行は最長で十日間。おそらく五日ほどで済むだろう。しかし期間がどれだけ短縮されようが、支払われる額は三十日分だ」

月収四万五千ドルは、確かに悪くない話だった。現在のイエーガー家は、金がいくらあっても足りない状態なのだ。「仕事の具体的な内容は？」

「それが困ったことに、現段階では明かせないのだ。君に提供できる情報は限られている。第一に、この仕事を発注してきたのは、フランスを含むNATO加盟国のうちのどれかだ。ロシアや中国ではない。ましてや北朝鮮でもない。第二に、それほど危険な仕事ではない。少なくともバグダッドよりは安全だ。第三に、特定の国の利害に関わる話ではない。言ってみれば、人類全体に奉仕する仕事だ」

イエーガーには、仕事の内容はさっぱり思い描けなかったものの、少なくとも危ない橋ではないということだけは分かった。「それなら、どうして日当が高いんです？」

するとライベンは、皺（しわ）の刻まれた目元にかすかな嫌悪を滲（にじ）ませた。「ここまで言えば分かってもらえると思ったがな。つまり、あまりきれいな仕事ではないのだ」

それを聞いて、イエーガーはようやく察した。汚い仕事。おそらく暗殺任務だろう。だが、特定の国の利害に関わる話ではないとライベンは言った。政治暗殺でないとすると、他にどんな暗殺があるというのか。

「引き受けてもらえるなら、まず最初に、受諾の覚え書きにサインしてもらう。次に作戦準備に入り、そこで初めて任務の具体的な内容が明かされる。だが、最初の覚え書きにサインした以上は、仕事の内容を知ってから辞退するのは許されなくなる」

「機密情報の漏洩（ろうえい）を心配しているんですか？　それなら大丈夫ですよ。こちらはＴＳレベルの機密取扱資格（セキュリティ・クリアランス）を持っているので」

合衆国の軍事情報は、その機密度に応じて三段階に分けられていた。秘密（コンフィデンシャル）、機密（シークレット）、最高機密（トップ・シークレット）である。各レベルの取扱資格を得るに当たっては、嘘発見器検査を含む、厳重な身元調査が行なわれる。陸軍を除隊した後も、イエーガーは最高機密（ＴＳ）レベルの資格を更新し続けていた。そうでなければ、アメリカ国防総省が民間軍事会社に発注する仕事を受けられなくなるからだ。

「もちろん、君が信頼に足る特殊部隊出身者だということは承知している。だが、秘密保全には万全を期したいのでね」

口を濁したライベンを見て、イエーガーは新たな手掛かりを得た。元デルタ隊員の重役が持ちかけているのは、最高機密レベルの有資格者でもアクセスできない『最高機密特別情報(TS/SI)』や『最高機密注意区分情報(TS/SCI)』といった、より高いレベルでの秘密保全が要求される任務ではないか。話の成り行きからするに、ホワイトハウス主導の暗殺作戦――情報へのアクセスが最大限に制限された『特別アクセス計画(SAP)』が発動したのだろうとイエーガーは考えた。しかしそれでも疑問は残る。通常、そうした任務は、デルタ・フォースや海軍のSEALチーム6といった部隊が担当するはずなのだ。民間軍事会社が受注する仕事とは思えなかった。

ライベンが決断を促した。「どうかね。やってみる気はないか？」

イエーガーは奇妙な予感に囚(とら)われた。まだ彼がローティーンだった頃に、離婚する両親からどっちと暮らしたいかと訊かれた時にも同じ感覚があった。あるいはハイスクールを卒業する前、大学の奨学金を得ようと陸軍入隊を決めた時にも感じた、尻込(しりご)みしたくなるような切迫感。自分が今、運命の分岐点に立っているのがはっきりと分かる。右と左、どちらを選ぶかで、その後の人生はまったく違ったものになる。

「疑問があれば、遠慮なく訊いてくれ。答えられる範囲で答える」

「本当に危険はないんですか？」

「ヘマさえしなければ」

「仕事は俺一人で？」

「いや、君を含めて四人がチームを組む」

四人というのは、特殊部隊編制の最少人数だ。

「他の雇用条件は、いつもと同じだ。照準調整を行なった武器を支給するし、任務遂行中に死亡した場合は、防衛基本法の保険から六万四千ドルが遺族に支払われる」

「では、受諾の覚え書きというのを見せてもらえますか？」

ライベンは満足そうに微笑み、軍用ブリーフケースから書類を取り出した。「ためらう理由などないさ。自分の運を信じろ。君は好運の持ち主だ」

「俺が？」とイエーガーは、片頬を歪（ゆが）めて皮肉っぽい笑みを浮かべた。「自分では不運な人間だと思っていましたが」

「いやいや、君はすでに好運な生存者（サバイバー）なんだ」とライベンは、口元を引き締めて続けた。「実はこの仕事には、これまで六名の候補者がいたが、全員が死亡した。リストに挙がった人間が、武装勢力の攻撃を受けて順繰りに死んでいったんだ。昨今は、民間警備要員も狙われているそうじゃないか」

イエーガーは頷いた。

「今日ようやく、直接話ができる人間に出会えたというわけさ」

心に広がった不吉な思いを、イエーガーは数字で打ち消した。一カ月で四万五千ドル。断わる理由がどこにある？　たとえ汚い仕事でも、自分は使い捨ての道具に過ぎない。人間の手に握られている銃と同じ存在なのだ。誰かを殺したとしても、銃が悪いのではない。咎を負うのは引き金を引いた人間、殺しを命じた何者か、だ。

受諾の覚え書きに目を通すと、口頭で説明を受けた以外に目新しい情報はなかった。あとは決断し、サインするだけだった。

ライベンがペンを差し出した。イエーガーは受け取ろうとしたが、胸ポケットの振動を感じて動きを止めた。

「失礼」とイエーガーは携帯電話を取り出し、モニターを確認した。リスボンにいるリディアからの返信だった。「サインをする前に、妻と相談したいんですが。明日には会えると言ってあるので」

ライベンは、獲物に逃げられまいとするハンターの目つきになった。「まあ、いいだろう」

イエーガーは通話ボタンを押した。電話機を耳に当てると、こちらが一言も発しないうちから、リディアの細い声が聞こえてきた。これまで何度も聞かされた、不安と絶望に打ちひしがれた声音だった。「ジョン？　私よ。大変なの」

「大変？　どうした？」

涙を飲み込む間があって、リディアは続けた。「ジャスティンが集中治療室に入ったわ」

また金がかかるとイエーガーは思った。やはり受諾書にはサインするしかない。「落ち着けよ。今までだって、何度も持ち直してきたじゃないか」

「今度は違うのよ。痰に血が混ざり始めたの」

息子を襲った病気の末期症状を聞かされて、イエーガーの首筋に寒気が走った。ラインに身振りで中座を伝え、事務室の外に出た。廊下の横にある階段を、仕事を終えた警備要員たちが騒々しく行き来していた。

「確かなのか？」

「この目で見たわ。糸屑みたいな赤い線を」

「赤い線」と呟き、イエーガーは、肺胞上皮細胞硬化症の世界的権威であるポルトガル人主治医の名前を出した。「ガラード先生は何て言ってる？」

リディアが何か言ったが、嗚咽に紛れて聞き取れなかった。指の腹で涙を払っている妻の姿が見えるようだった。「ガラード先生の意見は？」

「……あの子の心臓も、肝臓も、全部おかしくなりかけてるって……多分、永くはないだろうって」

停止しそうになる思考を必死に働かせて、イエーガーは難病についての知識を探った。

肺胞からの出血が始まれば、余命は一ヵ月。

リディアが、すがるように問いかけた。「ねえ、明日には会えるんでしょう？」

すぐにでも息子の所に行かなければと、イエーガーは考えた。だが、治療費はどうする？ イエーガーは、閉ざされたままの事務室のドアを見つめた。それからしばらく頑張ったものの、気力の限界が来て、彼の意識は混沌(こんとん)の中に入った。

どうして自分は今、バグダッドの薄汚れた宿舎の廊下に突っ立って、電話を握り締めているのだろう？ どうして自分は今、ここにいるのだろう？

「ジョン？」と、妻の泣き声が耳に届いた。「ねえ、聞いてるの？ ジョン？」

2

不幸というものは、傍観者であるか、当事者であるかによって、見え方はまったく異なる。

父の遺体を載せた霊柩車(れいきゅうしゃ)は、神奈川県厚木(あつぎ)市内の狭い商店街を縫うように走っていた。古賀研人(こがけんと)は、葬儀社の手配した黒塗りの車に乗って、その後ろをのろのろと進んでいた。

平日の正午過ぎ。冬の穏やかな日差しの下、沿道を歩く買い物客たちは、誰も黒い車列を振り返ったりはしない。中に乗っている青年が受けた衝撃について、同情を寄せる人もいない。

父、誠治の急死を知らされた時から、研人は自分の心の内が分からなくなっていた。魂の土台を削がれたような不安定さを感じるばかりだった。駆けつけた病院で「胸部大動脈瘤の破裂」という父の死因を聞かされてからの五日間、自分も母も手放しで泣き崩れたりはせず、何となく呆然としながら、目の前の一大事に流されるままになっていた。訃報を受けて山梨からやって来た伯父たちが、頼みもしないのに葬儀の一切合切を取り仕切ってくれた。専業主婦の母と、痩せて小柄な大学院生の一人息子は、見るからに頼りなかったのだろう。

研人は子供の頃から父親を尊敬していなかった。あらゆることに否定的で、何かにつけてひがみっぽい誠治は、大学教授という肩書きとは裏腹に、大人としての失敗例に見えた。だから、ほんの三十分前、父が眠る棺の中に花を詰め始めた時、悲しみを感じるよりも先に涙が噴き出してきたのには驚いた。これが血のつながりだろうかと、メガネの裏にあふれる涙を拭いながら研人は考えた。

やがて棺の蓋が閉められ、色とりどりの花に囲まれた亡骸が視界から消えた。それが父親の姿を見た最後となった。細面の、いかにもくたびれた風貌の大学教授。親子は、たった二十四年の付き合いだった。

遺族と会葬者を乗せた車の列が火葬場に着き、棺が火葬炉の中に移された。二種類ある炉のうちの、料金の安いほうだった。死んだ人間がどうしてお金で格付けされるのか、研人は日本人の死生観に腹立ちを覚えた。

三十名ほどの親族や知人は、二階の待合室に向かった。研人だけはしばらく炉の前にとどまって、固く閉ざされた扉を眺めていた。その中では、魂を失った父親の肉体が、高温の炎に焼かれている。研人の頭に、中学生の頃に読んだ科学啓蒙書の一節が浮かんだ。

『――あなたの血液の中を流れる鉄分は、四十六億年前に起こった超新星爆発によって作られた物質です。それが宇宙空間を漂い、太陽系が作られる際に地球という惑星に取り込まれ、食物を通してあなたの体の中に入ったのです。さらに言えば、あなたの肉体のどこにでもある物質、水素は、宇宙の誕生とともに作られた元素です。百三十七億年もの間、この宇宙に存在し続け、今、あなたの一部となっているのです――』

父親の肉体を形作っていた様々な元素が、元の世界に還る時が来たようだった。

科学の知識は、肉親の死を少しだけ無味乾燥にしてくれた。

研人はその場を離れ、広いホールの壁伝いにある階段を上って、待合室に行った。

畳の敷き詰められた広間の真ん中あたりに、参列者の一団が大きな座卓を囲んで座っていた。母の香織は、さすがに憔悴の色は隠せなかったが、感情的にはまだ持ち堪えてくれていた。お悔やみを言いに来る父の旧友や親戚たちに、きちんと正座をしたまま応対している。

他に、甲府から出て来ている祖父母と伯父の一家も見えた。古賀家は元々、山梨県の甲府で商店を経営する、割と羽振りのいい家だった。最近は大型スーパーに客を奪われて苦戦しているらしいが、跡を継いだ伯父が何とか一族の生活を守っていた。商売人の家系の中で、次男坊だった研人の父親だけが異質な存在で、地元の大学から東京の大学院へと進み、博士号取得後は就職せず、大学に残って研究者としての人生を歩んでいたのだった。

研人は、父方の親戚には相性の悪さを感じることがあって、どうにも馴染めなかった。どこに座ったものかと思案した挙げ句、とりあえず一番端の座布団に腰を下ろした。

「研人君か」

卓の向こうから、白髪交じりの頭をした細身の男性が話しかけてきた。父の友人で、新聞記者をしている菅井だった。厚木の実家に何度か来たことがあるので、研人とは面識があった。

「久しぶり。大きくなったな」と言いながら、菅井のほうから研人の隣に足を運んだ。

「今は大学院生だって？」

「はい」

「専門は？」

「創薬化学の研究室で、有機合成をやってます」と、研人はぶっきらぼうに答えた。

会話を打ち切りたいという意思表示をしたつもりだったが、菅井は構わずに訊いてきた。

「具体的には、どんなことをやるの？」

　研人は仕方なく続けた。「今はコンピューターを使って新しい薬をデザインできるので、その設計図に従って実際に薬を作るんです。いろいろな化合物を組み合わせて」

「実験室で試験管を振ったりしてるわけだ」

「そうです」

「人様の役に立つ研究だね」

「まあ、そうですけど――」ささやかな誉め言葉も、研人には居心地が悪かった。「僕には、それしかできませんから」

　菅井は不思議そうに小首を傾げた。いくら新聞記者でも、自身の能力や適性に惑っている研人の心の内は掘り起こせないようだった。今の研人は何者でもないし、この先、何者かになれるとも思っていなかった。

「日本の科学は基礎が弱いから、頑張ってな」とだけ菅井は言った。

　何も分かってないくせに、基礎が弱いなんて勝手に決めつけるなよと、研人は反発を覚えた。この大手新聞社の科学部記者を、研人は好いていなかった。とは言っても、菅井に非があるわけではない。彼の親切が仇となって、研人の心にちょっとした傷が残ったのだった。

　十年ほど前、父の研究業績が全国紙の科学欄で取り上げられたことがあった。後にも先にも、誠治が科学者として脚光を浴びたのはこの時だけである。その記事を書いたのが菅井だった。環境ホルモンなる用語が世間を騒がせていた時期で、父が大学の研究室で行なった実験では、問題となっていた合成洗剤の原料は、人間の内分泌系には悪影響を与えないとの結果が出た。『多摩理科大学　古賀誠治教授発表』の文字が新聞に載っているのを見て、この時ばかりは研人も父親を誇らしく思ったものだった。だが父への尊敬の念は、すぐに灰色の領域に墜ちた。誠治が、件の合成洗剤のメーカーから、多額の研究資金を受け取っていたのが分かったからだ。

ウイルス学が専門だった誠治が、どうしてこの時だけ内分泌攪乱物質の研究に手を染めたのか。はたして実験は中立だったのか。資金提供者に迎合して、実験データを歪めるような真似はしなかったのだろうか。

その後、世界中の学者が環境ホルモンの人体への影響を調べたが、明らかに有害とする結論は出なかった。だが一方で、百パーセント無害とも言い切れないという、これもまた釈然としない結果に終わった。それが当時の科学の限界だったのだろう。しかし、親の存在そのものが気に障っていた十代の一時期、父への疑念が晴れることはなかった。そして記事を書いた菅井に対しても、父と同類のように思われたのである。大人という名の、汚れた世界の住人。

「この度は、本当に残念なことになったね。まだまだ働ける歳だったのに」研人の横に座った菅井は、同年代の友人の急死にショックを受けているようだった。

「今日は遠い所をお越しいただいて、ありがとうございます」

「いやいや、こんなことしかできない」と菅井はうつむいた。

間がもたないので、研人は急須(きゅうす)を取って二人分の茶を淹(い)れた。

菅井はしばらくの間、茶をすすりながら父の思い出話をしていた。研究室ではさすがに威厳があったとか、内心では一人息子を自慢に思っていたのではないかとか、どれもこれもが、安っぽいテレビ・ドラマに出てくるようなステレオタイプの逸話だった。研人には、父親の人生が、なおさらつまらないものに思えた。

やがてネタが尽きたのか、新聞記者は話題を変えた。「ところで、今日はこれから初七日の法要もやるの?」

「はい」

「こちらはお骨を拾ったら失礼させていただくから、忘れないうちに話しておこう」

「何でしょうか?」

「研人君は、『ハイズマン・レポート』というのを聞いたことがあるかい?」

「『ハイズマン・レポート』ですか?」学術論文だろうかと、研人は考えた。しかし、ハイズマンという学者に心当たりはなかった。「いいえ、聞いたことはないです」

「そうか。お父さんから調べるように頼まれていたんで、どうしようかと思ってね」

「何ですか、その『ハイズマン・レポート』って？」

「今から三十年前に、アメリカのシンクタンクが大統領に提出した報告書だよ。お父さんは詳しい内容を知りたがっていた」

父の専門からして、ウィルス感染症の対策か何かだろうと研人は考えた。「僕とは関係ないです」

思いのほか、突き放すような口調になった。菅井が意外そうに研人を見て言った。「分かった。それならいいんだ」

菅井からどう思われようが構わなかった。父と子の関係なんて、周りからとやかく言われることじゃない。百パーセントの愛情を分かち合う親子なんて、この世に存在しないんだ。

ほどなくして、葬儀会社の人間が一同を呼びに来た。感情を押し殺し、打ち解けない会話を交わしていた面々は、腰を上げて階下に向かった。

研人は火葬炉の前に立って、遺骨となった故人を迎えた。乳白色の骨が台の上に散らばっている様は、あまりに簡素で寒々しく、一人の人間がこの世から消滅したことを即物的に物語っていた。

父方の祖父母と伯父、それに母がか細い声で泣いた。研人も、父が死んでから二度目の涙を流した。

続いて初七日の法要も済ませ、故人を送り出す儀式はすべて終了した。

翌日の早朝、目覚まし時計の音で起こされた研人は、大急ぎで朝食を済ませ、厚木の実家を出た。大学院生としての生活に戻らなければならなかった。六畳一間のアパートに寝泊まりし、助教授の指示に従って面白くもない実験を繰り返すだけの日々。

冷え込んだ空気の中、三LDKの建て売り住宅を後にする時、独居生活となる母のことが気になった。当分の間、母方の祖父母が実家に滞在してくれることになっていたが、その後は一人暮らしだ。五十四歳で未亡人となった母の心中がどんなものか、子供の立場からは想像がつかなかった。

別れ際、母が「たまには顔を見せて」と言ったので、「うん、そうする」とだけ答えて本厚木駅に向かった。

研人の通っている東京文理大学は、神奈川県から見て首都の反対側、千葉県との境に近い錦糸町にあった。学生数一万五千の総合大学だ。最寄り駅の錦糸町からは徒歩十五分。駅から北東に向かって歩いて行くと、横十間川という名の運河をはさんで、左側に理系、右側に文系のキャンパスが見えてくる。大学病院を併設した医学部だけは、ぽつんと離れて駅に近い位置に置かれていた。九十年前に創立された歴史のある大学だが、校舎は建て替えが進み、昔は農学部の畑があった広い敷地も、新設された学部の校舎で埋め尽くされている。コンクリートの路面の上に味気ない外観のビルが並んだ構内は、都内にある他の総合大学と同じように、どこか殺伐としている。

実家からは、電車を乗り継いで二時間もかかるため、研人には自分の将来を考える時間がたっぷりあった。家の経済状態が気になっていた。大学院修士課程二年の研人は、博士課程への進学を決めて、就職活動をしていなかった。つまりあと三年は、学費と生活費を親に頼らなければならないのだ。

以前、文系の友人から親の脛を齧っているのを笑われて、「学費くらい自分で稼げ」と説教されたことがあったが、そんなものは勉強そっちのけで遊び呆けていられる文系学生の甘い考えだった。薬学部は授業のほとんどが必修科目で、単位を一つでも落とせば落第するし、薬剤師の国家試験と卒業試験をクリアした後は、大学院での実験漬けの日々が待っている。それは「過酷」を通り越して「想像を絶する」と言うしかない多忙な日々だ。研人の進んだ創薬化学の研究室では、平日は午前十時から深夜まで、ずっと研究室にこもって実験をしている。休めるのは日曜日と祝日だけだが、実験の遅れなどもあって、休日の半数は潰れてしまう。長期の休みなどもなく、お盆と年末年始に、それぞれ五日ほど休めればいいほうだ。大学に入学してからの九年間をそうやって過ごして、ようやく一人前の「博士」が誕生する。学費稼ぎのアルバイトなんぞに精を出している暇はないのだった。

せめて一ヵ月前だったら就職活動に間に合ったのにと、研人は間の悪さを呪った。自分としてはどっちでもよかったのだ。博士課程に進もうと考えたのは、社会に出る覚悟を決め切れなかっただけで、研究職に魅力を感じたからではなかった。逆に研人は、大学に入ってからずっと、進路を間違えたんじゃないかという場違いな感じを持ち続けていた。薬学や有機合成が面白いと思えたことは一度もない。他にできることがないから、仕方なく続けてきたのだ。このまま二十年も過ぎれば、父親のように科学の傍流に巣くっているだけの、つまらない研究者になるのは目に見えていた。

大学に到着し、理工学部の裏門から薬学部研究棟に向かううち、研人の足取りは重くなった。歩調に合わせて、ますます自分が駄目な人間になっていくように思えてきたので、意識して歩くスピードを速めた。

リノリウムが敷かれた狭い階段を上って、研人は三階の『園田研究室』に着いた。廊下からドアを開けると、そこにはまた短い廊下がある。左右にはそれぞれロッカーが置かれた小部屋とセミナー室があり、突き当たりには教授室、奥の左手に広がるのが実験室だ。

ダウンジャケットをロッカーに入れ、ジーンズにトレーナーのいつもの格好になって、教授室を覗いた。開け放された戸口の向こうに、ネクタイ姿の園田教授の姿が見えた。

「失礼します」と声をかけて、研人は中に入った。

机の書類から目を上げた園田は、研人を認めると気遣うような表情になった。五十代後半の教授は、普段は年齢にそぐわぬ活力で院生たちの尻を叩いているのだが、この時ばかりは沈痛な面持ちだった。

「お気の毒だったね。少しは落ち着いたかい?」と園田は訊いた。

「はい」と研人は頷き、父親の葬儀に生花を贈ってもらったことへの礼を述べた。

「お父さんとは面識はなかったが、やはり同じ研究者となるとね。こちらもいろいろ思うところはあるよ。返す返すも残念だ」

研人は、指導教授の弔意を素直にありがたいと思った。園田は元々、大手製薬会社で数々の新薬開発に成功した超一流の研究者で、多忙な仕事の合間を縫って論文を書きまくり、この大学院に教授として迎えられていた。研究以外の雑務にも辣腕を振るい、製薬会社との複数の共同研究を取りまとめて潤沢な研究資金を確保している。自分の父親もこれくらい優秀な研究者だったらと、研人はついつい比べてしまったものだった。

お悔やみの言葉を並べても研人の悲しみがぶり返すだけだと思ったのか、園田は話題を変えた。「で、古賀は?　もう戻れるの?」

「はい――」と言いかけて、研人はちょっと考えた。この先、父の納骨の他に、何か仕事が残っているだろうか。「もしかしたら、また休みをいただくかも知れませんけど」

「ああ、いいよ。その時は遠慮なく言いなさい」

「ありがとうございます」

最後に教授は、研人を励ますように笑顔になって、「さあ、仕事、仕事」と隣の実験室に送り出した。

院生たちが生活の大半を過ごす実験室は、部屋と呼ぶにはあまりにも広い空間だ。中学校や高校の教室を四つ並べたくらいの面積がある。その中央に、大きな実験台が四つの島に分かれて配置され、数え切れないほどの実験器具や薬品で埋め尽くされている。三方の壁も、研究者たちの机や試薬棚、強制排気装置のついたドラフトチャンバーなどが置かれていて、混沌に限りなく近い機能美が一種の迫力を生み出している。

自己免疫疾患の治療薬開発を目指す園田研究室は、教授、助教授以下、二十名の研究者を抱えているのだが、一月のこの時期は例外的に閑散としていた。学部生は薬剤師の国家試験対策で、修士課程で卒業する院生たちは就職活動で部屋を空けているからである。

「古賀、大変だったな」

研人の指導係、博士課程二年の西岡が話しかけてきた。目が真っ赤で、さっきまで泣いていたような顔をしている。研人に同情して涙を流していたのではなく、徹夜で実験をしていたのだ。

研人は、西岡が携帯電話にメールをくれていたのを思い出した。「メール、ありがとうございました」

「いや、お通夜にも行けずにごめんな」

「この忙しい時期に、みんなに来てもらったら罰が当たりますよ。それよりこっちこそ、五日も休んじゃって」

「気にすんな」と、西岡は充血した目をしばたたかせながら言った。

その後も、研究室の仲間たちが入れ替わり立ち替わり、温かい言葉をかけてくれた。普段はやたらとテキパキしていて論理的な女の子たちも、いつになく優しい雰囲気で研人に接していた。研人が、まがりなりにも研究生活を送ってこられたのは、この人たちがいたからだった。

研人は実験台に割り当てられた自分のスペースに立ち、本業に戻った。有機合成という分野は、炭素を主成分とする化合物を作り出すのを目的としている。例えば炭素(C)という原子は、他の原子と結びつくための手を四本持っている。それに対して、酸素(O)は二本だ。両者が出会うと、一つの炭素に二つの酸素が結びついてCO_2、つまり二酸化炭素の分子になる。話がこれだけ単純なら苦労はないのだが、より構造が複雑な分子を互いに反応させ、狙い通りの化合物を作っていくのは容易なことではない。試薬の量や温度設定、反応を促進させる触媒(しょくばい)の選択など、些細(ささい)な条件の変化で結果はまったく違ったものになる。園田研究室では、薬として使えそうな(ドラッグ・ライク)分子構造を探し出し、さらに活性を高めるべく改良を施(ほどこ)して、新たな薬物を創り出そうとしていた。

現在、研人に与えられている課題は、多数の炭素や酸素、窒素などが連なって出来た「母核(ぼかく)」と呼ばれる基本構造に、「側鎖(そくさ)」という別の原子団を付けることだった。実験台の上には、助教授から指示されたレシピを書き留めた紙を貼ってある。どのような反応を、どのような順で行なえばいいかの指示だ。薬学系の実験というのは、どこか料理に相通じるものがあり、そのせいなのかは不明だが、薬学部は女子が圧倒的に多い。大学によっては九割が女子学生だ。大学院レベルでも、理系としては異例なことに半数近くを女性研究者が占めている。

試薬や器具を取り揃え、最初の反応を仕込むまで、研人は午前中いっぱいを費やした。結果が出るまでの合間を見計らって、窓際の自分の机に行ってパソコンを立ち上げた。案の定、こちらのほうにも、お悔やみのメールがいくつか送られてきていた。友人たちの思いやりが有り難かった。研人は一つ一つに目を通し、順に返信を送っていったが、最後の一通で手が止まった。受信トレイのリストには、奇妙な送信者名が表示されていた。

『多摩理科大学　古賀誠治』

その文字列を何度か確認するうち、ぞっと鳥肌が立った。

死んだ父親からのメールだ。

思わず声を上げそうになって、慌てて口を閉ざし、周囲を見回した。実験室の仲間たちは、それぞれの作業に没頭していて、誰も研人に関心を払っていなかった。

研人は小振りのメガネをずり上げ、ディスプレイに目を戻した。受信日時は、今日の深夜零時ちょうど。つまり父の死後、五日以上も経過してからメールが発信されたことになる。件名には、『研人へ　父より』とあった。

ウイルス・メールや迷惑メールが、父親の名を騙るとも思えない。すると誰かの悪戯だろうか。

セキュリティ・ソフトが稼働しているのを確かめてから、研人はメールを開いてみた。

液晶画面に、九ポイントの小さな文字で綴られた本文が浮かび上がった。

『研人へ

このメールが届いたということは、私が五日以上、お前や母さんの前から姿を消しているのだろう。だが心配は要らない。おそらくあと何日かすれば、父さんは帰れるはずだ。』

意味不明の文面だった。『帰れる』というのは、あの世から蘇るということなのか？

研人は続きを読んだ。

『だが、しばらく帰れない場合を想定して、お前に頼みたいことがある。

アイスキャンディで汚した本を開け。

それから、このメールのことは、母さんも含め、誰にも言わないように。

以上だ。』

メールはそこで終わっていた。

短い文章なのに、謎で溢れ返っていた。遺書のようにも見えるが、自分の死をまるで考慮していない。そもそも、このメールは誰が送信したのか。あらかじめ用意されたメールを、決められた時刻に送るようなソフトがあるのだろうか。父がそうやって送ったのだとすると、『お前や母さんの前から姿を消す』のを予期していたことになる。生前の父に、姿を消す事情などなかったはずだが。

研人は末尾の一文に目をとめた。

『アイスキャンディで汚した本を開け。』

謎めいた言葉に頭をひねった研人は、やがてその意味に思い当たり、このメールは父が出したものだと確信した。まだ研人が小学生だった頃の夏休み、父が英才教育でも施そうとしたのか、化学の参考書を開いて元素の周期表を見せたことがあった。その時、研人がなめていたアイスキャンディが棒から落ちて、『亜鉛Zn』のあたりをイチゴ色に染めたのだった。あの出来事を知っているのは父だけだ。

問題の本は実家の一室、父の書斎の本棚にあるはずだった。母に電話をかけて中を見てもらおうかと考えたが、『誰にも言わないように』というメールの指示に違反してしまう。父の遺志に従おうとするなら、片道二時間かけて、実家に戻らなければならない。

しかし、と研人は椅子の背もたれに体を預けて考えた。『アイスキャンディで汚した本』に、一体、何が隠されているというのか?

3

イエーガーは、空路で南アフリカ共和国に入った。ヨハネスブルクで飛行機を乗り継ぎ、ケープタウンへ。南半球に入ったために、季節は真夏となった。イエーガーは空港に迎えに来ていた現地の民間軍事会社、ゼータ・セキュリティ社の車で、ケープタウン郊外にある訓練施設に向かった。

この国は、民間軍事会社発祥の地である。金と引き換えに軍事サービスを提供するという新たなビジネスは、アフリカ大陸の国々で起こっていた内戦を終結させるなど、一定の成果を収めた。ところがその裏で、戦闘に勝利した側が紛争国の鉱物資源の権益を押さえたため、結局は血に飢えた傭兵(ようへい)集団が武力で富を収奪するという醜い実態をさらけ出す結果となった。南アフリカ政府は『反傭兵法』を制定して外国への軍事サービスの提供を違法としたが、イラク復興援助の美名のもと、多数の会社が新たに設立されていた。ゼータ・セキュリティ社もその一つで、イエーガーの雇用主、ウエスタン・シールド社とは下請けの関係にあるらしかった。

車窓から見える景色は、美しい海岸線を望む都市からブドウ畑の広がる平原へ、そして山へと、次々に移り変わっていった。バンの後部座席に座ったイエーガーは、自分の選択は正しかったのかと、それればかりを考え続けていた。

バグダッドでは、新たにオファーされた仕事を断わって、妻子のいるリスボンに行こうと一度は決意した。ところが、妻やガラード医師と電話で話すうち、息子の最後の延命策のためには、まだまだ高額の医療費が必要になると分かった。過去四年間、異国の地でジャスティンに高度先進医療を与え続けた結果、金融機関からの融資額は限界に達していた。息子と過ごせる残りわずかな時間を削ってでも、金を稼がなくてはならなかった。

今となっては、ガラード医師が最後の砦となっていた。肺胞上皮細胞硬化症を発症した子供は、ほとんどが六歳までに死亡する。九歳まで生き延びた症例はない。この病気の数少ない世界的権威の一人であるガラードは、あらゆる対症療法を行なって、ジャスティンの命を八歳まで引き延ばしてくれていた。末期症状が出てしまえば余命は一カ月だが、あの医師なら、あと数カ月は息子の命を保ってくれるのではないかとイエーガーは期待していた。そうなれば、今回の仕事を終えてから駆けつけてもまだ間に合う。息子と最後の時を過ごすことができる。

だが、ジャスティンが死んだら、そのあと自分はどうなるのだろう。リディアは、どんな選択を下すのだろう。

夫婦は、これまで何度か離婚の危機を迎えていた。ジャスティンがわずか二歳で呼吸困難となり、あの難解な病名が判明した時、陸軍病院の医師は「単一遺伝子疾患」という用語を持ち出して、こう説明した。「人は皆、両親から受け継いだ二組の遺伝子を持っています。このため、一方の遺伝子に異常があっても、正常なほうが機能するので問題なく過ごせるわけです。ところが偶然にも、両親の双方から同じタイプの異常な遺伝子を受け継いでしまうと、病気として発症します。お子さんのケースでは、肺を作る遺伝子に一カ所だけ変異があり、結果として酸素がうまく取り込めなくなっているんです」

イエーガーは、自分が責められているように感じた。リディアも同じ気持ちだっただろう。そんな二人の心中を見抜いたのか、医師は付け足した。「これは誰のせいでもありませんよ。敢えて言うなら、不運ということになるでしょう。こうした異常な遺伝子は、どんな人でも多かれ少なかれ持っているんです。今回は、たまたまそれが同じ箇所で二つ揃ってしまった」

だがイエーガーにとっては、受け入れ難い不運だった。リディアと結ばれなければ、子供が不治の病に冒されることはなかったのだ。リディアからしても、同じ責めを夫に負わせたかったに違いない。咎は二人の間を絶え間なく往復した。相手に投げつけた攻撃の刃先は、同じ鋭さで自分をも斬りつけた。お互いが、より不幸になると知りながら止められなかった。

家庭の崩壊は時間の問題と思われた。その頃には、ポルトガルのリスボン医科大学病院に、アントニオ・ガラードという専門家がいると分かっていたが、海外では軍の医療保険が利かなかった。それに妻子をポルトガルに住まわせ、医療費を賄うだけの財力は、給与等級E‐8のイエーガー曹長にはなかったのである。

　長期の任務を終えて帰宅したある日、夫婦間ではいつもの口論が繰り返され、イエーガーは遂に離婚を切り出した。ところがリディアは承諾しなかった。意外にも、あと三年、我慢するべきだと言い張った。指の腹で涙を払ういつもの仕草で、リディアは言った。

「ジャスティンは物心つく前から、ずっと病気に苦しんできたのよ。楽しい思いなんか何一つしてない。なのに私たちが離婚して、あの子の人生をもっと惨めなものにするの？」

　親の離婚を経験していたイエーガーには、その言葉で十分だった。短い休暇の後、彼は軍務に復帰した。アフガニスタンに赴き、タスクフォースの一員として空爆誘導任務を遂行中に、作戦に参加していた民間軍事会社の契約者と知り合った。元SEAL隊員で、イエーガーにその気があるなら、契約先を紹介してやると言った。

　願ってもない話だった。民間契約者には福利厚生も年金もないが、年収は陸軍の三倍以上、最低でも十五万ドルは稼げる。兵士の異動や除隊を禁止する『ストップ・ロス』が一時的に解除されるのを待って、イエーガーは軍籍を離れた。そして妻子をポルトガルに移住させたのだった。

　あと三年、とリディアは言った。ガラード医師の努力で、その期限は五年に延びていた。しかし、ジャスティンの肺胞から出血が認められた今、残りは永くても数十日となっていた。

息子が天に召されるまで、イエーガーは家族を持ち続ける。だがその後は何もかもが終わり、おそらく自分は一人きりになるのだろう。祖国を守る軍人ではなく、金のために戦う傭兵として。

「さあ、本社に到着だ」

運転手の声に、イエーガーは我に返った。腕時計を見ると、空港を出てから一時間以上が経過していた。ゼータ・セキュリティ社の四輪駆動車は、守衛所のゲートをくぐり抜けて会社の敷地に入った。そこは乾燥した丘陵地帯で、フェンスで囲まれた広大な土地に、本社ビルや訓練施設、さらには輸送機が離着陸できる飛行場までが設営されている。

車が進んで行った先にある本社ビルは、建坪の広い地中海様式の三階建てで、淡いクリーム色の外壁が民間軍事会社にまつわるきな臭いイメージを完全に覆い隠していた。建物だけを見れば、誰もが瀟洒なホテルを連想するだろう。

イエーガーは車から降りながら、意識を仕事に切り替えた。辛い現実を忘れ去る、ショータイムの始まりだ。

私物を入れたバックパックとスポーツバッグを持ってロビーに入ると、口髭をたくわえた長身の男が出迎えた。カーキ色の上下に、笑顔を忘れたかのような硬い眼光。いかにも元軍人といった風情の男は、南アフリカ訛りの英語で、「作戦部長のマイク・シングルトンだ」と名乗った。「君の仲間はすでに到着してる。部屋に案内しよう」

イエーガーは、シングルトンの後に続いて建物の奥へ進んだ。入り組んだ廊下には番号札の掛けられたドアが並んでいた。シングルトンは、そのうちの一つ、109号室の扉をノックしてから開けた。

宿舎となる部屋は、この仕事ではお馴染みの狭い四人部屋だった。両側の壁に二段ベッド、正面奥に各自のロッカー。目新しい点と言えば、小さな書き物机が置かれているくらいだ。

「諸君」とシングルトンが声をかけた。「仲間を連れて来た。ジョナサン・〝ホーク〟・イエーガーだ」

雑談に興じていた三人の男たちが、顔を上げてこちらを見た。彼らの間には、まだ初対面の緊張が残っているのが見て取れた。イエーガーにとっては、戦友となる貴重な仲間たちだ。

「一七〇〇時に、二階のブリーフィング・ルームに集合してくれ」とシングルトンは言い残し、部屋から出て行った。

「ホーク」と、まずは穏やかそうな顔つきの痩身の男が口を開いた。おそらくまだ二十代で、民間契約者としては若い部類に入る。こうした場では決まって、性格の明るい者から暗い者へと順に自己紹介が行なわれるのだった。「スコット・〝ブランケット〟・マイヤーズだ」

イエーガーは笑みを浮かべて〝毛布(ブランケット)〟と握手を交わした。「よろしく」

次にイエーガーと同年配の男が手を差し出した。「ウォーレン・ギャレットだ。コールネームは特にない」

ギャレットは、思慮深そうな参謀タイプの風貌だった。派手さはないが、いざという時にはもっとも頼りになりそうな男だ。

マイヤーズとギャレットはどちらも白人で、アメリカ国籍と思われたが、三人目はアジア人だった。身長が低い割に、首筋から肩にかけての筋肉が異様に発達している。ステロイド剤を服用しているのが明らかだった。

「ミキヒコ・カシワバラだ」と、アジア人は名乗った。

「ミッキ、ヘコ？」イエーガーが訊き返すと、マイヤーズとギャレットが声を揃えて笑った。

「誰もこいつの名前を発音できん」とギャレットが言った。「日本人の名前は難しいよ」

マイヤーズが訊いた。「前の仕事では何て呼ばれてた？　ミッキーか？」

「ミックだ」と、少々うんざりした顔で日本人は言った。当人はその呼称を気に入っていないらしい。

「よし、ミックだ」とギャレットが決めた。

この業界で、日本人というのはめずらしかった。イエーガーは関心をそそられた。「この稼業に入る前、何をしていたか訊いてもいいか？」

「フランス外人部隊にいた」と、ミックは強い訛りのある英語で答えた。「その前は、日本の自衛隊だ」

早くも懸念材料が現われた。民間軍事要員がチームを組む場合、同じ出自のメンバーが集められるのが慣わしとなっていた。例えばアメリカ軍の中でも、陸軍と海兵隊では戦術も装備も異なる。いざ戦闘となった時に、そうした違いで混乱が生ずれば全員の命が危険にさらされてしまうため、民間軍事会社の契約者となった後も軍隊時代の所属がそのまま継承されるのが普通だった。

「俺は、合衆国陸軍の特殊部隊にいたが」とイエーガーは言って、残る二人に水を向けた。

マイヤーズが口を開いた。「僕は合衆国空軍だ。パラレスキューにいた」

パラレスキューというのは、高度な医療技術と戦闘能力を併せ持った、救助専門の特殊部隊である。モットーは、〝我ら以外の、命ある者たちのために〟だ。民間契約者の世界では稀有な前歴だった。

最後にギャレットが言った。「私は、海兵隊の武装偵察部隊だ」

どうも寄せ集めの集団のようだった。戦闘時に使用される隠語やハンドシグナルの確認をしておかなくてはとイエーガーは考えた。それから、ただ一人のアジア人であるミックが、チーム内で孤立しないように気をつけてやらねばならない。

　ブリーフィング・ルームは、窓のない、狭い会議室だった。細長い机が平行に並べられ、壁際のホワイトボードと向き合う形になっている。

　十七時きっかりに、シングルトンが現われた。作戦部長は、筆記用具を持っているマイヤーズを見るなり言った。「これからのブリーフィングでは、メモは一切取るな。すべての情報は頭に叩き込め」

　マイヤーズは、おとなしくメモを引っ込めた。

「まだお互いのことが分かっていないと思うので、ここで紹介がてら、各自の担当を割り当てる。まず、全員が空挺(くうてい)資格を持っている。今回の任務では、イエーガーをチームリーダーとする。担当は、武器取り扱いと狙撃。使用言語は英語とアラビア語、それにパシュトー語だったな？」

「そうです」とイエーガーは答えた。

「だが今回の作戦では、専門技能もパシュトー語も必要ないだろう」と言って、シングルトンは次に移った。「マイヤーズの担当は医療(メディック)。使用言語は、英語の他に何かあるか？」

「特にはないです」と、衛生兵役を仰せつかった若者は言った。「敢えて言うなら、医学用語を少々」

シングルトンは、硬い目蓋のままマイヤーズを一瞥した。この作戦部長の前歴は、南アフリカ正規軍の将校といったところだろう。「次にギャレット。通信担当。使用言語は英語とフランス語、それにアラビア語」

ギャレットは無言で頷いた。

「最後に、カシーワバラ」と、シングルトンは慎重に発音した。「担当は破壊工作。使用言語は日本語とフランス語となっているが、英語は大丈夫か？」

「多分」とミックは言った。

曖昧な返答に、シングルトンは不満そうな表情を浮かべたが、「では次にスケジュール」と話を進めた。

準備期間は、一日おきの四十キロ耐久行軍や射撃といった基礎訓練に加え、スワヒリ語などの座学、それに黄熱病をはじめとする感染症の予防接種に費やされることになっていた。

「ここで作戦地域について述べる」

シングルトンはプロジェクターの前に移動し、パワーポイントで作成した資料をスクリーンに映し出した。まず現われたのは、アフリカ大陸の地図だった。「君たちが投入されるのは大陸の中心部を指し示しながら、シングルトンは言った。「君たちが投入されるのはコンゴ民主共和国。少し前まではザイールと呼ばれていた国だ」

イエーガーは、コンゴ民主共和国の位置を確認した。まさに大陸のど真ん中、赤道直下に横たわる広大な国だ。国土はコンゴ川に沿って先細りしながら西に延び、首都のキンシャサを経て、大西洋沿岸にまで及んでいる。色分けされた地図からは、アフリカの熱帯雨林がコンゴ国内に集中しているのが見て取れた。森に埋もれた国なのだろう。

「諸君は首都のキンシャサとは反対側の、東部ジャングル地帯に潜入する。索敵殲滅(サーチ&デストロイ)任務だ。野生動物保護団体の職員に身分を偽装するので、髪は伸ばしておけ。主要武器(プライマリー・ウェポン)は、AK47か狩猟用ショットガンに限られる。分隊支援火器(SAW)は携行しない。その他の装備に関しては、後日詳しく述べる」シングルトンは、元パラレスキュー隊員に顔を向けた。「マイヤーズ。君は、エボラ出血熱について知識があるか？」

「はい」

「任務に関わる話なので、この病気について、みんなに話してくれないか？」

マイヤーズは戸惑いながらも、仲間たちに向かって喋(しゃべ)り始めた。「エボラ出血熱は、人類が遭遇した中でもっとも危険な感染症だ。ウイルスが体の中に入り、脳を含めたすべての細胞に取りついて食い破る。生きたまま、内臓や筋肉が溶かされた状態になるんだ。感染者は、耳や鼻、口や肛門(こうもん)、それに毛穴までを含めたすべての孔(あな)から、ウイルスに汚染された体液を噴き出させて死亡する。エボラ・ザイールの致死率は九十パーセントだ」

傭兵たちは、表情を変えずに説明に聞き入っていた。マイヤーズは立ち上がり、スクリーンに浮かぶコンゴの地図を指して続けた。「我々が入るコンゴの東部は、エボラの流行があった地域に囲まれてる。西のエボラ川流域、北東のスーダン、それに東のケニア・ウガンダ国境のあたりでも、エボラの亜種が発生している」

イエーガーは手を挙げ、訊いた。「この病気の治療法は？」

「ない。感染したら、神に祈るしかない」

続いてギャレットも質問した。「致死率が九十パーセントと言ったが、残りの十パーセントはどうなるんだ？」

「体の免疫力が打ち勝って、無事に生き残る」

ほう、とギャレットは、小さく感嘆の声を上げた。

シングルトンが後を継いだ。「流行地域から外れているとは言え、君たちも十分、注意をすることだ。エボラ・ウイルスの宿主はコウモリの可能性が高いので、噛まれたり糞に触れたりしないように。それから、ヒト以外の霊長類にも感染するので、チンパンジーやゴリラ、小型のサルにも近づくな」

イエーガーはふたたび質問した。「感染した場合の症状は？」

「発熱とか嘔吐とか、マラリアによく似た症状が出る。ただしエボラは、眼球と睾丸に好んで取りつく」

そこで男たちは、初めて顔をしかめた。

「なので、目が真っ赤になったらエボラを疑ったほうがいい」

「他人の睾丸だけは診たくないもんな」とマイヤーズが言って、みんなを笑わせた。

それまで黙っていたミックが、たどたどしい英語で訊いた。「その病気は、どうして世界中に広まらないんだ？ＨＩＶみたいに」

「ああ、それはいい質問だね」と、マイヤーズがミックの顔を立てて答えた。「このウィルスは、潜伏期間が短すぎるんだ。感染してから約七日で発症する。つまり患者は、多くの人に伝染す前に死んでしまうんだ」

「なるほど」

シングルトンが一同に訊いた。「エボラの怖さについては理解したか？」

四人は頷いた。口には出さなくても、誰もが一つの質問を頭に浮かべ、自分で答えを出していた。任務遂行中に、チームの誰かがエボラに感染したら、どう対処するのか。救援のヘリは来ない。注射器とモルヒネ鎮痛薬を分け与えられて、ジャングル内に放置される。それは戦地における傭兵の宿命だった。イエーガーたちは、高額の報酬と引き換えに捨て石になったのだ。

「では今日の本題、君たちが潜入するコンゴ民主共和国の情勢に移る」

シングルトンがパワーポイントを操作して、次の資料を映し出した。いきなり現われた凄惨な写真に、男たちは虚を衝かれた。ぬかるんだ泥道に、人間の死体が散乱している。

若者、老人、男、女。後ろ手に縛られたまま死んでいる者もいれば、首を切り落とされて胴体だけになった者もいる。

「大量殺戮（ジェノサイド）だ」とシングルトンは言った。「現在、コンゴでは、『第一次アフリカ大戦』と呼ばれる大戦争が進行中だ。死者の数は、第二次世界大戦以降最悪の四百万人。停戦協定は何度も破られ、今も戦闘終結の目処（めど）は立っていない」

四人の顔に浮かんだかすかな疑念を読み取ったのか、シングルトンは言った。「これは本当の話だ。新聞やテレビは報じないがね。まあ、言ってみれば報道差別だ。先進国の報道機関は、アフリカ人が何人死のうが構わないのだ。現地で頻発する大虐殺よりも、七頭のゴリラが殺された事件のほうが大きく報じられる始末でな。まあ確かに、アフリカの人間は絶滅危惧種（きぐしゅ）じゃないがね」

シングルトンの硬い表情が動き、冷淡な笑みに変わった。この南アフリカの白人は、アパルトヘイトの支持者だったに違いない。

「コンゴでのごたごたの原因は、例によって植民地支配が残した禍根（かこん）だ。宗主国ベルギーの民族政策が、それまで共存していた民族の間に敵対心を植え付けた。ツチ人とフツ人の対立だ。宗主国が勝手にツチ人を優秀な民族と決めつけ、優遇したために、フツ人の反感を買ったのだ。この民族間の憎悪が積もり積もって、ルワンダの大虐殺が起こった」

この争乱についてはイエーガーも熟知していた。フツ系大統領の飛行機が何者かに撃墜されたのをきっかけに、民族対立が発火点を迎え、暴徒化したフツ人がツチ人を襲い始めたのだ。ラジオ放送が大虐殺を煽動し、多数の一般市民が鉈や棍棒などの武器を持って隣人を殺しにかかった。攻撃の矛先は、真っ先に女性や子供たちに向けられた。ツチ人を根絶やしにするためである。かくも迅速に殺人集団が組織された背景には、民族対立に加え、襲撃に加わらなければフツ人であろうとも殺されるという危機感や、ツチ人を殺した者には農園などが与えられるなどという虚偽の情報があった。殺戮は熾烈を極め、犠牲者の中には鈍らな刃物で全身を切り刻まれるのを避けるために、わざわざ金を払って銃で頭を撃ち抜いてもらった者までいた。さらに多数のフツ系住民までもが、ツチ人と間違えられて殺された。

このジェノサイドが始まってから百日後、ツチ系勢力が国外で軍隊を組織して反撃し、ようやく事態は鎮静化されたが、その時には全人口の一割に当たる八十万人以上の人間が殺されていたのである。

「ルワンダはツチ人政権となって、平和を取り戻した。そのお蔭で、ジェノサイドはなかったとする歴史修正論者までが現われる始末だ」シングルトンは冷笑を浮かべてブリーフィングを続けた。「世界が知らされているのはここまでだ。ところが惨事は終わったわけではない。この大虐殺が、第一次アフリカ大戦の導火線になったのだ」

パワーポイントの図面が、コンゴ周辺の拡大図に変わった。シングルトンの手にしたレーザーポインターの光が、東のルワンダと西のコンゴを行き来し始めた。

「ルワンダ虐殺の首謀者であるフツ人の一派が隣国のコンゴに逃げ込み、そこから尚も越境攻撃を仕掛けた。コンゴ政府がこれを黙認したため、ルワンダは激怒した。ここに至って、対立の構図はルワンダ対コンゴに切り替わった。ルワンダは、同じツチ人政権のウガンダと組んで、コンゴの独裁政権打倒に動き出した。コンゴ東部の反政府ゲリラに軍事支援を行ない、反乱軍として武装蜂起させたのだ。この目論見は大成功を収めた。反乱軍は瞬く間に西の首都へと侵攻し、独裁者を追い払い、新政権を樹立した。新大統領の座に居座ったのは、ルワンダの支援を受けた反乱軍のリーダーだ。これで一件落着かと思われたが、戦況の泥沼化はここから始まった」

　スクリーンには続いて、三枚の同じ地図が並んで映し出された。コンゴの各地域が、どの武装勢力の支配下にあるかの変遷を示したものだった。

「新大統領は、ルワンダの傀儡色を払拭するために、自分を支援したツチ人を裏切った。東部に残るフツ人の武装グループと手を組んだのだ。言うまでもなく、ルワンダはふたたび激怒した。そこでウガンダやブルンジとともに軍事侵攻し、新たな独裁者を倒しにかかった。窮地に追い込まれた新政権は隣国に助勢を求め、チャドをはじめとする近隣諸国を味方につけた。こうして一九九八年に、アフリカ大陸の十カ国以上が関与する大戦争が始まった」

シングルトンが言葉を切ったので、イエーガーは挙手して発言の許可を求めた。「紛争当事国に、そんな大戦争を維持するほどの財力があったんですか？」

するとシングルトンは、先ほどの冷たい笑みを浮かべた。「これはスポンサー付きの戦争なのさ。戦いが始まってすぐに、戦争の真の目的が見えてきた。コンゴに眠る大量の地下資源だ。ダイヤモンド、金、コンピューターに使われる稀少金属（レアメタル）、それに油田。コンゴに侵攻した連中は、支配地域の鉱物資源を押さえるために血みどろの戦いを続け、これにヨーロッパとアジアの百近い企業が乗った。鉱山会社などが、資源を略奪する側に戦費を援助して、おこぼれを頂戴（ちょうだい）しているのさ。ルワンダは自国の産出量を上回る鉱物を輸出し、先進国はそれが略奪された物と知りつつ買い付ける。携帯電話に使われるコルタンのために、数十万人のコンゴ人が殺されているはずだ。さらにアメリカやロシアなどの大国は、表向きにはコンゴ政府を支持しながら、ルワンダやウガンダにも資金援助をしている。どっちが勝利を収めても、地下資源の権益が得られるという寸法だ。資金の流れまでを含めれば、大国のほとんどを巻き込んだ世界大戦となっているんだ」

「人的資源は？」とギャレットが質問した。「それだけの兵士をどうやって確保してるんですか？」

「最初は失業者、次に貧困層が徴兵された。軍隊にいれば食事だけは支給されるからだ。それでも兵力が足りなくなり、現在では子供たちが誘拐されて兵士にされている。言っておくが、これはもはや国家間の戦争ではない。コンゴ国民の大半は、こんな馬鹿げた武力衝突を支持していない。ところが、ほんの少数のならず者ども、例えば二百人程度の武装集団が子供たちを拉致し、兵力一万人の軍隊を組織してしまう。独裁者に率いられた政府軍も同じだ。自国の村々を襲撃し、略奪し、人々を虐殺している」シングルトンは、地図の前に戻って続けた。「現在、コンゴの西部から南部は政府軍が支配しているが、北部と東部は混沌としている。共闘していたはずのルワンダとウガンダが、地下資源の権益をめぐって分裂し、収拾がつかなくなったためだ。君たちが投入される東部では、二十以上の武装勢力が戦闘を繰り広げ、戦っている当事者たちも、誰が敵なのかさえ分からなくなっている。その上、民族間の憎悪までもが渦巻いて、ジェノサイドが至る所で起こっているというのが現状だ。国連平和維持軍も派遣されているが、広大なジャングルの全域に目を光らせるのは不可能になっている」

イエーガーは質問した。「それで我々は、どの勢力のために戦うんです？　国連軍ですか？」

「どの勢力にも与しない。武装勢力に気づかれずにジャングル内へと潜入し、この戦争から独立した目的のために任務を遂行する」

「具体的には？」

「任務の詳細は、まだ明かせない。当面は、いかなる疑問も持たずに訓練に専念しろ」

イェーガーは、陸軍時代を思い出した。「疑問を持つな」というのは、新兵に徹底して叩き込まれる軍隊の掟だった。

「コンゴには、男たちの目を奪うような格好いい兵器は存在しない。ピンポイント爆撃などの洗練された戦術もない。大義もイデオロギーも愛国心もない。あるのは一切の虚飾を取り去った、剝き出しの戦争だ。地下資源の争奪と民族間の憎悪、刃物と小火器による殺し合い」シングルトンは感情の窺い知れない強張った表情に戻り、ブリーフィングを次の言葉で締めくくった。「現地に潜入後、地獄を見たくなかったら、決して人間には近づくな」

4

日曜日になるのを待って、研人は厚木の実家に向かった。数日ぶりで帰った我が家が、あまりにひっそりしているので驚いた。

母の香織は、まだ面やつれが目立ったが、祖父母がいてくれるお蔭でずいぶんと気が紛れているようだった。

少しの間、居間でお喋りに付き合った後、研人は階段を上がって行った。二階にある三部屋のうち、四畳半の小部屋が父の書斎だった。壁の三方を本棚が覆い尽くし、部屋の真ん中に机がぽつんと置かれている。

中に入ると、父の匂いが研人を取り巻いた。感傷的になりかけたが、好奇心のほうが勝った。父親の死後に送られてきたメール。そこに書かれていた『アイスキャンディで汚した本』を求めて端から本棚を眺めていき、最下段の中央にそれを見つけた。『化学精義（上）』だ。

一体、何があるのかと表紙を開くと、本には細工がしてあった。ページがきれいに刳り貫かれ、二つ折りの封書が隠されている。

研人は封筒を手に取ってしげしげと見つめた。父の筆跡で、『研人へ』と表書きがしてある。中を覗くと、一枚のメモとキャッシュカードが入れられていた。

研人は、箇条書きのメモを読んだ。

『1．この本とメモは、すぐに処分すること。
2．机の引き出しに、黒い小型のノートパソコンがある。それを保管してくれ。決して他人の手に渡してはならない。』
研人は机を振り返り、引き出しを開けた。指示にある通り、黒いA5サイズの機械が入っていた。取り出して電源を入れてみたが、青い画面が表示されただけで、OSが立ち上がらなかった。どこか不具合があるらしい。やむなく強制終了し、メモに戻った。

『3．キャッシュカードは、お前が自由に使っていい。名義人に心当たりがないだろうが、気にするな。残高は五百万円。暗証番号は、パピーの誕生日だ。』

驚いた研人は、大手銀行発行のキャッシュ・カードに目をやった。表面に刻印された名義人は、『スズキヨシノブ』となっていて、確かに研人の知らない名前だった。

『暗証番号は、パピーの誕生日』

パピーというのは、子供の頃に飼っていたパピヨンの小犬だ。記憶の底を探って、忘れかけていた犬の誕生日を思い出す。パピーが研人たちに囲まれて、年に一度のご馳走を食べていたあの日――暗証番号は、１２０６だ。

しかし、この口座に五百万円もの大金が遺されているなら、父の遺産ということになる。相続税とかはどうしたらいいのだろう。一人息子の学費と生活費のために、親父はこんな大金を遺したのだろうか。

研人は、メモの続きに目を通した。

『4．今すぐに、以下の住所へ行け。

　東京都町田市森川１-８-３-２０２
　鍵は、アパートの外階段一段目の裏にテープで貼り付けてある。
　5．これらすべてのことは、絶対に他人に言ってはいけない。すべてをお前一人で、内密に行なえ。母さんにも話すな。今後、お前が使用する電話、携帯電話、電子メール、ファクシミリなどのあらゆる通信手段は、盗聴されているものと思え。』

メモはそこで終わっていた。

被害妄想とも受け取れる最後の記述に、研人は顔をしかめた。親子にしか特定できない本の中にメモを隠したのも、メール盗聴を怖れたからだろう。親父は胸の動脈だけでなく、精神をも病んでいたのだろうか。

「何してるの？」

背後からいきなり声をかけられて、研人は飛び上がった。振り向くと、母の香織が戸口に立っていた。

「ご飯作ったけど、食べない？」

「ああ」と上の空で返事をしながら、研人は素早く考えた。このメモのことを母に告げるべきか。しかし『内密に行なえ』という父の指示はどうしたらいい？

「ちょっと調べ物をしてから食べる」と言って、研人は『化学精義（上）』を、メモと一緒にそっと閉じた。

香織は怪しむ素振りを見せず、階段を下りて行った。

研人はもう一度メッセージを読み返し、第4項に書かれている町田の住所を訪ねるしかないと考えた。厚木からなら、錦糸町の下宿に帰る途中に立ち寄れる。奇怪なロールプレイング・ゲームをやらされている気分だが、仕方がなかった。メモとキャッシュカードをポケットに押し込み、『アイスキャンディで汚した本』と小型ノートパソコンを小脇に抱えて、研人は階下に下りた。

ダイニング・キッチンには、研人の分だけ昼食が用意されていた。椅子に腰かけながら、研人は訊いた。「おじいちゃんたちは？」

「お散歩がてら、買い物に行ったわ」と母は気怠（けだる）そうに答えた。肉付きのよかった顔が、今はげっそりしている。

食事に箸（はし）をつけた研人は、さりげない口調で訊いてみた。「親父のことだけど、何か変なことはなかった？」

答えがないので顔を上げると、香織が驚いたように口を開けてこちらを見ていた。研人はようやく悟った。母が打ちひしがれているのは、単に喪失という以外の、大きな理由があるからではないか。それは、自分宛てに遺された奇妙なメッセージと関係があるのだろうか。

「研人も気づいてたの？」と香織は逆に質問してきた。

「何のこと？」

母は、祖父母がいないことを確かめるように、左右に視線を投げてから言った。「何だか悪い予感がするのよ。この何カ月か、お父さんの様子がおかしかったの」

「様子が？　どんな風に？」

「やたらと忙しそうにしてて、家に帰るのが遅くなってた」

「仕事で忙しかったんじゃないの？」それで寿命を縮めたのだと研人は思っていた。「お医者さんだって、過労じゃないかって言ってたよ」

「それだけじゃないのよ。毎晩、あんまり帰りが遅いもんだから、一回、訊いたことがあるの。どこで何をしてるのかって。そしたら、お父さんはこう言ったの」

母が言葉を切ったので、研人は先を促した。「何て言ったの？」

「大学の知り合いに引きこもりの子がいて、その子の家庭教師をしてるって」

それは明らかに嘘だった。いかにも親父らしい、不器用で見え透いた言い逃れだ。いやしくも大学教授ともあろう者が、家庭教師のアルバイトなんかするはずがない。親父には、嘘をついてまで家を空けなければならない理由があったのだ。

「そう言えば」と研人は、気になっていたことを言った。「三鷹(みたか)の駅で倒れたんだよね？」

「そう。それもおかしいでしょ」

研人は十日前のことを思い出した。父が倒れたとの連絡を受けて研究室を飛び出したのだが、向かった先は実家のある厚木ではなく、父の勤務先があった多摩市でもなく、東京都三鷹市の救急指定病院だった。そこは実家からは電車で一時間ほども離れているし、父の通勤ルートからも大きく逸(そ)れていた。病院に残っていた制服警官や救急医の話を総合すると、父は三鷹駅のホームで電車を待っていた際に、胸の動脈にあった瘤(こぶ)が破裂して病院に担ぎ込まれ、死亡したということになるのだが、そもそもどうして三鷹にいたのか。研人はてっきり、仕事の所用か何かで立ち寄ったのだろうと思っていたのだが——

ついさっき見たばかりの、被害妄想を窺わせるメモを思い出して、研人は一抹の恐怖を感じた。父は殺されたのではないかという疑念が頭をもたげたのだ。冷静になれ、と自分に言い聞かせて、父の死の状況を思い返す。どう考えても不審な点はない。駆けつけた病院で、研人は医師の説明を受けていた。CTスキャンによる画像診断で、胸部大動脈瘤の破裂は確認されていた。毒物によって似た症状を引き起こすのが不可能なのは、薬学の専門家である研人にはすぐに分かる。父は間違いなく病死したのだ。

ただ、研人の頭に引っかかったのは、父の死後に送りつけられてきたメールだった。父は、自分が『姿を消す』ことを想定して、あの文面を用意していたのだ。死ぬのは想定外だったとしても、何かのトラブルを予想していたのは間違いない。

「それに」と母が続けた。「救急車を呼んでくれた人にお礼を言おうとしたんだけど、誰だか分からないの。お父さんと一緒にいた女の人らしいんだけど、すぐに駅からいなくなったって」

父が女性と一緒にいたというのは初耳だった。「それって、どんな女の人？」

「細身で髪が肩くらいの長さの、四十歳くらいの人だって」

母の思い描く筋書きが、ようやく研人にも見えてきた。「つまり、母さんが言いたいのは——」

香織は、ちょっと怖い目をして頷いた。

「でも」と研人は口ごもった。「でも、あの親父が？」

信じ難い話だった。着古したスーツに身を包み、研究資金にも事欠いていた大学教授。小さな体に、不平や不満をたくさん溜め込んでいた自分の父親。それが還暦を前にして老いらくの恋か？　しかし父親が謀殺されたと考えるよりも、よっぽど現実的な話だった。あまりに不名誉でつまらない結末に、研人は落胆した。自分に託されたロールプレイング・ゲームの目的は、不倫の後始末ではないのか。

「考えすぎだと思うよ」と、研人は努めて軽く言った。こうなってしまっては、母を真実から遠ざけるしかない。「一緒にいた女の人だって、たまたま居合わせただけかも知れないし」

「そう願いたいわね」と、香織はそっとため息をついた。

電車に乗って町田へ向かう道すがら、研人の頭はふらついていた。自分を取り巻く世界が、急に様変わりしたのを感じていた。これまで親としてしか見てこなかった二人の人間が、夫婦という特別な関係にあったことに、今さらながらに気づかされていた。それは両親なる存在を、ただの二人の人間として見ることだった。

多分、自分が子供でいられる時代は終わったのだろうと研人は考えた。昨日までは、自分は大人だと思っていたのに。親というのは、自分の死をもって、最後の、そして最大の教育を子供に施すのだろう。良くも悪くも。

町田駅で電車を降りた研人は、銀行を目指した。この街には土地勘があった。実家から二十分ほどなので、高校生の頃はよく本を買いに行ったり、映画を観に行ったりしていた。父の通勤ルートから見れば、家と勤務先のちょうど中間あたりに位置している。そこにアパートを借りて、愛人との逢瀬（おうせ）を楽しんでいたのだろう。

キャッシュカードを発行した銀行の支店が、ファッションビルの横にあった。研人はＡＴＭコーナーに行き、『スズキヨシノブ』名義のカードを機械に入れて、暗証番号１２０６を打ち込んだ。残高を確認すると、『５００万円』の表示が出た。

軽いジャブを食らった気分だった。やはりこれは、亡き父の隠し資産――俗に言うヘソクリなのだろう。額の大きさにうろたえた研人は、数字を書き換えるのが怖くて残高確認だけにとどめた。これで不倫疑惑が、ますます濃厚になってきた。

研人は駅周辺に戻り、街路表示図を眺めて、『町田市森川1-8-3』にあるアパートを探した。その一帯は、デパートや飲食店がひしめくエリアとは線路をはさんだ反対側だった。

オフィスビルや集合住宅の合間を縫って進んで行くと、車道から脇に入る細い通路が見つかった。問題のアパートは、その突き当たりにあるはずだ。私道と思（おぼ）しき通路の右側はブロック塀、左側は砂利を敷き詰めた駐車場を囲むフェンスで、繁華街の喧騒（けんそう）からは隔絶されている。

奥まで入り込んだ研人は、ようやく目当ての物件を見つけた。思わず足を止めて、木造モルタル二階建てのアパートを眺めた。

ひびの入った外壁、木枠が歪んだ窓、錆（さ）びかかった外階段。

それは昭和の遺物と言っていいほどの、古色蒼然（そうぜん）たる代物だった。しかも雑草の生えた敷地が、まるで堀のように四方を囲んでいるので、ビルの狭間（はざま）に建ったアパートは気配を失って埋没し、孤立している。どうやら開発の波に一つだけ取り残された物件らしかった。人目を忍ぶには最適だろうが、愛人としけ込むには不気味すぎる。あからさまに言えば、幽霊屋敷といった趣（おもむき）だ。実際、このアパートの周辺だけは、人の気配がまったく感じられないのだった。

歩を進めるには勇気が要ったが、研人は雑草を踏みしめて敷地に入り込んだ。窓の数からして、一階、二階ともに三部屋ずつあるらしかった。父のメッセージに書かれていた部屋番号は、『２０２』。郵便受けを見てみたが、住人の氏名が書かれたものは一つもなかった。

研人は建物側面の外階段に歩み寄り、泥棒にでもなった心持ちで周囲を見回してから、手を突っ込んで最下段の裏面を探った。

指先に、ガムテープの感触があった。それも一ヵ所ではないようだった。手当たり次第にテープを剝がしていくと、三本の鍵が出てきた。病的な警戒心を感じて、またも父親の印象が悪化した。

続いて、足音を忍ばせて階段を上がる。二階の廊下にはドアが三つ並んでいた。研人は中央の202号室の前に行った。表札は出ていなかった。扉には、つい最近増設されたと思われる真新しい錠が光っている。手にした三つの鍵がどれに対応するのか、あれこれ試してから、研人はようやく部屋の入口を開いた。

人が一人、やっと立てるくらいの狭い玄関があり、そのすぐ右手にはガスコンロが載った流し台があった。左側の小さな板戸はトイレの入口だろう。研人は靴を脱いで中に入った。短い廊下のすぐ向こうに引き戸がある。極彩色のシーツが使われたダブルベッドがあるのではないかとか、色々といかがわしい想像をしながら研人は戸を開けた。

部屋の中は真っ暗だった。だが、意外にも暖かかった。エアコンの送風音が小さく聞こえている。壁を手探りして電灯のスイッチを入れた。蛍光灯の陰鬱な光に照らし出された部屋の全容に、研人は目を見張って立ち竦んだ。

そこは、愛人との秘め事を楽しむような部屋ではなかった。広さは六畳。窓には遮光カーテンが掛けられていて、外光を完全に遮断している。

大きなダイニング・テーブルが六畳間を占拠していて、その上には様々な実験器具が置かれてあった。A4サイズのノートパソコン、ブックシェルフで代用した試薬棚、ピペットや三角フラスコ、ロータリーエバポレーターに紫外線ランプまでが揃えられている。壁際に置かれた冷蔵庫も、家庭用の物ではなく研究施設用のフリーザーだ。そうした実験器具は、研人が普段、使い慣れている物だった。つまりここは、研人の専門分野である有機合成を行なう実験室らしい。

これだけの機材を購入するには、かなりの費用がかかったはずだった。床には、寝袋や歯磨きセットなどもあり、泊まり込んでの作業が想定されていたのが分かる。

その時だった。すぐ後ろで、カサッと生き物が動く気配がした。この部屋に自分以外の生物がいるとは思っていなかったので、研人はぎょっとして振り返った。窓とは反対側、これまで目を向けなかった壁に押し入れがあり、上の段に透明プラスティック製の大きな箱が並んでいた。換気装置や自動給餌器などを備えた、実験動物飼育用のケージだ。全部で四十四ほどのマウスが、十四ずつグループ分けされている。このネズミたちは、ぼろアパートの押し入れの中で、ずっと生きていたらしい。

かわいそうなことに、右半分の二十四はかなり弱っている様子だった。何とかしてやりたいが、実験動物を扱わない研人は対処に困った。給水ビンの水が少なくなっているのに気づき、水道水を足してやろうかと考えたが、滅菌水を使うべきではないかという疑問も湧いた。あれこれと専門外の問題に頭を悩ませた結果、帰る前に近所のコンビニでミネラルウオーターを買って来ることにした。

研人は、あらためて異様な実験室を見回した。父は何の目的で、こんな部屋を用意していたのか。そうだ、実験ノートだ、と気づいた研人は、テーブルの上に研究者仕様の大判のノートを見つけた。

表紙を開くと、一通の封筒がはさんであった。中に入っていたのは、パソコンで印字されたメッセージだった。

『研人へ

よくぞここまでたどり着いた。奇妙な実験室を見せられて驚いているだろうが、本題はここからだ。私は、訳あって個人的な研究を抱えている。私が姿を消している間、その研究をお前に引き継いでもらいたい。』

またもや父の遺言の中に、自分の死を想定していない一文が現われた。『姿を消す』というのは、どのような状況を指していたのか、この文面からも不明だった。

『本研究については、お前一人で行なえ。誰にも言うな。ただし、もしも身の危険を感じるような事態が起こったら、直ちに投げ出して構わない。』

ここにも被害妄想を思わせる記述があった。研人は眉(まゆ)をひそめながら、引き継ぐべき研究内容に目を通した。

『まず、A4サイズの白いノートパソコンに、研究に必要なソフトが入っているのでこれを使え。自宅の書斎から持ち出したA5サイズのパソコンは、絶対に他人に渡すな。そのまま保管してくれ。』

背もたれのない回転椅子があったので、研人は実験台の前に腰を下ろし、メッセージにある二台のノートパソコンを手元に置いた。ボディは白と黒の二色だ。まずは大きいほう、白いA4サイズのマシンの電源を入れた。自宅にあった黒い機械は、起動しないのは分かっていたが、試しにもう一度スイッチを入れてみた。この小型パソコンには父が秘匿しておきたかったプライベートな文書、おそらく電子メールが残されているのではないかと研人は考えた。父が三鷹駅で倒れた時、一緒にいたという女性については、まだ何も分かっていない。不倫疑惑は完全に否定されたわけではないのだ。

二台のコンピューターの起動を待つ間、研人は文書の続きを読んだ。

『具体的な研究内容：

1. お前に頼みたいのは、オーファン受容体のアゴニストをデザインし、合成することだ。

2. ターゲットとなるGPCRの詳細は、A4ノートパソコンを見れば分かる。

3. 2月28日までに完成させろ。』

うっ、と研人は呻いた。何か途方もないことを言われた気がする。専門外の知識も問われるため、何度も読み返して誤解がないことを確かめた。

父の指示をまとめると、つまりこういうことだった。細胞の表面には、何種類もの『受容体』と呼ばれるタンパク質が顔を出している。その名の通り、受容体はポケットのような凹(へこ)みを持っていて、そこに特定の物質(リガンド)が入り込み、結合することによって、細胞自身が生命活動に欠かせない働きを開始する。男性ホルモンとか女性ホルモンなどと名付けられたリガンドが、筋肉を発達させたり肌をきれいにしたりするのも、働きかける細胞に受容体があるからである。ここでキャッチされて初めて、各種ホルモンは特定の機能を発揮するよう、細胞に命令することができるのだ。

文面にある『オーファン受容体』とは、機能も、それに結合するリガンドも未知の受容体のことで、父が要求しているのはそれを活性化させる物質を作ることだった。

ところが、『ターゲットとなるGPCR』——Gタンパク質共役型受容体(GPCR)は、ロープのように細長いタンパク質で、細胞膜の内側と外側を七回も行ったり来たりして、その中心部にポケットを作り出している——は、正確な形を特定するのが極めて難しく、したがって結合するリガンドをデザインするのは至難の業(わざ)なのだ。

ここに書かれてある指示を全(まっと)うするには、製薬会社などの大きな研究機関が優秀な研究者を集め、最低でも十年以上の歳月と数百億円もの資金を費やさなければならない。それでも、うまくいくかどうかは怪しいほどの高いハードルだった。それを、大学院修士課程二年の学生がたった一人で、五百万円の資金で、一カ月ちょっとの期間で完成させるというのは、どう考えても無理な話に思えた。

父には何か勝算があったのだろうか。残る手掛かりは、実験ノートの記載内容だが、それは研人の専門から大きく外れていた。

ノートの書き込みはわずか四ページで、最初に記された研究目的には、『変異型GPR769のアゴニストをデザインし、合成する』とあった。

なるほど、『変異型GPR769』かと、ターゲットとなるオーファン受容体の名称が判明した。アゴニストとは、この受容体に結びつき、細胞を活性化させる薬物のことで、言わば人工的に作られたリガンドである。しかし研人に分かったのはそれだけだった。続く研究手順の項には、

『・変異型GPR769の立体構造解析
・CADD（in silico でのデザイン）
・合成
・in vitro でのバインディング・アッセイ
・in vivo での活性評価』

とあり、『合成』以外の項目については他分野の専門知識が必要になるので、研人には妥当な方針なのか、判断がつきかねた。ただし、どうも創薬というものを甘く見すぎているのではないかとの印象を受けた。合成した化合物の構造最適化とか、人体への臨床試験

とか、重要で手間のかかるフェーズがごっそりと抜け落ちている。

そこで研人は、ふと考えた。そもそも『変異型ＧＰＲ７６９』というのは、ヒトの細胞にある受容体なのだろうか。それとも別の生物だろうか。『変異型』とあるからには、コードする遺伝子に突然変異が起こっているのは間違いない。その変異は、この受容体を持つ生き物にどんな変化をもたらしているのだろう。相手が人間ではないとすれば、臨床試験が省略されているのも納得がいく。

父の遺品となった二台のパソコンも、すぐには役立ちそうになかった。『研究に使え』と指示された白いノートパソコンは、ＯＳがリナックスだった。有機合成の研究者にとっては馴染みのないシステムだ。もう一台の小型パソコンは、やはりフリーズしたままだった。

父の遺志を継ぐには、第三者の知恵を借りなければならない。『本研究については、お前一人で行なえ』という指示に反することになるが。

研人は、ノートにはさんであった指示書に戻った。最後の項目が残っていた。

『私が長期間、戻らない場合について：

私はすぐに戻れると思うが、万が一、不在が長引いた場合について書いておく。

いつか、一人のアメリカ人がお前を訪ねて来る。そのアメリカ人に、合成した化合物を渡せ。英語サークルにいたお前は、英会話は不自由しないはずだ。父さんとは違ってな（笑）。

以上だ。』

遺書となった父のメッセージは、やけに明るい雰囲気で終わっていた。文中の父親と一緒になって笑ってから、研人は『私が長期間、戻らない場合』について考えた。父は長期間どころか、永遠に戻って来ない。となると、研人がアメリカ人の来訪を受けることになる。しかし、アメリカ人って誰だろう。英会話が苦手だった父に、アメリカ人の知り合いがいたとは思えなかった。

結局、謎は謎を呼んだだけだった。分かったことと言えば、父が『変異型ＧＰＲ７６９』のポケットに入り込む物質を作ろうとしていたことだけだ。研人としては、これが実現可能な研究なのかどうか調べた上で、その後の身の振り方を決めるしかない。

研人は腰を上げ、ダウンジャケットを着込んだ。実験ノートを閉じようとした時、欄外に書きとめられた英単語に気づいた。研究内容はボールペンで几帳面に綴られていたが、その走り書きだけは薄い鉛筆で書かれていた。

『Heisman Report #5』

どこかで聞いた覚えのある言葉だった。

『ハイズマン・レポート』――

新聞記者の顔が浮かんだ。

5

ホワイトハウスの地下に設置されたシチュエーション・ルームに、戦時内閣を構成する閣僚たちが一堂に会していた。窓のない細長い部屋は、天井に並んだ蛍光灯によって煌々と照らされているものの、室内を覆った陰鬱な空気を振り払うには至っていなかった。

何もかもが色彩を欠いていた。マホガニー製の会議用テーブル、黒い革張りの椅子、座を連ねた高官たちの着るダーク・スーツ。室内のすべての人や物がモノトーンの中に沈み込み、互いの輪郭を打ち消し合って、あたかも部屋全体が一つの生命体であるかのような薄気味悪い印象を醸し出している。そこは超大国の脳髄であり、国家の人格を体現する最高意思決定者は短気だった。

「それで、原因は摑めたのか？」と、テーブルの上座に着いたバーンズ大統領は、視界の奥までずらりと顔を並べた高官たちに憤懣を投げつけていた。「こんな甚大な損害を被ったのは、こちら側の情報が漏れていたとしか考えられん」

発言を譲り合う閣僚たちを見て、バーンズは回答者を指名した。「私は君に訊いているんだ、チャーリー」

国家情報長官のワトキンスは、彼の助け船にはならない簡素な報告書から目を上げて、大統領に答えた。「おっしゃる通り、イラクでの民間契約者の死者数は急激に増えましたが、過去一週間で以前のレベルまで戻っております。おそらく我々の防諜対策が功を奏したのではないかと」

「君は私の質問に答えていない。敵はどうやって、こちら側の動きを察知していたんだ？」

バグダッドの武装勢力が、どうやって民間軍事会社の契約者ばかりを効率的に狙い撃ちできたのかは、ワトキンスにとっても謎だった。しかしそれは、彼の責任ではないはずだ。

「民間軍事会社の活動に関しては、インテリジェンス・コミュニティよりもペンタゴンのほうが詳しいと思いますがね。連中の行動計画は、国防総省が把握しているはずですから。あるいは国務省か」

「我々の調査では、どこにも問題はなかった」とラティマー国防長官が、いつものしかめ面で応じた。

それを受けて、チェンバレン副大統領が非難がましい口調で言った。「CIAは、イスラム武装組織の情報収集能力を過小評価していたんじゃないのかね」

この政権下で、幾度となく重苦しい会議を繰り返してきた参加者たちは、毎度お馴染みの力学を敏感に察知した。会合に先立ち、副大統領のチェンバレンが情報機関をスケープゴートに差し出していたのだろう。すべてはあいつらのせいだ、と。

「そのようなことはありません」と否定したのは、沈黙を守っていたＣＩＡ長官のホランドだった。銀髪に口髭をたくわえた風貌は、スパイ組織のトップにふさわしく、どこか謎めいていた。「我々の分析に遺漏はありませんよ」

「そこまで言い切る根拠は何だ？」

とチェンバレンが詰問したところへ、ラティマーが割り込んだ。「それは個別会合の議題に回せばいいだろう。重要なのは、民間軍事会社の傭兵たちが炭坑のカナリアだということだ。奴らが何人死のうが、国民の知ったことではない。だが、同じ損耗が合衆国軍に生ずれば、世論までをも敵に回すことになる。今はとにかく、公式発表される戦死者数を増やさないことだ」

不承不承、ホランドは頷いた。無意味な論戦は早く終わらせるに限る。最後に彼は、黙りを決め込んでいる国家安全保障問題担当大統領補佐官を恨みがましく一瞥した。省庁間の軋轢を調整するのが、こいつの仕事のはずだ。

「よし、今日はこれでいいな？」

と書類を片付けにかかったバーンズに、大統領首席補佐官のエイカースが言った。「あと一つ、国際刑事裁判所の問題が残っています」

バーンズは小さく唸り、大統領首席法律顧問のウォレスに訊いた。「署名の撤回はどうなった？」

「国連事務局は、合衆国の署名撤回を受理していません」

バーンズは舌打ちした。前政権の末期、一代前の大統領が国際刑事裁判所設置のための国際条約に署名してしまった。このまま同条約を批准すれば、アメリカ人が戦争犯罪を犯した場合、国際法廷で裁かれる羽目になる。そこで一方的に署名を取り消したのだが、国連はそれが気に入らないらしい。何様のつもりだ、とバーンズは声に出さずに毒づいた。

「二国間免責協定の締結を進めるしかないでしょう」と、バラード国務長官が口を開いた。元軍人の非戦論者は、現政権になってから急速に存在感を失っていたが、己に課せられた職務は忠実に遂行していた。「そうすれば、相手国はアメリカ国籍の人間を国際刑事裁判所に引き渡すことができなくなります」

「それだけでは手ぬるい」とバーンズは言った。「免責協定を結ばない国に対しては、一切の経済援助を打ち切れ」

個人的な意見は隠したまま、バラードは「その方向で進めます」と言った。

「よし、諸君。各自の仕事に戻れ」と大統領が散会を宣言した。

細長いテーブルの両側で、閣僚や次官たちが帰り支度にかかった。バーンズは、一番近くの席が空くのを待って、首席補佐官を呼び寄せた。「ガードナー博士を呼べ」

「はい」とエイカースが言って、内線用秘話電話の受話器を取り上げた。「ガードナー博士を」

退室して行く高官たちと入れ替わりに、初老の科学者がシチュエーション・ルームに姿を見せた。

「やあ、博士。お待たせして申し訳ない」

バーンズは椅子から立ち上がり、科学技術担当大統領補佐官を迎えた。警戒心を抱かずに話し合える相手は、今のバーンズには貴重だった。親近感が伝わっているのか、ガードナーも柔和な笑みを浮かべて勧められた席に腰掛けた。

その場に居残ったホランドCIA長官は、不祥事の槍玉（やりだま）に挙げられた不快さを忘れ、個人的な関心をもって科学顧問の言動に注目していた。純然たる趣味で、アマチュア向けの科学雑誌を購読していたホランドは、今回の特別アクセス計画に重大な懸念を抱いていた。現政権は、脅威を過小評価しているのではないか。大統領日報に記載されていた新種の生物が本当に出現したのなら、アメリカはおろか、全人類が危急存亡の秋（とき）を迎えるのは確実だと思われた。今、こうしている間も、その生物はコンゴの奥地で密（ひそ）やかに成長を続けているのだ。

バーンズは本題に入る前に、別の簡単な問題から切り出した。「先日お伺いした件ですがね、えーと、何ていいましたっけ？」

「胚性（はいせい）幹細胞ですか」

「そう、胚性幹細胞。博士のご意見では、研究を再開するべきだとのことでしたが」

「ええ。このままでは、アメリカの競争力が著しく低下する怖れがあります」

バーンズは、面と向かって反対意見を言われても、ガードナーが相手だと腹が立たなかった。彼は科学的・倫理的な観点からではなく、保守的なキリスト教徒の支持を失いたくないばかりに言った。「しかしあれは難しい問題でしてね。博士のご助言はありがたいが、従来の政策は変えられません。熟慮した結果です」

「もちろん、ご決定は尊重しますよ」とガードナーも穏やかに応じた。「ならば、隣接する他の分野に力を注ぎましょう。二十一世紀は、間違いなく生物学の時代になります。アメリカが後れを取るようなことがあってはなりませんからね」

こうした受け答えの仕方を、他の高官たちも心得て欲しいものだとバーンズは思った。彼は首席補佐官に命じて、ガードナーのためにコーヒーを持って来させた。それからおもむろに訊いた。「どうですか、計画の進捗状況は？」

特別アクセス計画の科学顧問は、コーヒーをすすってから答えた。「開始が少し遅れましたが、現在は万事順調です。ラティマー氏のご厚意で、ペンタゴンに立派な部屋を用意していただきました」

厚意、という言葉にガードナーの人柄が滲んでいた。ホワイトハウスでは通常、厚意では何も動かない。思わず笑みを浮かべたバーンズは、列席者の中でホランドだけが真剣な面持ちを崩さないのを見て不審に思った。ＣＩＡ長官は、何を気に病んでいるのだろう。

「特別計画室のことですね？」

「そうです。ちょうど、この部屋のように――」とガードナーは、シチュエーション・ルームを見回した。「テレビ会議の設備や、各種情報を映し出すスクリーンなどが完備されてます。部屋の責任者には、シュナイダー研究所の優秀な若者を据えました。先に提出したオプション・プランを立案した人物です。彼が万事を取り仕切ってくれてます」

ラティマー国防長官が言った。「この上ない人材ですよ。三十過ぎの上級分析官でね。実績は乏しいが、将来性がある」

その評価の裏の意味は、バーンズに伝わった。計画に不手際があった場合、いかなる面倒にも悩まされずに首を切れるリーダーだ。実際のところ、『ハイズマン・レポート』に基づく今回の計画は、進行中の秘密計画(ブラック・プログラム)の中でももっとも優先順位の低いものだった。

「作戦を遂行するオペレーターたちも人選が完了し、すでに南アフリカで訓練に入ってます」

バーンズは、少しだけ気になっていたことを訊いた。「例の生物ですが、もしも本当に存在しているとなると、すでに合衆国の脅威になっているとは考えられませんか？」

「その心配はありません。そこまで成長しているはずはありませんので。言うなれば、まだ赤ん坊です」

「なるほど。では計画通り、早く駆除(くじょ)するに限りますね」

「そう、駆除です」とガードナーも頷いた。

バーンズは腹心の科学顧問に対し、初めて違和感を抱いた。この心穏やかな紳士が、あの汚い作戦に異を唱えるどころか、積極的に推進する役回りを演じるとは。宗教的ドグマとは無縁の科学者にとっても、あの生物は忌々しい存在なのだろうとバーンズは推測した。

「ところで」とガードナーが質問した。「今回の計画は、議会にも知らされているんですか？」

「予算だけはね」

チェンバレン副大統領が補足した。「法の定めで、作戦開始の三十日前までに、上下両院のトップ数名に予算額を伝えなければならんのです。しかし具体的な行動計画まで教える必要はありません。連中は、我々が何をしようとしているのかは知らないということです。計画に関与するメンバーも、もちろん伏せてあります」

ガードナーは安心したようだった。学究の徒は、合衆国の最高機密計画に参画して、夜も眠れないほどのスリルを味わっているらしかった。バーンズは微笑を禁じ得なかった。

「博士のご尽力で、計画はうまくいきそうですね」

ガードナーは頷き、言った。「先ほど申し上げた計画の責任者が、実に緻密な作戦を練り上げました。一ヵ月以内に、計画は成功裏に終了するでしょう。私が保証しますよ」

やり取りを見守っていたホランドは、暗澹とする気分を振り払おうと、神経質に口髭を撫(な)でていた。大統領も、科学顧問も、完全に敵を見くびっている。万が一にもあの生物が文明社会と接触したら、辛うじて保たれている世界の秩序はひとたまりもなく崩壊するはずだ。

　ホランドは、南アフリカに招集された四人の男たちに思いを馳(は)せた。彼らは人類の災厄(さいやく)を回避するため、天に捧(ささ)げられる生贄(いけにえ)となるのだろう。

6

　これまでは、任務がタフであればあるほど、イエーガーの心の痛みは薄らいでいた。差し迫った命の危険や肉体的苦痛が、それよりももっと辛い問題を忘れさせてくれていた。だが、息子の寿命が一ヵ月先に迫った今、いかなる過酷な訓練もイエーガーの鎮痛薬とはならなかった。

　四十キログラムの荷物を背負い、四十キロメートルを歩き抜く耐久行軍。陸軍時代には何でもなかったのに、民間警備要員となって都市部での護衛任務ばかりを引き受けているうちに、持久力がすっかり落ちていた。ゼータ・セキュリティ社の敷地を出て、丘陵地帯を貫く未舗装の道を歩き始めると、十キロほど進んだところで早くも息が上がってきた。一歩、足を踏み出すごとに、背中の重量がイエーガーの体力を奪いにかかる。北の空から照りつける南半球の太陽が、体温維持に欠かせない汗を瞬く間に蒸発させる。一列縦隊の二番手、チームリーダーのポジションを歩きながら、この苦痛に集中しろと自分に言い聞かせる。しかし精神の奥底からは、苦難に満ちた人生の断片がとりとめもなく浮かんでは消えた。

戦争ごっこに加わろうとしない妹に苛立っていた七歳の頃。父親の運転する車に一家四人が乗り、アーカンソー州に住む親戚を訪ねたことがあった。途中、立ち寄ったモーテルで、車を停めた父が一人でフロントへ行き、チェックインの手続きを済ませるのを、イエーガーは後部座席の窓越しに見つめていた。カウンターをはさんで談笑する二人の大人。尻ポケットから抜き出される札入れ。サインのために渡されるボールペン。少年だったイエーガーは、いつか自分も父親になって、あの役目を果たすのだろうと思った。

しかし手本とするべき存在は、与えられた責務をやり遂げぬままに家庭から去った。残された母は、スーパーマーケットの倉庫で管理係をして二人の子供を育てた。イエーガーがハイスクール卒業を前にして、軍隊に入ると告げた時、そんな気丈な母が負け犬の顔になった。十八歳だったイエーガーは、母の心に堆積した息子への思いを理解できずにいた。幾分なりとも分かるようになったのは、自分自身の子供が生死を賭けた戦いに駆り出されてからだった。

ジャスティンは、物心つく頃から、自分の命を奪おうとする敵がいることを知っていた。

たった一人で戦わなくてはならないことも、いつかは力尽きて死んでしまうことも知っていた。

病室に息子を見舞う時、イエーガーはいつも両手におもちゃの山を抱えて行った。ミニカーや光線銃、最新型のトランスフォーマー。少しでも子供の喜ぶ顔が見たかった。だが点滴に繋がれたままのジャスティンは、ちっとも楽しそうではなかった。小さな手に握ったロボットを、沈んだ瞳で見つめていた。それが彼に課せられた、苦痛に満ちた義務とでも言うかのように。

イエーガーにしてみれば、生命の脆さを思い知らされた気がした。五年後にこの世に残っているのは、ジャスティンの肉体ではなく、プラスティックで出来たロボットのほうなのだ。

この子の笑顔が見たい。元気にはしゃぐ姿が見たい。テーブルのコップをひっくり返そうが、家の壁に落書きをしようが、叱らずに見守ってやる。好きな時に好きなだけ、キャッチボールの相手をしてやる。他の子供たちと同じように、健康な体さえ取り戻せれば――

「イエーガー」

訛りのある英語で話しかけられて、イエーガーは我に返った。顔を上げると、先頭を歩いていたミックが立ち止まっていた。

「休憩を取らないか？」とミックは提案したが、彼自身には疲労の色はなかった。バテているのは後方の二人、ギャレットとマイヤーズだった。

「そうだな、十分休憩しよう」

一同は、日差しを避けて立木の下へと移動し、バックパックを下ろした。それぞれが、衰えている体力と訓練そのものに悪態を吐(つ)いたが、軍隊につきものの汚い言葉は多くなかった。この寄せ集めの集団は、意外に紳士的な面々が揃っているとイエーガーは気づいた。普通なら、四文字言葉を盛大に撒(ま)き散らす輩(やから)がいてもおかしくないのだが。

「今回の任務に関しては、ちょっと不安があるんだけどな」マイヤーズがトレッキング・ブーツを脱ぎ、靴擦(ず)れにバンドエイドを貼りながら言った。「空軍にいた頃を含めて、本格的なジャングル訓練は受けていないんだ。この仕事に、どうして自分が選ばれたのかも分からない」

ギャレットが言った。「つまりは簡単な仕事だってことじゃないのか？」

具体的な任務の内容が明かされていない以上、イエーガーとしてもコメントのしようがなかった。「ミック、君はジャングル訓練を受けているか？」

「ああ」とフランス外人部隊にいた日本人は頷いた。

海兵隊の武装偵察部隊(フォース・リーコン)にいたギャレットも、密林での作戦行動には慣れているはずだった。イエーガーは、マイヤーズに言った。「ジャングルで怖いのは猛獣の類(たぐい)じゃなく、昆虫とかの小動物だ。マラリアを媒介する蚊や、足の爪の間に卵を産み付ける蚤(のみ)、それに蛇やサソリ、蜂に蜘蛛……得体の知れない生き物に刺されただけで、命を失いかねない。なので、まず基本は虫除け剤だ。これを皮膚だけじゃなく、服にも塗る。それから蚊除けのネットも必需品だ」

「寝る時は？　通常の野営みたいにテントを持って行くのか？」

イエーガーは、ギャレットに話を振った。「海兵隊ではどうしてた？」

「確か」と、一瞬、口ごもってからギャレットは答えた。「簡易型のを」

「簡易型テント？　ジャングルで？」

「あ、いや」冷静な表情を保ったまま、ギャレットは付け足した。「たっぷりと補給が受けられる状況なら、だ」

「俺たちがやっていたのは」と、ミックが割り込んだ。「木の枝を組み合わせてハンモックを吊る方法だ。地面から体を浮かせば、蛇やムカデを避けられる」

「そう、それだ」とギャレット。「SASの連中と同じだな」

イエーガーは、ギャレットの前歴に疑いを持った。フォース・リーコンにいたというのは本当だろうか。民間警備要員の中には、虚勢を張りたいばかりに経歴を詐称する者もいる。しかしそうした嘘は、時として仲間の命を奪いかねない。四名編制のチームで一人が使い物にならなければ、戦力が二十五パーセントもダウンしてしまうからだ。

落ち着いた風貌のギャレットを観察して、イエーガーは判断に迷った。見栄を張りたがるタイプではないのは確かだ。その一方で、海兵隊出身にしては立ち居振る舞いがおとなしすぎる。今後、この男のスキルを十分に見極めなくてはならない。

耐久行軍は予定時間を一時間オーバーしたものの、どうにか終了した。訓練施設で出迎えた作戦部長のシングルトンは、「まあ、初回はこんなものだろう」と言ったが、顔には不満の色をありありと浮かべていた。

四人は自分たちを苦しめていたバックパックを自室に放り込み、着替えもせずに次のプログラムに移った。

ゼータ・セキュリティ社の本社棟の裏は広大な空き地となっていて、飛行機の離着陸場や格納庫、各種訓練施設などが設営されていた。イエーガーたちが裏口から外に出ると、軍用輸送機に物資を搬入しているフォークリフトが見えた。この基地内で、シングルトン以外の社員を見るのは初めてだった。どうやら自分たちは隔離されているようだとイエーガーは察した。やはり今回の作戦は、アメリカが立ち上げた機密計画と見てよさそうだ。

シングルトンは、「これから武器を支給する」と言って、一同をコンクリート製の倉庫へと案内した。

武器庫の内部はさすがに壮観だった。重火器や小火器だけでなく、ロケットランチャーや迫撃砲、空挺作戦に使うパラシュートまでが取り揃えられている。紛争地帯では、専ら東欧諸国や中国製の武器が流通しているが、ここには西側を含めた世界各国の兵器類が厳選されて用意されていた。

攻撃用ライフルがずらりと並べられた銃架の前に、シングルトンが立った。「前にも言ったが、主要武器（プライマリー・ウエポン）はＡＫ47か狩猟用ショットガンだ。好きなほうを選べ。予備用武器（バックアップ・ウエポン）は、グロック17にしろ」

一列縦隊の先頭、ポイントマンを務めるミックがショットガンを手にしたが、すぐにシングルトンを振り返り、質問した。「ジャングル内で接敵（コンタクト）の可能性は？」

「極めて低い」

ミックはショットガンを銃架に戻し、カラシニコフ銃に持ち替えた。

全員がタクティカル・ベストに予備弾倉八本を仕込み、九ミリ口径の半自動式拳銃をレッグホルスターに差し込んだ。イエーガーの心の中を、毎度お馴染みの幼稚なプライドが満たしていった。対人殺傷用の武器を持っただけで万能感に浸（ひた）れてしまうのは、男が生まれ持った病気の一つだろう。

シングルトンはさらに、軍用ポーチを配って回った。「暗視装置とグロック用のサプレッサーが入っている」

サプレッサーというのは、銃声を抑える減音装置だ。一昔前まではサイレンサーと呼ばれていた。

「今夜は夜間強襲訓練も行なう」

任務の一端が初めて明かされた。攻撃目標は、反米武装勢力のキャンプだろうか。

「よし、射撃場へ行こう」

武器庫をはさんで飛行場とは反対側に、屋外射撃レンジがあった。イエーガーたちは人形(ひとがた)標的を使って、AK47のゼロ点調整を行なった。照門を動かし、百メートルの距離で正確に射撃できるようにセッティングする。

続いて戦闘射撃訓練。自動的に立ち上がる人形標的に、立射や伏射など、あらゆる姿勢で弾丸を撃ち込んでいく。イエーガーはギャレットの動きを注視したが、射撃の腕は申し分なかった。弾倉の再装塡(そうてん)の動きもスムーズで、十分に訓練されているのが窺えた。では、この男の前歴は何なのだろう。どうして海兵隊出身などと嘘をつく必要があったのか。

用意された弾薬をすべて撃ち尽くすと、日没後の訓練再開が告げられて夕食休憩に入った。本社棟の食堂で食事を摂(と)る間も、イエーガーたちは他の誰とも顔を合わさなかった。厨房(ちゅうぼう)にも人影はない。料理は、四人が来る前からテーブルの上に並べられていた。

きっちり一時間後、夜間強襲訓練に招集された。今度は大型バンに乗せられて、別の訓練場に向かった。西の地平線をかすかに際立たせていた残照も、バンが停止する頃には闇に呑み込まれていた。車から降りたイエーガーの目に映ったのは、ヘッドライトに照らされた粗末な建物だった。人質救出訓練用の模擬家屋(モックアップ)だ。

「暗視装置を着けろ」

シングルトンの指示で、全員がゴーグルを頭にかけた。周囲のわずかな光が電子的に増幅され、蛍光グリーンに染まった映像となって目の前に展開した。

「グロックにサプレッサーを装着しろ」

矢継ぎ早の指示に、四人は従った。

「俺について来い」

フラッシュライトを手にしたシングルトンは、模擬家屋の裏へと進んだ。そこは約百メートル四方の空き地となっていた。だが、ただの広場というわけではなかった。半球形の奇妙な物が――人の背丈よりも低いドーム状の物体が、左右両側に並べられていた。数は全部で十二で、一つ一つに入口らしき穴が設けられている。アラスカの先住民族、イヌイットの造る氷の家を連想させる形状だった。

「訓練の概要を伝える」シングルトンの口調は、あたり一面を覆った暗闇のせいか、密やかだった。「あそこに並んでいるのは、テントと思ってくれ。内部にはそれぞれ、三人ないし四人の標的が置かれている。中の人間は眠っているという想定だ。諸君はサプレッサー付きのグロックを使い、可及的速やかに全員を抹殺しろ」

マイヤーズの肩が、かすかに動いた。一同の動揺を物語る仕草はそれだけだった。作戦部長は、値踏みするような目でイエーガーたちを順繰りに見回した。電子映像に浮かぶシングルトンの酷薄な顔は、猟奇殺人鬼を思わせた。

「三分以内に手順を決め、実行に移せ」

命令を下したシングルトンは、ストップウォッチを手にして一団から離れた。

「四方向から侵入する」

イエーガーは即断し、作戦の実行手順を他の三人に伝えた。半球形のテントは、向かい合う形で六張りずつ置かれているので、各列の左右から攻撃を仕掛けるのが効率的だ。

説明を聞き終えたギャレットが、「ちょっといいか?」と発言の許可を求めた。「逃亡には、どう対処する?」

イエーガーは、己の軽率さに舌打ちした。サプレッサーを装着しても、銃声は完全には消えない。夜間のジャングルでの発砲となれば、付近の獣が逃げ出すくらいの音量になる。

「よし、こうしよう。一名が北側から順に攻撃。残る二名は広場の中央と南側にポジションを取り、ターゲットの逃亡に備える」

「攻撃を担当するのは誰だ?」とマイヤーズが訊いた。

「俺がやる」とミックが即座に言った。

チームリーダーのイエーガーは、他の二人に指示した。「ギャレットが中央、マイヤーズは南側で待て。俺とミックが順に片付ける」

「分かった」とマイヤーズが小さく答えた。

「各自ポジションに就け」

イエーガーの言葉を最後に全員が散開し、足音も立てずに持ち場に向かった。

自分が殺すことになるのは約二十人か、とイエーガーは頭の片隅で計算した。確かにこれは汚い仕事だった。しかし実際にターゲットとなるのは何者なのか。コンゴに潜伏するテロリストだろうか。とにかくこうなったら、自分をリクルートしたウエスタン・シールド社の重役の言葉を信じるしかなかった――「言ってみれば、人類全体に奉仕する仕事だ」

イエーガーは、立ち並ぶテントの一番端に辿り着いた。ギャレットとマイヤーズはすでに配置に就き、リーダーの合図を待っている。もう一方のテントの列に暗視装置を向けると、身を屈めて走り寄ったミックが、グロックを握り締めて攻撃準備を完了したところだった。

イエーガーは左手を振り下ろし、行動開始を告げた。目の端でミックが動き出したのを確認し、最初のテントに突入した。入口は胸くらいの高さしかないため、穴蔵を覗き込むような格好となった。人の形をした物を見つけて瞬時に銃口を向ける。ところが、引き金を引こうとした指がすぐさま凍りついた。中に置かれていたのは、子供のマネキンだった。幼児から十歳くらいの小さな人形が四体、地面の上に寝かされている。

低く、くぐもった四発の銃声が背後で響いた。ミックが最初のテントを襲ったのだ。強度のストレスにさらされながらも、イエーガーの指先は反射的に動いた。陸軍時代からの十五年にも亘る訓練で、脳も肉体も、作戦を遂行するための無慈悲な機械に作り替えられていた。イエーガーの発砲は正確無比だった。眉間を撃ち抜かれた子供たちのマネキンが、生きている人間のようにびくっと震え、そして動きを止めた。

ミックはすでに二つ目のテントを終えて、三つ目に取りかかっていた。イエーガーもアスリートさながらの無駄を排した動きで隣の標的に向かった。訓練はいつしか殺人競争の様相を呈していた。イエーガーはテント一つ分の後れを取りながら、ミックとともに物言わぬ子供たちに銃弾を浴びせていった。四つ目のテントから出たところで使用弾丸は十四発。移動しながら素早く弾倉を取り替え、残る二つのテントにいた八体の標的も、八発の弾丸で破壊し尽くした。

イエーガーとミックが広場の端で合流すると、シングルトンが指示を飛ばした。「ギャレット、マイヤーズ、戦果を確認しろ」

二人は無言で走り出し、手分けして奥のテントから覗いていった。そこで初めて、自分たちの攻撃目標が何であったかを知ったのだろう。ギャレットは黙々と確認作業を続けたが、マイヤーズは力なく首を振っていた。

二人はシングルトンの元に戻り、口々に報告した。

「生存者なし」

「任務は完遂です」

作戦部長はストップウォッチを見て言った。「開始から終了まで、六十秒近くもかかっている。今後の訓練で、もう少し時間を短縮しよう。明日からは、模擬弾を使って逃亡に対処する訓練も行なう。今日はここまでだ。訓練初日にしては、よく頑張った」

一同はシングルトンに先導されて、停車しているバンに向かった。誰もが押し黙っていた。車に乗り込んで後部ドアが閉じられようとした時、イエーガーはようやく口を開いた。

「待ってくれ。初歩的なミスをした。空弾倉を落としてきた」

シングルトンが舌打ちし、解除したばかりのサイドブレーキをふたたび引き上げた。

「すぐに戻る」

イエーガーは暗視装置を装着し直し、真っ暗闇の訓練場に駆け足で戻った。テントの裏手をうろつき、地面の土をトレッキング・ブーツの爪先で探って、適当と思える場所を見つけた。イエーガーはその場に両膝をつき、カーゴパンツが汚れないように気をつけながら、胃の中身を全部吐いた。

こんな幸運があっていいものかと、ウガンダ人の青年は恐怖すら感じた。開いたばかりの口座には、二億ウガンダ・シリングもの大金が振り込まれていた。アメリカ・ドルに換算すれば、およそ十二万ドル。それは彼の年収の三百年分に匹敵する額だった。

すべては、首都カンパラにあるインターネット・カフェのお蔭だった。立ち並ぶ高層ビルのたもと、商店が軒を連ねた一角にその店はあった。料金が高いので、週に一度しか通えなかったが、店内に並ぶ一ダースほどのコンピューターが彼を未知の世界へと誘ってくれた。

最初は興味の赴くままにあちこちのサイトを見て回り、そのうちコンピューターの勉強がしたくなって、プログラミングについての情報を探した。彼は勉学に飢えていた。親の仕事の手伝いで、中学校を中退させられていたからである。今、やっている大工仕事は割に合わないと感じていたので、デジタル関係の仕事に就けたらどんなにいいだろうと夢想した。

さらにサイバー空間で遊ぶうちに、新たな利用価値に気づいた。職探しのソーシャル・ネットワーク・サービスに登録し、ウガンダの観光ガイドとして自分を売り込んでみたのだ。建設現場で知り合う仲間は、国内のあちこちから集まって来ているので、いざとなれば彼らから情報を仕入れて、モグリであるのがバレないようにするつもりだった。

半年間は何の反応もなかった。ところが先月、一通のメールが届いた。イギリスのロジャーと名乗る人物からで、『貴国の隣国、DRコンゴに、車と食料を運ぶ仕事を引き受けてくれないか』というものだった。

コンゴと言えば、現在、血なまぐさい戦闘が繰り広げられている国だ。即座に断わろうと思ったが、提示された報酬は気絶しそうになるほど高額だった。

『前金で一億ウガンダ・シリング。他に、車と運搬物資の購入費として一億ウガンダ・シリング。仕事が完了したのを確認後に、さらに二億ウガンダ・シリングを支払う』

必要経費を含めた合計で、四億ウガンダ・シリング。

冗談だろうと思ったが、アメリカ・ドルで二十四万ドルという金額は、イギリスの金持ちなら出せるのではないかという気もした。そこでとりあえず、指定されたメールアドレスに『引き受ける』旨の返信をすると、『スタンビック銀行に口座を開き、口座番号を知らせるように』との指示が来た。そしてつい先ほど、自分名義の口座に振り込まれた巨額の前金と必要経費を確認したのだった。

夢ではないことを確かめるために、ごく一部の金を引き出してみた。すると現金があっさりと彼に手渡された。やはり仕事の依頼は本当だったのだ。

銀行を出ると、誰かに金を盗まれるんじゃないかという心配で、つい周囲を見回してしまった。銀行が預かってくれているから安全だという考えに、なかなか思い至らなかった。それから自分が街で一番の金持ちになった気がした。この国は発展を続けているとは言え、まだまだ貧しかった。首都であるカンパラですら、電気が使えるエリアは限られているのだ。多種多様な民族と日本製の中古車でごった返している街中を歩きながら、両親と三人の妹のために何か買って行こうかと考えた。クリスマスでもないのに上等の牛肉を持ち帰ったら、かえって怪しまれるだろうか。

青年は帰宅する前に、幸運の出発点となったインターネット・カフェに立ち寄った。そこでメールをチェックしてみると、ロジャーから一通、届いていた。そこにはまた、驚くべき内容が記されていた。『約束の金を振り込んだ』との通知の下に、こう綴られていた。

『君もすでに気づいているだろうが、今回依頼した仕事には危険が伴う。そこで、最後の選択肢を与える。君が選ぶのは、以下の2つのうちのどちらかだ。

1. 現段階で、仕事から手を引く。この場合、振り込まれた二億ウガンダ・シリングは君のものだ。返却する必要はない。

2. 仕事を続行する。即ち、こちらが指定した期日に、整備済みの四輪駆動車と食料、その他の物資を、コンゴ東部の紛争地帯に届ける。この場合、約束した通り、さらに二億ウガンダ・シリングが支払われる。

命に関わる仕事なので、熟慮の上、どちらを選ぶかを決めて欲しい。ただし、いかなる嘘も許されない。速やかな返信を待っている。』

青年は、我が目を疑った。『1』を選んだ場合、何もしなくても二億ウガンダ・シリングが自分のものになる。どうしてこんな条件が提示されたのか、まったく分からなかった。こちらの身を案じてくれているのだろうか。

ウガンダの年若い大工は一度席を立ち、奥のカウンターに行って、紙コップ入りのコーラを手にした。炭酸飲料で喉を潤しながら考えたのは、〃サニュ〃という自分の名前だった。それは〃幸福〃を意味していた。

心を決めた彼は、コンピューターの前に戻り、ロジャー宛てのメールを作成した。

選んだ選択肢は、『2』だった。

大冒険の始まりだ。

7

月曜日の午前中、研人は合成した化合物を、カラムクロマトグラフィーという手法で精製した。細長いガラス管の中で、混合物だった試料がクロロホルムによって溶かされ、分離し、きれいな層を形作っている。０・２パーセントのメタノールを足したのが正解だった。修士二年の終わりともなると、実験の腕は確実に上がってきていた。

そろそろ昼休みにしようと考え、研人はロッカールームに向かった。父親の遺品のパソコンをデイパックに入れ、研究室を出た。

前日、父の私設実験室からの帰り際、研人は不動産業者に立ち寄っていた。業者の話では、あの古ぼけたアパートはすでに取り壊しが決まっており、立ち退きが進んでいる物件だということだった。「今から入居するんなら、家賃は破格に安いけど、二カ月で追い出されるよ」と不動産屋は言った。それで人の気配がなかったのだろう。父がわざわざあのアパートを借りたのは、人目を避けるためだったに違いない。研人に託された謎の研究には、隠密（おんみつ）に進めなくてはならない理由があるのだ。

下宿に帰ってから、インターネットで『ハイズマン・レポート』も検索してみたのだが、こちらのほうは手掛かりゼロだった。もしやと思い、原語の『Heisman Report』でも調べてみたが空振りだった。今時、ネットで検索結果が出て来ない語句というのもめずらしい。『ハイズマン・レポート』について詳しい情報を得たいなら、気乗りはしないが新聞記者の菅井に頼るしかなさそうだった。

薬学部棟を出た研人は、運河にかけられたコンクリート製の橋を渡り、文系キャンパスの学生食堂に向かった。長年の習慣だった。学部生時代、英語サークルで一緒だった女の子がいないかと、遠目に学食の窓を見ながら歩いていると、すぐ横から「古賀君」と声をかけられた。

目を向けると、お目当ての河合麻里菜（かわいまりな）がいた。ちょっと会わない間に、短かった髪が肩まで伸びていた。微笑みがちの大きな瞳は以前のままだ。

「久しぶり」と麻里菜は、小柄な研人を少しだけ見上げながら言った。本をたくさん詰めたショルダーバッグを、重そうに肩から下げている。「元気？」

「うん、元気」と反射的に答えてから、おそらく麻里菜は、研人が父親を喪（うしな）ったことを知らないのだと気づいた。今の雰囲気を壊したくなかったので、研人はそのまま会話を続けた。「河合さんは？」

「相変わらず、キャロルと格闘」

「キャロルって？」

「ルイス・キャロル」

「ああ」と研人は、分かった振りをした。『不思議の国のアリス』の著者だろうと当たりをつけたが、童話なんかが英文学の研究対象になるのか、今ひとつぴんと来なかった。

「キャロルの、どんなことをやってんの？」

「今はね」と麻里菜は悪戯っぽい顔になり、きれいな発音で言った。「“Perhaps Looking-glass milk isn't good to drink ―”」

「えっ？」と研人は訊き返した。「何のミルクが飲めないって？」

「鏡の国のミルクよ。今のは、『鏡の国のアリス』の一節」

「へえ、鏡の国のミルクは飲めないのか」と研人は驚いた。英文学と化学の世界がダイレクトにつながっていた。「ルイス・キャロルって、化学者？」

「ううん、数学者。どうして？」

ここぞとばかり、研人は彼女の研究の役に立とうとして言った。「今の一節は、鏡像異性体のことだよ。不斉炭素を持つ化合物は、右手と左手みたいに、形がそっくりでも重ね合わせができない二つの構造ができるんだ。つまり、鏡に映さないと同じ形にならない。右手型の物質だけが薬になって、左手型のほうが毒になる、なんてこともあるんだよ。サリドマイド薬害がその例でね。『鏡の国のミルクは飲めない』っていうのは、きっとそのことを言ってるんだ」

きょとんとして聞いていた麻里菜は、「ふうん」と言った。「古賀君は今、どんなことを研究してるの？」

「えーと、何て言ったらいいか」研人はメガネをずり上げながら、なるべく簡単に説明しなければと思った。「先輩から受け継いだ母核構造に、いろいろと側鎖を付けなきゃならないんだ。アミノ基とか、ニトロ基とか」

「そっか。大変だね」

「うん」

「じゃ、私、図書館に行くから」と麻里菜は、出会った時と同じ笑顔を見せて歩き出した。

見送った研人は、少し後悔した。「リウマチの特効薬を作ろうとしている」と言ったほうが、分かりやすかったかも知れない。

くよくよしながら学食に入り、定食の食券を買った。食堂内は、文系・理系双方の学生たちで賑わっていた。学生たちの間では、文系の食堂のほうが旨(うま)いと信じられているのだ。

配膳(はいぜん)カウンターで定食を受け取り、歩き出すと、窓際にいた学生が手を振った。学部生の頃に付き合っていた土井明弘だ。今は臨床系の部屋にいる。大腸菌の遺伝子を自在に組み換え、特定のタンパク質を作らせてしまう男だ。

「久しぶりだな」

研人が向かいの席に座ると、土井がにやっと笑って言った。「ここから見てたぞ」

「何を見てたって？」と、研人は分かっていながら訊き返した。

「あれ、文系の子だろ？　付き合ってんのか？」

そうだ、と見栄を張りたいところだったが、研人は正直に答えた。「つかず離れずの、ファンデルワールス相互作用だ」

「ああ」と、土井は呻いた。「かわいそうに」

「土井はどうなんだよ？」

「同じ部屋にいい子がいるんだが、金属結合だ。お互い、集団の中の一原子で身動きが取れん」

「なんとか共有結合したいなあ」

「そうだなあ」

二人はしばらく無言になって、メンチカツ定食を食べ続けた。

「でもなあ」と、味噌汁を飲み干した土井が言った。「女の子はお喋りの得意な男が好きなのに、俺たちは口下手になるように訓練されちまう」

「そんな訓練、受けてたっけ？」

「お前の部屋にもセミナーとか、あるだろ？」

「もちろん」

研人の研究室で行なわれているのは『論文セミナー』と呼ばれる週一度の会合だ。解説役に指名された学生が最新の論文を読み解き、みんなの前で説明することになる。その際、単なる思い込みとか論理の破綻などがあると、四方八方から批判の嵐にさらされるので、発言の一つ一つを慎重にしなければならない。こうした試練で鍛え上げられないと、いずれ科学者として痛い目に遭うことになる。亡き父は、愚痴雑じりによく言っていたものだった。「文系の社会では嘘やごまかしの上手い奴らが出世するが、科学者は一つの嘘も許されない」

しかしこうした訓練の副作用として、社交的な場においても必要以上に熟慮し、科学的な見地から発言しようとする癖がついてしまうのだ。美味しいケーキの話題で盛り上がっている一団の中で、味覚受容体の作用機序を考えてしまうとか。

「土井の言いたいことは分かったよ」

「正しいことだけを語ろうとする者は、口が重くなるんだ」と土井は名文句を吐き、研人に追い撃ちをかけた。「それに文系の女の子は、３Ｋなんか相手にしないんじゃないか？」

痛い所を突かれた。３Ｋというのは、「きつい」「汚い」「危険」の頭文字を並べたもので、基礎系研究室の代名詞だ。毎日十四時間労働で、鼻がひん曲がるような試薬を扱い、事故の際にすぐ逃げられるようにスニーカーの使用が義務づけられているくらいだから、そう言われても仕方がない。

「女の子は3Kじゃなく、3高が好きなんだ」

「3高って何だっけ？」

「高学歴、高身長、高収入」

自分に当てはまるのは高学歴だけだと研人は思った。

土井はため息をついた。「嘆かわしいよな」

「そうか？」

と研人が言うと、土井は意外そうに訊いた。「この忌まわしい選択基準を支持するのか？」

「だって考えてもみろよ。強いオスが選ばれるのは生物学的な宿命だ。人間という動物だって例外じゃない。世の女性たちが、3高とは反対の男を選んで子孫を残し始めたら、文明は間違いなく衰退するだろう」

「そりゃそうだが、愛はどこにあるんだ？」研人よりも、土井のほうがロマンチストのようだった。「そういうひねくれた考えだと、余計にモテなくなるぞ」

「ひねくれてる？　僕が？」

「ああ」と土井は頷き、ずばりと言った。「ちょっと、ウジウジしたところがある」

それは前から、研人自身も気にしていたことだった。ひがみっぽかった父親の性格を、丸ごと受け継いでしまったのではないかという不本意な思い。

「もっと明るい青年になって、文系の子をゲットしたまえ」

恨みがましく土井を見た研人は、突然、この男が探し求めていた人材だと気づいた。

「そうだ、ちょっと訊きたいことがあるんだけどな」と前置きして、父の実験ノートのコピーを取り出した。「GPCRのアゴニストを作ろうとしたら、この手順でいいのかな」

土井は、渡された紙をしげしげと見つめて言った。「これでアゴニストを作る？ リード化合物を探すんじゃなく？」

「そう。候補物質を探すんじゃない。目指すのは、あくまで完成型だ」

「俺に分かるのは、最後の二つだけだが――」

土井が指さしたのは、『・in vitro でのバインディング・アッセイ』と『・in vivo での活性評価』の二項目だった。研人は訊いた。「この二つは、合成した化合物が、受容体に結合するかどうかの確認作業だよな？」

「ああ。まず、ターゲットの受容体を持った細胞を作って、試験管内（イン・ヴィトロ）で結合（バインディング）を確かめる。次の項目は、実験動物を使った個体内（イン・ヴィヴォ）での評価だ。例えばマウスの遺伝子を組み換え、問題の受容体を持っている個体を作り、合成した化合物を実際に投与する」

研人は、ぼろアパートの中で飼われている四十匹のマウスを思い出した。「すると、この方針は間違ってないのか？」

「いやいや」と土井は頭を振った。「いくら何でも簡単すぎる。それに前臨床試験以降の工程が全部抜けてる。これは、言っちゃ悪いが素人考えだ」

「そうだよな」と研人も同意した。父の誠治はウイルス学者だったから、素人と言われても仕方がない。「じゃ、これは？」

デイパックから、A4サイズの白いノートパソコンを出して起動させた。「リナックスだけど、分かるか？」

「なんとか」と答えた土井は、コンピューターを操作してから言った。「見慣れないソフトが入ってる。『GIFT』って知ってるか？」

「いや」

土井が、『GIFT』なるソフトを立ち上げた。数秒後に浮かび上がった画面を見て、二人の院生は同時に驚きの声を漏らした。

表示枠(ペイン)は三つに分かれていて、右半分を占めた大きな枠の中に、奇妙なCG映像が表示されていた。緩(ゆる)やかに波打つ平面上に、肉厚の花弁のように見える突起が複数、浮かび、その中心部にポケットを思わせる空洞を形作っている。写真かと見紛(みまが)うばかりの、精細で奇怪な3D画像だ。

しばらく眺めるうちに、これは細胞膜表面の拡大画像ではないかと研人は気づいた。一ミクロンにも満たない極小の世界が、十五インチ・ディスプレイに描き出されているのだ。

「何だか異様だな」土井が画面上のマウス・ポインターを動かし、左側の二つの枠を指し示した。「ここに情報がある。このCGは、『変異型(ミュータント)GPR769』だ」

やはりそうかと、研人は合点がいった。これこそが問題の受容体だ。父が手にしたかったのは、この中心部の凹み(へこ)に結合する物質なのだ。

「下の枠には、この受容体を作り出す遺伝子の塩基配列(シークエンス)が書いてある。しかし――」と、土井は腕組みした。「GPCRが何種類あるか、知ってるか？」

「七百とか八百？」

「そう。そのうち、はっきりとした形が突き止められたのは、たったの一個、牛の網膜細胞にある受容体だ。他のGPCRについては、構造を類推するしかない。遺伝子の塩基配列がどれだけ似ているかを見て、完成品を推測するんだ。多分、このモデルもそうやって作られたんだろうが、どこまで正確かは疑問だな」

「他に、このソフトの使い途(みち)は？」

「そこまでは――」と言いかけた土井が、実験ノートのコピーを取り上げた。「もしかしたらこのソフトは、最初の二つの項目に使うのかもな」

研人もコピーを覗き込んだ。

『・変異型GPR769の立体構造解析
・CADD（in silico でのデザイン）』

どうやら『GIFT』というソフトは、遺伝子の情報からどんなタンパク質が作られるのかを予測し、実際の形を描き出し、そこに結合する物質の化学構造までをもデザインしてくれるらしい。「つまり、このソフトの指示通りに薬を作ればいいのか」

「何だかインチキ臭いけどな」と土井は言った。「俺には計算のほうは分からん。もっと知りたければ、別の奴に訊いてくれ」

「誰か、知り合いはいないか？」

「そっち方面は――」と土井は、宙を睨んだ。「ああ、いるな。創薬物理化学の部屋に、一人凄いのがいる。韓国からの留学生だ」

「へえ」と研人は興味をそそられた。「韓流か」

「前に一度、モレキュラーダイナミクスのシミュレーションについて訊きに行ったら、凄く分かりやすく説明してくれた」

「それなら言葉も大丈夫？」

「日本語ペラペラ。英語もＯＫ」

「紹介してもらえるか？」

「いいよ。向こうの都合を訊いてみる」と土井は快諾し、腕時計に目をやった。そろそろ自分の研究室に戻る時間らしかった。食べ終わった定食のトレイを持って立ち上がり、言った。「じゃ、また連絡するわ」

「頼む」

「お互い、共有結合を目指そうな」と言い残し、土井は食器返却口に向かった。

研人は笑って見送り、パソコンをバッグに戻した。これで仕事の一つが片づいた。父親から託された研究については、韓国人留学生の登場を待つしかない。

残る仕事に取りかかるべく、研人は携帯電話を手に取った。新聞記者の菅井の連絡先は、前夜のうちに実家の母に問い合わせていた。しかし東亜新聞科学部の直通番号にかける段になって、ふと父親の警告が頭をよぎった。

『今後、お前が使用する電話、携帯電話、電子メール、ファクシミリなどのあらゆる通信手段は、盗聴されているものと思え』

まさか、と頭では否定したものの、誰かに見張られているような漠然とした不安を覚えた。学食内を見渡したが、とりたてて怪しい人間は見つからなかった。研人は気を取り直し、携帯電話に登録しておいた番号に発信した。

呼び出し音に続いて、若い男の声が耳元で響いた。「はい、東亜新聞科学部」

「すみません、古賀と申しますが、菅井さんはいらっしゃいますか？」

「はい、少々お待ち下さい」

父の葬儀の時、菅井に対してつっけんどんな態度を取ったので、研人としてはきまりの悪さも感じていた。しかし情報源は菅井しかいなかった。

「お電話、代わりました」と菅井の声がした。

「古賀ですけど。先日は、父の葬儀でお世話になりました」

「ああ、研人君か」と、菅井の声が親しみを帯びた。

研人は、ほっとして続けた。「ちょっとお尋ねしたいことがあって。葬儀の時にお聞きした『ハイズマン・レポート』について、なんですけど」

「ああ、あれね、『ハイズマン・レポート』……えーと、そうだな」と少し間があって、菅井は訊いた。「今夜はどうしてる？」

「夜ですか？　十二時まで研究室にいますけど」

「途中で抜け出せないか？　八時頃に錦糸町の駅で落ち合えれば、晩飯でもご馳走するよ」

「はあ」面倒な気もしたが、菅井は親心で言ってくれているらしかった。実験の遅れ具合を計算して、研人は言った。「九時でしたら、何とかなるんですけど」

「了解だ。じゃあ、九時に駅の南口で会おう。腹を空かせて来てくれ」

錦糸町は、東京都を抜けて千葉県に入る前の、最後の繁華街である。しかし新宿や渋谷と違って、住宅地がすぐそばまで迫っているため、歓楽街と商店街の機能を併せ持つという器用な芸当をこなしている。昔ながらの飲み屋が軒を連ねる猥雑な一画もあれば、生活物資を扱うスーパーや、シネマコンプレックスの入った近代的なショッピングモールもある。さらには一流のオーケストラを呼べるほどのコンサートホールまでが造られていて、文化・風俗、何でもありの雑多な街並みとなっている。

寒風が吹きすさぶ中、研人はJR線の駅前で菅井を待っていた。あの新聞記者の顔を思い浮かべると、どうしても生前の父親の記憶が一緒になって蘇ってしまう。思い出の大半を占める映像は、不平不満を吐き出している父の姿だ。

厚木の家で晩酌をしながら、父はよくこぼしていた。文系と理系では、生涯獲得賃金に五千万円もの開きがあると。つまり約四十年間の就業期間を通じて、年に百万円以上も安い賃金で、理系は働かざるを得ないのだ。

「ロクな報酬も与えないで、何が科学立国だ、馬鹿」と、酔っぱらった父は政治家を罵倒していた。「文系の奴らは、俺たちの業績をかっぱらって生きてるんだ。電話にテレビに車にパソコン。全部、科学者が作ってやった物じゃないか。小狡いだけの文系の奴らが、文明の発展に寄与したか？」

当時、まだ十代だった研人には、父親の不平不満は鬱陶しいだけだった。しかし後になって、その恨み言ももっともではないかと思わせる事件があった。青色発光ダイオード開発をめぐる裁判である。

不可能と言われていた青色ＬＥＤの発明をめぐり、開発に成功した技術者と、彼を雇用していた会社の間で法廷闘争が繰り広げられた。結果、会社側が挙げた千二百億円の利益のうち、発明の対価として技術者に支払われたのは、わずか六億円だった。一審では二百億円の対価とされたものが、二審で覆（くつがえ）ってしまったのである。司法が独立を棄て、企業経営者の顔色を窺ったとしか思えない判断だった。

科学技術界の失望は大きかった。全世界で数兆円規模の市場を生み出した大発明の報酬は、メジャーリーガーの一年分の給料ほどにしかならなかったのである。そして、多くの科学者たちが、この裁判を転回点として日本の国際競争力は衰退に向かうと予測した。科学技術力こそが国力に直結する時代に、科学者や技術者（エンジニア）を冷遇していては発展は望めない。日本が中国や韓国、インドに追い抜かれる日も、そう遠くはないだろう。

「文明が一度、滅びちまえばいいんだ」と、研人の父は陰湿な笑みを浮かべて毒づいていた。「科学文明を再興できるのは理系だけだ。文系の連中は、いつまで経っても電気すら持てんだろう」

研人も成人する頃になると、父親の言い分にも一理あるのではないかと思うようになってきた。学部生として過ごした四年間、時間のやりくりがつかず、英語サークルに顔を出すだけで精一杯だった研人に比べ、文系の連中は講義にも出ずに遊んでばかりいた。少なくとも研人にはそう見えた。大学を出た後、彼らのほうが五千万円も多く稼ぐというのは、容認し難い差別に思えた。社会というのは汗水垂らして物を作る人間よりも、その上前をはねる連中のほうが儲かるようになっているらしい。しかし、そう考えること自体が、研人にとっては居心地の悪いものだった。父親から受け継いだひがみっぽい遺伝子が発現したかのようで、生まれ持った肌と同じく、脱ぎ捨てようにも脱ぎ捨てられないのだった。

錦糸町の駅前で、ダウンジャケットのポケットにかじかんだ両手を突っ込みながら、研人は父親にまつわる生前の謎を一つ、思い出した。

「そんなに自分の仕事が嫌なら、辞めればいいじゃん」と、酒を飲んでくだを巻いている父に言ったことがあった。

すると父は、「いや、研究だけは止められん」と返した。

「どうして？」

「お前も研究者になれば分かる」と答えた父親の顔には、普段、家族の前でも見せないような幸福そうな笑みが浮かんでいた。

あの微笑は何だったんだろう。死んだ親父の、どんな内面を映し出していたのだろう。すでに研究者になっているのに、研人には答えが見つからなかった。研究生活で身にしみて分かったのは、「理系は生きるのが下手」ということだけだった。

駅の改札口から、人の波が押し出されてきた。研人は鬱積した思いを振り払い、コンコースの乗降客の中に見知った顔を探した。やがて、近づいて来た相手が軽く手を挙げた。

研人は人混みを縫って歩き、菅井を迎えた。「わざわざすみません」

壮年の新聞記者はネクタイを締めず、セーターの上にジャケットとコートを羽織ったラフな服装だった。メガネ越しに研人を見て、「一人暮らしじゃ、ロクな物を食べてないだろう」と笑った。「肉、魚、中華、エスニック、何がいい？」

食べ物に疎い研人は、一番簡単な物を選んだ。「では、肉をいただきます」

「よし」と菅井は、駅前ロータリーを囲むビル群を見渡して、「ジンギスカンにしよう」と歩き出した。

研人が案内されたのは、居酒屋風の店だった。少人数で卓を囲める仕切られた座敷があり、二人は向かい合って腰を下ろした。注文したのは、ジンギスカンの食べ放題コースだった。

運ばれてきたビールのジョッキを合わせ、しばらくの間は料理を食べながら、父・誠治の四方山話をしていたが、やがて菅井のほうから切り出した。

「それで、例の『ハイズマン・レポート』だけどね」

「はい」と研人は身を乗り出した。「父の実験ノートを見ていたら、英語で『ハイズマン・レポート』と書かれていたので、何だろうと思いまして」

「ほう、実験ノートに？　書かれていたのはそれだけ？」

「他に数字で、『ナンバー5』とありました。『ハイズマン・レポートの5』です」

「ああ、そうか。こっちもうろ覚えだけど、あの報告書は五つくらいの項目に分かれていたかもな」と菅井は、記憶を探るように視線を上げた。「アメリカのシンクタンクが出した報告書だってことは、この前言ったよね？」

「はい。父の専門だった、ウイルスに関する話かと思ったんですけど」

「ウイルスの項目もあったかな」と言って、菅井は研人に目を戻した。「大雑把に言うと、『ハイズマン・レポート』というのは人類絶滅の研究なんだ」

研人は思わず新聞記者の顔を見つめた。「人類、絶滅？」

「そう。研人君の世代には実感が湧かないかも知れないが、レポートが作られた三十年前は、アメリカとソビエトが大量の核兵器を持って対立していてね、一触即発の状況だった。そのうち核戦争が起こって人類が絶滅するんじゃないかと、世界中の人々は不安に思ってたんだ」

「みんな、本気でそんなことを心配していたんですか？」

「ああ。それが冷戦時代さ。キューバ危機では、あわや核戦争勃発かという瀬戸際まで追い込まれたんだ」

研人は驚いた。まるでSFだった。

「核兵器開発に手を貸した物理学者たちは、全面核戦争が起こる危険を予測して、『世界終末時計』というのを発表し始めた。人類滅亡のカウントダウンだ。水爆実験が成功した時には、時計の針は絶滅二分前まで進んだんだよ。しかし幸いなことに、その後のソビエト連邦の崩壊で針は戻されたけどね」

給仕が空いた皿を下げに来たので、菅井はビールのお代わりを注文してから話を続けた。

「そんな情勢の中、アメリカのホワイトハウスが、核戦争を含む人類絶滅の研究を始めたんだ。原因を洗い出しておいて、危機に備えようとしたんだな。それで、シンクタンクにいたジョゼフ・ハイズマンという学者が、将来起こり得る人類の絶滅要因をリストアップして報告書にまとめた。それが『ハイズマン・レポート』だ」

「でも、どうして父がそんなことに関心を持ってたんですかね?」

「今、話していて、何となく思い出してきたが、研人君が言った通り、お父さんの専門にも関わっていたような気がする。レポートには、ウイルスなんかの感染症も書かれていたんじゃないかな」

「致死性ウイルスによる人類の絶滅、ということですか?」

「そう」

ふと研人は考えた。まさかあの父親が、未知のウイルスによる人類絶滅の危機に立ち向かおうとしていたのか? 無名大学の教授で、研究資金にも事欠いていたあの親父が? 人類の救細面の、いかにもくたびれた誠治の風貌を思い出して、研人は笑ってしまった。人類の救世主のイメージからは、あまりにもかけ離れている。

菅井が怪訝そうにこちらを見たので、研人は笑いを引っ込めた。「その『ハイズマン・レポート』ですけど、詳しい内容は分からないんでしょうか？」

「お父さんの依頼を受けてから、昔のスクラップブックをひっくり返してみたけど、出て来なかった。レポートの発表当時、雑誌なんかが特集記事を組んでたんだけど」

雑誌に書いてあったと言っても、三十年も前の話だ。手に入れるのは困難ではないか。

「でもね」と菅井は続けた。「うちは新聞社だから、何とかなるんだ。お父さんがどうしても知りたいと言ったもんだから、ワシントン支局の後輩に手を回しておいた。向こうの国立公文書館に行けば、原文が入手できるはずなんだ」

「それは引き続き、お願いできますか？」

「ああ。そのうち連絡が来るはずだ。レポートが手に入ったら知らせるから」

「是非、お願いします」


ジンギスカンをたらふくご馳走になり、錦糸町駅で菅井に礼を言って別れた後、研人は歩いて自分のアパートに戻った。

話に夢中になっていてアルコールをあまり口にしなかったので、頭は冴えていた。部屋の明かりを点け、暖房のスイッチを入れてから、壁際に置かれた小さな机の前に座った。

デイパックから取り出したのは、例の二台のノートパソコンだ。

まず、黒いA5サイズの機械の電源ボタンを押したが、やはり起動する気配を見せなかった。やむなく強制終了し、大きいほうのマシンに移った。

こちらは問題なく立ち上がった。画面いっぱいに『GIFT』が現われた。細胞膜に埋め込まれたオーファン受容体の3D画像もそのままだ。

研人は慣れないソフトとOSに四苦八苦しながら、『GIFT』に入力されている『変異型GPR769』の塩基配列を、外部記憶装置にコピーした。次に、自分が普段使っているパソコンをインターネットに接続した。

アクセスしたのは、塩基配列検索サイトである。特定の塩基配列を入力してやると、類似配列を持つ遺伝子を探し出してくれるのだ。

検索窓に『変異型GPR769』の塩基配列をペーストし、対象生物種を『ヒト』に限定して、研人はBLAST検索を実行した。専門外の研人でも、学部生の頃に習っていたので、これくらいならできる。もしも問題の受容体が、ウイルス感染に関係するタンパク質ならば、父の研究が『ハイズマン・レポート』に結びつく。

検索結果が表示されたので、研人はディスプレイを覗き込んだ。『変異型GPR769』と、もっとも高い相同性で一致したのは、もちろん『GPR769』だ。九百あまりの塩基のうち、たった一つが変異している。その結果、受容体を構成するアミノ酸が、一つだけ別のものに置き換わってしまったのだ。

研人はリンク情報を辿って、『GPR769』なる受容体の正体を探った。医学用語が含まれた英文に手こずったものの、要点だけは分かった。

『タイプ：オーファン。

機能：未知。

リガンド：未知。

肺胞上皮細胞で発現。
117 Leu が Ser に置換されると、肺胞上皮細胞硬化症を発症する。』
聞き慣れない病名が出てきたので、引き続きこの病気について検索した。
『肺胞上皮細胞硬化症
原因：常染色体性劣性遺伝による単一遺伝子疾患。
病因遺伝子はすでに同定され、オーファン受容体GPR769の117ロイシンがセリンに置換されて発症。
症状：肺胞上皮細胞が硬化し、呼吸不全に陥る。肺性心、肝臓肥大、肺胞出血等を伴う。予後不良。好発年齢は3歳で、大半の患者が6歳までに死亡する。
治療：対症療法のみ。ステロイド剤の投与や、全身麻酔下における肺洗浄など。
疫学：発症率に地域差はなく、人口10万人当たり1・5人。』

研人が期待していた情報ではなかった。この病気はウイルス感染とは無関係で、突然変異を起こした遺伝子を両親から受け継いだ結果、発症するものだった。

絶好球を打とうとして空振りした気分だった。まったくの見込み違い。研究室での実験では、よくあることだ。そんな時、指導教授の園田は決まって同じ台詞(せりふ)を繰り返していた――先入観を捨てて、何が起こったのかをよく見ろ。

予想外の現象を、しっかり見極めろということだ。研人は机から離れ、父が一体、何をしようとしていたのかを考えようとした。ところが頭を働かせるまでもなかった。父親のやろうとしていたことは明白だった。

『お前に頼みたいのは、オーファン受容体のアゴニストをデザインし、合成することだ』

研人は大変なことに気づいた。今まで、父の遺した研究のもっとも重要な部分を見落としていたのだ。専門外の知識も問われるため、何度も思考をなぞって自分の結論が正しいのかを確かめた。

『GPR769』は、どんな機能を担っているのかは不明だが、肺胞上皮細胞の細胞膜で働いている受容体だ。機能不全を起こすと死に至ることから、正常な呼吸に欠かせない、何かの役割を果たしていると考えられる。この受容体が本来の仕事をこなすためには、もう一つ、リガンドと呼ばれる物質が必要となる。

生体内のどこかで作られたリガンドは、血液の流れに乗って運ばれて来る。細胞膜の外に顔を出した受容体のポケットにリガンドが入り込むと、分子同士の物理・化学的な性質がぴったりと一致し、結合する。その結果、受容体自身がポケットの内側に向かって引き寄せられ、全体が窄(すぼ)むような動きを見せて形が変わる。この変化は、受容体が細胞膜を貫通しているために、細胞の内側にも影響を及ぼす。受容体の末端部分が動いて、細胞の中にある別のタンパク質に作用するのである。これによって活性化された別のタンパク質が新たな反応を起こし、それがまた次の反応を呼び、という具合に、化学的なシグナルが細胞内で次々に伝達されていき、やがて細胞核の中にある特定の遺伝子を発現させることになる。つまり、一番最初に起こる受容体とリガンドの結合こそが、細胞に仕事をさせるためのスイッチになっているのだ。

『変異型ＧＰＲ７６９』の場合、凹みの部分に変異があるためにリガンドと結合できず、このスイッチが入らなくなってしまっている。そのために肺が働かなくなり、病気として発症するのである。もしも細胞の正常な機能を取り戻そうとするなら、薬を作るしかない。本来のリガンドの代わりに、『変異型ＧＰＲ７６９』だけに結びつき、スイッチ役を果たす物質を人工的に生み出すのだ。それこそが、研人の父が作ろうとしていたアゴニスト、つまり作動薬ということになる。

『変異型ＧＰＲ７６９』を活性化させる作動薬。

机の前に突っ立ったまま、研人はぽかんと口を開けて考え続けた。

疑問の余地のない、簡単な論理だった。その作動薬とは、子供たちの命を奪う不治の病、肺胞上皮細胞硬化症の特効薬に他ならない。

研人の呼吸が、少し荒くなってきた。パソコン画面に浮かぶ情報を目で追い、頭の中で暗算してみる。答えはすぐに出た。肺胞上皮細胞硬化症の患者は、この地球上に約十万人いる計算になる。つまり、もしもこの作動薬の開発に成功すれば、全世界で十万人の子供の命を救える。

「十万人？」と研人は頓狂（とんきょう）な声を出し、狭い住まいを見回した。錦糸町の六畳一間のアパートに住んでいる大学院生が、十万人もの子供の命を救う？

それが父のやろうとしていたことなのか。父は私財をなげうってまで、病気の子供たちを救おうとしていたのだろうか。

『いつか、一人のアメリカ人がお前を訪ねて来る。そのアメリカ人に、合成した化合物を渡せ』

そのアメリカ人というのは、肺胞上皮細胞硬化症の子供を持つ親なのではないかという気がした。愛する我が子を不治の病から救うべく、期待に胸を膨らませて研人のもとにやって来るのだ。

しかし、と研人はすぐに頭を抱えた。現実的に考えると、ハードルはあまりに高い。この新薬開発は、製薬企業が総力を結集したとしても実現するかどうかは分からないほどの難題なのだ。その上、友人の土井が「素人考え」と断じたほどのお粗末な方針しか立てられていない。薬物を合成したところで、臨床試験が行なわれなければ安全性が確認できないのだ。

ウィルス学者だった父がどうして畑違いの研究に乗り出したのか、そしてそこにはどんな勝算があったのか。

研人は、もう少しだけ粘ってみることにした。蜘蛛の糸を使って大魚を釣り上げようとするような、ほとんど不可能な試みだけれど。

医学部に誰か知り合いはいなかったかと、研人は学部生時代の交友関係を探り始めた。

8

イエーガーたちは、外部との連絡を制限されていた。電子メールは使えず、家族と話したければ、四人部屋に設置された電話機を使うように指示された。しかも契約受諾の覚書きに記載された一条項によって、自分たちが今、どこにいるのかを明かすことは禁じられていた。

「この電話は、複数の回線を迂回しているようだ」と、ギャレットは言っていた。「誰かが探知しようとしても、発信地が簡単には分からないようになっているんだ」

部屋に置かれた電話は、チームの結束を促す上でも効果があった。たとえ聞き耳を立てなくても、各自が抱えたプライベートな事情がそれとなく分かってくる。イエーガーの子供が不治の病にかかっていることを他の三人は知っていたし、マイヤーズが不動産投資に失敗した両親のために民間軍事会社で働き始めたことも、ギャレットが金を貯めて起業家になろうとしていることも、そしてミックには電話をかけるほどの親しい人間がいないことも、みんなが知っていた。

リディアとの電話は、回数を重ねるにつれ、気が重いものになっていった。ジャスティンの容態は日増しに悪くなる一方だった。ガラード医師に期待した末期状態での延命措置も、功を奏していないらしい。このままではイエーガーが今の仕事を終える前に、ジャスティンが絶命してしまう怖れがあった。

「私たちが居て欲しいと思う時に、どうしていつも仕事で出てるの？」今回の破格の仕事を引き受けるのは二人で決めたことなのに、リディアは夫をなじった。「今すぐ仕事を放り出して、こっちに来られないの？」

受諾の覚え書きにサインした以上、それは無理だった。仕事を放り出せば、莫大な違約金を取られることになっている。イエーガーだけでなく、少なくともマイヤーズにも、自分自身の署名が重くのしかかってきているようだった。あの夜間強襲訓練の翌日から、射撃訓練に使われる人形標的が子供の大きさの物へと換えられたのだ。それが何を意味しているのかは明白だった。イエーガーたちが殺すことになるのは子供の集団だ。そして夜ともなれば、彼らはテントの並んだ訓練場に行って、子供のマネキンに銃弾を浴びせ続けたのである。

訓練開始から五日目、午前の体力トレーニングと射撃訓練の後は、午後いっぱいを使っての、座学の時間が設けられていた。おそらく任務の詳細が明かされるのだろうと全員が予感した。

射撃場で小さな人形標的を蜂の巣にし、四人が本社棟へと引き揚げて来た時、遂にマイヤーズが心中の不安を口にした。

「こんな話は聞いてなかった。みんなだってそうだろ？」明朗なマイヤーズにしてはめずらしく、嫌悪感に顔を歪ませていた。「もしも本当に子供たちを皆殺しにする仕事だったらどうする？　それでもやるのか？」

毎夜、吐き気を抑えて訓練を続けているイエーガーとしては、マイヤーズに加担したいところだった。もはやジャスティンの死は避けられないのだ。我が子の寿命を数日間だけ引き延ばすために、別の四十人もの子供の命を奪うのか。

ギャレットとミックが黙り込んだままなので、イエーガーは訊いた。「しかし、全員が覚え書きにサインしたんだぞ。他に手があるか？」

「今こそが最後のチャンスだよ。任務の中身を知らされる前に辞めるんだ。何も知らない状態なら、認められるかも知れない」

「そうは思えないな。そんな甘い話が許されるなら、覚え書きにサインなんか求められない」

「あの覚え書きに、法的な効力があるのかどうかは疑問だよ。裁判になったら、雇用主は何も言えないはずだ。『子供たちを殺せと命令しましたが、彼らは従いませんでした』なんて証言できないだろ？」

横からギャレットが言った。「ケツをまくるのは、賢明とは言えんな」

マイヤーズが睨んだ。「どうしてだ？」

「民間軍事会社は、ペンタゴンを中心に全部が繋がってるんだ。契約不履行ともなれば、俺たちはこの業界から叩き出される。あとは、ウォルマートの駐車場係にありつくのが関の山だ」

職業人として、殺人の技術しか身に付けてこなかった男たちは、無力感を漂わせて沈黙した。イエーガーは、五百メートル先の人間をたった一発の弾丸で仕留められる。敵が断末魔の悲鳴を上げぬよう、背後から腎臓をひと突きにして即死させることもできる。そんな父親を、息子のジャスティンは誇りに思っていた。平和な社会では居場所を失う父親を、自由のために戦う英雄と見做していた。ジャスティンの無邪気な尊敬を感じるたびに、イエーガーは居心地の悪い思いをした。自分自身が、戦闘服に身を固めた安っぽいペテン師のように感じられることさえあった。

「それに」と、ギャレットは続けた。「多分、俺たちは、とんでもないことに巻き込まれたんだと思う。今回の仕事は、おそらくホワイトハウスが外注に出した暗殺任務だ。特別アクセス計画かも知れん。だとすれば、任務を放り出した人間にどんな災難が降りかかるか、分かったものじゃない」

「殺されるってことか?」

「あるいは、テロリストの汚名を着せられて、シリアとかウズベキスタンとか、拷問が大好きな国に身柄を引き渡される」ギャレットは、声を落として付け足した。「バーンズ政権なら、やりかねん」

一同の間を、冷たい空気が吹き抜けた。マイヤーズが建物に入る前にこの話を持ち出したのは、自分たちが厳重な監視下に置かれていると察しているからだろう。四人部屋ではできない会話だ。

本社棟裏の戸口に立ったまま、イエーガーは敗残兵の姿を思い出していた。故郷の町外れに建っていた、古ぼけた一軒家。ジャック・ライリーという名のベトナム帰還兵が、いつもポーチに座り込んで缶ビールを飲んでいた。仕事をしている風には見えなかった。近隣住民にとって、彼は戦場から帰還した英雄ではなく、ただの厄介者に過ぎなかった。

自分の通う高校で、陸軍のリクルート係に話を聞いた日、イエーガーは家に帰る途中でライリーに話しかけた。「俺、陸軍に入隊しようかと思ってるんだ」

するとライリーは、黄色く濁った目でイエーガーを見て言った。「何をするのもお前の自由だ」

自由なんかじゃないと、イエーガーはその時思った。これしかないんだ。

ライリーは、「だがな」と続けた。「兵士の仕事について一つだけ教えてやる。国のためと言われて戦場に行く。敵を殺す。そして善人だけが咎を負う。そう、善人だけが」

十七歳だったイエーガーは、何を言われているのか分からなかった。「どういうこと？」

「他人を傷つけても平気な人間と、そうじゃない人間がいるってことだ」

ライリーがどっちのタイプの人間かは、足元に転がったビールの空き缶が物語っているように思えた。では、地域住民から白眼視されているこの敗残者は、善人なのか？

もしも四十人の子供たちを虐殺したらと、イエーガーは考えた。自分もいずれ、あの時のライリーのようになってしまうのだろうか。

「なあ、ミック」とマイヤーズが日本人に訊いた。「今回の任務について、君はどう思う？」

「俺は任務を遂行する」と、訓練初日、何のためらいもなくマネキンに発砲したミックは言った。「やれと言われればやる。それが俺の仕事だ。いや、それが俺たちの仕事だ」

マイヤーズの口調に侮蔑が潜んだ。「子供を殺しても平気なのか？」

すると、普段は無表情なミックの顔に冷笑が浮かんだ。お前は臆病だと罵っているかのようだった。マイヤーズが目の色を変えた。危険を察知して、イエーガーはすかさず割り込んだ。「待て。まだ子供を殺すと決まったわけじゃない。任務の詳しい内容が分かるまで、結論を出すのは控えよう」

マイヤーズが舌打ちした。そこへドアが開き、シングルトンが顔を出した。長身の作戦部長は一同を見下ろし、猜疑心も露わに訊いた。「お前たち、何をしている？」

「戦術の確認ですよ」とギャレットが答えた。「出自が違うので、いろいろと意見の相違がありましてね」

「早く飯を食え。午後のブリーフィングで作戦の詳細を伝える」

それを聞いて、四人の間に目配せが飛び交った。

「俺の戦術は呑み込めたな？」とイエーガーは言った。「敵の出方を窺うのが最良の場合もあるんだ」

「ああ、分かったよ」とマイヤーズが頷いた。「撤退を決めるのは早いってことだな」

「そうだ」

午後一時、昼食を終えた四人はブリーフィング・ルームに入った。待ち受けていたのは、やはりシングルトンただ一人だった。作戦開始まで、この男以外の人間に会うことはないのだろう。

四人がそれぞれ席に着くと、シングルトンはラップトップ型コンピューターを操作して、パワーポイントで作成した資料をスクリーンに投映した。

「まずはこれを見てくれ。この男に、何かおかしなところはあるか？」

映し出されたのは、アフリカ系男性の写真だった。歳の頃は三十くらいだろうか。頭に白いものが交ざっているのを見ると、もう少し上かも知れない。サイズの合わない古ぼけたシャツを着て、人好きのする柔らかな表情をレンズに向けている。はだけた襟元からは発達した筋肉が覗いているが、肩幅が狭いために、それほど屈強な感じはしなかった。肌の色が濃くないので、アフリカ大陸の北部か南部の人間だろうとイエーガーは当たりをつけた。

「では、次はこれだ」と、シングルトンが二枚目の写真を見せた。

イエーガーたちは、意表を衝かれてスクリーンに見入った。先ほどの黒人男性の隣に、巨人が立っていた。こちらは白人男性で、並んで立っている黒人とは大人と子供ほどの体格差がある。白人の胸よりもさらに低い位置に、黒人の頭頂部があった。

「背の高い白人の顔をよく覚えておいてくれ。この男の名前は、ナイジェル・ピアース。アメリカ東部の大学で、人類学の教授をしている」

ナイジェル・ピアースという人物は、かなりの痩身だった。日焼けした肌と伸び放題の髭。年齢はおそらく四十代で、学者と言うよりは、くたびれた冒険家といった風情だ。「ちなみにピアースの身長は百八十七センチで、私と同じくらいだ。一方、隣に立っているアフリカ人男性は、百四十センチほどしかない」

「どうしてこんなに小さいんです？」とギャレットが訊いた。

「このアフリカ人は、ピグミーと呼ばれている民族だ」

一同が納得したのを見て取って、シングルトンは続けた。「ピグミーという名称には偏見が付きまとっていると思うが、実際は見ての通りだ。体が小さいという以外は、普通の人間と変わらない。ただし、肌の色がアジア人に近いせいもあって、人類学上は他のアフリカ人と区別されている」

作戦部長は老眼鏡をかけ、手元のノートを手繰り寄せて言った。「さて、これから人類学に話が及ぶが、こちらも外で教わってきたことをそのまま伝えるだけだ。なので、あまり突っ込んだ質問はしないように」

冗談のつもりだったのか、シングルトンが口の端を上げて笑みを作ったが、彼に対して親愛の情を抱いていない一同は愛想笑いすらも浮かべなかった。

シングルトンは構わずにブリーフィングに戻った。「この部屋にいる人間は、誰一人として自覚していないだろうが、我々は農耕民族だ。食料基盤を農作物に頼っている。ところがピグミーたちは、狩猟採集民族に分類される。森の中で暮らし、動物を狩ったり植物を集めたりして日々の糧を得る」

資料が三枚目の画像に切り替わった。アフリカ大陸の地図で、赤道に沿って東から西の地域が色分けされている。

「これがピグミーの居住地域だ。アフリカの熱帯雨林と一致しているだろう。彼らが、どうして体を小さくする方向に進化したのかは分かっていないが、一説では、環境に適応した結果ではないかと言われている。この体なら、枝が低く張り出した森の中でも自由に動き回れる。彼らは十歳までは我々と同じように成長するが、そこで体を大きくするのを止めてしまうのだ。以後は子供と同じ体格のまま一生を送る」

不意にイエーガーは、この人類学講座の裏に隠されたものに気づいた。子供の大きさの人形標的は、ピグミーを模していたのではないか。そう考えると、心の重荷が消えかかる一方で、新たな疑問も湧いてきた。文明化されていない森の民は、自分たちの仕事からはもっとも縁遠い人々に思えた。どうして彼らを殺す必要があるのか。

ギャレットが手を挙げ、訊いた。「ピグミーの国籍はどうなってるんです？」

「一応、居住地域に対応する国ということになるのだが、実質的な市民権は与えられていないのが現状だ。彼らは国籍の代わりに、複数の民族で分けられる。最初に見せた写真の男性は、ムブティ人という民族だ。コンゴの東部、イトゥリの森と呼ばれるジャングルに暮らしている」

コンゴ東部は、イエーガーたちが投入される作戦地域だ。話はいよいよ核心に近づいているらしい。イエーガーは、ギャレットに続いて質問した。「イトゥリの森も、第一次アフリカ大戦の戦闘地域に含まれるんですか？」

するとシングルトンは意味ありげな笑みを浮かべ、「そうだ」と言った。「正規戦ではなく、一種のゲリラ戦だがね。付近の村が略奪されたり、異民族同士のジェノサイドが起こったりしている。しかしそれだけではない。コンゴ政府軍も含め、この地域に展開している武装勢力が森の中に入り込み、ピグミーたちを狩り、食糧にしている」

「何だって？」とマイヤーズが声を上げた。

「人肉食さ。現地の人間にとって、ピグミーたちは人間以下の存在なのだ。その上、彼らの肉を食べれば、神秘的な森の力が体に宿ると信じられている。そこで彼らを狩り、体をバラバラにして大鍋で料理する。塩を振りかけて食べているそうだ。この事実は、国連監視団が確認している」ブリーフィング・ルームの中で、その話を不快に思っていないのは語り手だけだった。「オーストラリアへの白人入植者だって、先住民族を獲物にして狩りを楽しんだだろう。タスマニア島にいたアボリジニは、一人残らず白人に狩られて絶滅したぞ」

シングルトンは、さながら人間の醜悪さを見て楽しんでいる悪魔の使いだった。これから明かされるであろう作戦内容について、イエーガーは強い不安を覚えた。

「ピグミーの一種族、ムブティ人に話を戻す」

シングルトンはパワーポイントを操作し、コンゴ東部の拡大図を一同に見せた。全長百キロほどの道路が南北に走り、道沿いに点在する集落が書き込まれている。その他には人間の存在を窺わせるものは何も描かれていなかった。地図のほとんどが緑色に塗り潰されている。

「ここが彼らの住むイトゥリの森だ。ムブティ人たちは、『バンド』と呼ばれる数十人の集団に分かれて生活している。雨季は地元農耕民の村の近くに定住しているが、乾季の現在は狩猟採集のために森に入っている。狩猟キャンプを設営し、一定期間をそこで過ごしてから、数キロほど移動して次のキャンプに移る。場所を転々と変えるのは、食物資源を採り尽くさないための知恵らしい」

地図には、東西に点々と連なる八個のポイントが示されていた。

「この八つの丸印が、『カンガ・バンド』と呼ばれる四十人ほどの集団が移り住むキャンプだ。端から端までの全長は、およそ三十五キロ。これが君たちの作戦地域となる」シングルトンは一同に顔を向け、言った。「ではこれから、具体的な作戦内容に入る」

イエーガーたちは椅子に座り直し、軍事作戦の詳細に聞き入った。

「作戦の暗号名は、『ガーディアン』だ。君たちは偽名を使い、野生動物保護団体の職員に身分を偽装する。ウガンダのエンテベ空港から陸路でコンゴに入る。イトゥリの森への潜入ポイントまでは、こちらが誘導する。そこからは補給なしの単独任務だ。現地人との接触は極力避けろ。武装勢力の目を盗んで森の中を潜行し、カンガ・バンドがいる狩猟キャンプを突き止め、これを殲滅（せんめつ）する」

「何のために？」と、質問の許可を求めずにマイヤーズが訊いた。「ピグミーたちを殺す理由は？」

「最後まで聞け、マイヤーズ」と、シングルトンは一喝した。「期間は十日間を予定しているが、順調に進めば、作戦は五日程度で完了するはずだ。戦果確認のため、カンガ・バンド四十名の死体をデジタル・カメラで撮影し、電子データとして送信してくれ。その後、こちらが指示するランデブー・ポイントに移動し、ヘリでコンゴを離れる。作戦遂行中、武装勢力に遭遇した場合の交戦規則（ROE）は特にない。好きにしてくれていい」

イエーガーが挙手をすると、今度は質問が許可された。「作戦地域にいるピグミーは、カンガ・バンドだけなんですか？」

「いや、十キロほどの距離を置いて、複数のバンドが同じように生活している」

「識別はどうします？　どうやってターゲットを見分けるんですか？」

「さっきのナイジェル・ピアースという人類学者だ。あの男がフィールドワークのため、カンガ・バンドと行動をともにしている。停戦協定を信じてコンゴ入りしたが、戦闘再開で出るに出られなくなっているらしい。ピアースがいるキャンプこそが、ターゲットだ」

「それなら、ピアースも攻撃対象に含まれるということですか？」

「そうだ」

「アメリカ人まで殺すのかよ？」とマイヤーズが小声で言った。

シングルトンは衛生兵を睨めつけ、言った。「では、お前の疑問に答えてやろう、マイヤーズ。なぜ、ピグミーやアメリカ人学者を殺さねばならないのか？　半年前、この森の中で、新種のウイルスが発見されたんだ。エボラ・ウイルスと同じく宿主は不明で、ヒトを含む霊長類に好んで取りつく。問題は潜伏期間と致死率だ。感染してから発症するまでに二年かかり、致死率は百パーセント。つまり、感染者が周囲にウイルスをばらまく時間が十分にある上、発症したら誰一人として助からない。もしもこのウイルスが地域の外に漏れ出せば、世界中で感染爆発が起こって人類が絶滅する怖れがある」

まったく予期していなかった事態に、四人は呆気にとられた。イエーガーには、作戦全体の筋書きがようやく見えてきた。リクルートされた時に聞かされた言葉に嘘はなかったのだ——汚い仕事。人類全体に奉仕する仕事。

「その危機に対処するのが『ガーディアン作戦』だ。ここまで言えば分かってもらえたと思うが、ナイジェル・ピアースを含むカンガ・バンドの四十名こそが、現在確認されている唯一の感染者集団なのだ」

マイヤーズが一気にまくし立てた。「しかし殺さなくても、その四十人を隔離すればいいんじゃないか？」

「主権が崩壊し、二十以上もの武装勢力が戦闘状態にある地域に、大規模な医療団は派遣できない。送り込むとしたら軍隊になるが、第一次アフリカ大戦への関与が疑われるため、どの国も及び腰だ。その上、緊急に対処しなければならない理由がもう一つある。先ほど言ったピグミー狩りだ。武装勢力の人肉食がカンガ・バンドに及んだら、どうなると思うかね？　まずは兵士全員がウイルスに感染し、付近の村々を略奪する際に、婦女子をレイプしまくって感染を拡大させる。さらに、国連平和維持軍の兵士までが現地の女性に性的虐待を加えているため、ウイルスが他の大陸に飛び火するのは時間の問題となる」

「そのウイルスは、感染するとどんな症状が出るんです？」

「それは言えない。高度の機密に属することなので、ウイルスに関する情報はここまでだ」

「ちょっと待ってくれ」と、ギャレットが作戦部長を刺激しないように穏やかに口をはさんだ。「我々としては、どうしても得ておかなくてはならない情報がある。任務遂行中に、我々自身が感染する危険はないんだろうか？」

「それは大丈夫だ。防御策を用意してある。このウイルスには一つだけ弱点があってな、感染して一カ月以内ならば、薬で簡単に駆除できるんだ」シングルトンは、シャツの胸ポケットを探り、小さなカプセルを取り出した。中には、白い粉末が透けて見えていた。

「出所は明かせないが、ある国の陸軍研究機関が開発した薬物だ。君たちは任務の完了とともに、このカプセルを呑み込む。ただし、特効薬があるからといって油断はするな。作戦遂行の際には、ターゲットとの肉体的接触は避けろ。発砲する際には、返り血を浴びないように注意することだ。それさえなければ感染の危険はない」

「その薬は、感染していない状態で呑んでも大丈夫なのかな」

「もちろんだ。まったく害はない」

「分かった」とギャレットは頷いた。

そこで質疑応答は途絶えた。沈黙が、重苦しい空気となって部屋全体を覆っていった。マイヤーズを含め、全員が作戦への参加を最終的に決めたのだろうとイエーガーは察した。それから、この糞ったれた作戦を立案したのは、どこのどいつだと腹立ち紛れに考えた。

「諸君が気乗りしないのは分かるが、これは悪条件が重なった結果なのだ。コンゴが平和な国だったなら、こんなことにはならなかっただろう。しかし今となっては、事態は一刻を争う。何としても、ガーディアン作戦を成功裏に終わらさねばならん。すべては君たち四人に託されている」そしてシングルトンは、この男にはめずらしく、一同を気遣うような口調になって続けた。「最後に一つだけ付け加える。カンガ・バンドを殲滅後、研究用のサンプルを採取する必要がある。持ち帰ることになるのは、数種類の臓器と血液だ。そのリストは後日渡す」

「そいつは俺の仕事かい？」と、すっかり元気を失くしたマイヤーズが訊いた。

「他の三人も、マイヤーズを手伝え」とシングルトンは間接的に肯定した。「感染には注意しろよ」

イエーガーは、些細だが重要な疑問を抱いた。「死体の損壊までしたら、機密保持に問題が出てくるんじゃないか？　例えばPKO部隊が現場を発見したら、通常の戦闘ではないと気づくはずだ」

「いや、その心配はない。現地の民兵組織は人肉食だけでなく、敵の死体の一部を切り取ってお守りにするようなことまでしている。そいつらの仕業だと判断されるだろう」

イエーガーは、作戦の巧妙さに舌を巻いた。「なるほど」

「では話を戻す。追加任務の第二。ナイジェル・ピアースが所持しているラップトップ型コンピューターを押収しろ。壊さないように持ち帰るんだ」

何のためにそんなことをするのかは分からなかったが、一同に異存はなかった。

「最後に、もっとも重要な指示を伝える。もしも任務遂行中に、見たことがない生き物に遭遇したら、真っ先に殺せ」

聞いている四人は、何を指示されたのか分からなかった。

理解不能な外国語とでも思ったのか、ずっと押し黙っていたミックが初めて発言した。

「何て言ったんだ？　見たこともない生き物？」

「そうだ。諸君が見たこともない生き物を見つけたら、そいつを即座に殺すのだ」

「ウイルスのことを言ってるのか？」

「違う。ウイルスは目に見えないし、そもそも生物ではない。こちらが言っているのは、姿形を持った動物のことだ」

「理解できないんだが――」

と、言葉を探しているミックに代わって、イエーガーは訊いた。「アフリカのジャングルには、俺たちが見たこともない生き物がたくさんいると思うが」

ギャレットとマイヤーズが笑ったが、シングルトンは真剣だった。「大抵の生き物は、蝶の一種とか、トカゲの仲間とか、ある程度想像がつくだろう。私が言っているのは、そういう区別ができない、特殊な生き物だ」

「もう少し、具体的に言ってもらえると助かるんだが」

「クライアントからの情報は限られている」と、困惑を顔に浮かべながらシングルトンは言った。クライアントとは、この仕事を発注した外国政府、おそらくはホワイトハウスだろう。「私は諸君にそれを伝えるだけだ。問題の生き物は、コンゴのジャングル内にいる。カンガ・バンドの狩猟キャンプに潜んでいる可能性が高い。それは、これまで誰も見たことのないような姿をしている。今のところ凶暴性はなく、動きも遅いので、諸君の射撃の腕をもってすれば一発の弾丸で仕留められる。殺害後は、死骸を丸ごと回収しろ」

「しかしそれだけでは――」

「それだけなのだよ、こちらに与えられた情報は」とシングルトンは、強引に話をまとめにかかった。「この生き物の最大の特徴は、一目見ただけで未知の生物だと分かる、ということだ。その瞬間、諸君の頭は混乱するかも知れない。しかし何も考えるな。この生き物は何なんだとか、疑問を持ってはいけない。見つけ次第、直ちに殺せ。ガーディアン作戦における最優先の攻撃目標だ」

9

研人はこの日、夕方に実験を中断し、売店で買ったカップ麵を大急ぎでかき込んでから、医学部のある東京文理大学附属病院に向かった。理系キャンパスから歩いて十分ほどの所に、地上十二階の大きなビルが建てられている。学部生時代のコンパで何度か顔を合わせたことのある、吉原という先輩に会うのが目的だった。

病院の裏にある職員の通用口に行き、守衛に来意を告げてから本館に入った。どうにも居心地が悪かった。研人は薬学部よりも医学部のほうが格上だと勝手に思い込んでいて、どうしても引け目を感じてしまうのだ。

エレベーターで階上に向かいながら、研人は大学入学後の最初のガイダンスを思い出した。新入生たちを迎えた学部長が、胸を張って訓辞をしていた。「君たちが医者になったとしても、生涯で救える患者の数は、せいぜい万のオーダーにしかならない。しかし薬学の研究者となって新薬を開発すれば、百万人以上を救える」

　そうなのだ。もしも肺胞上皮細胞硬化症の治療薬を開発すれば、現在、世界中にいる十万人の患者だけでなく、将来この病気を背負って生まれてくる子供たちも手当たり次第に助けられる。学部長の言葉で自分を鼓舞しようとした研人であったが、現実的なハードルの高さを考えると無力感は拭えなかった。

　どうせ無理なんだから、と、研人は過度な期待は抱かないようにした。でないと失敗した時の落胆が余計に大きくなる。

　五階でエレベーターを降り、小児科のナース・ステーションに行った。忙しそうにしていた看護師の一人がこちらに気づき、「ご面会でしょうか？」と尋ねた。

「お見舞いじゃなくて、吉原さんへの面会なんですけど」

　看護師は頷き、ステーションの奥にいる白衣姿の一団に声をかけた。「吉原先生」

「はい」と返事があって、短髪の男が振り向いた。吉原だった。高校まで剣道をやっていたと研人は聞いた覚えがあった。それにしても、もう「先生」か。

　研人を見つけると、吉原は、「久しぶり」と特徴のある低い声で言った。ワイシャツ、ネクタイ、白衣。学生の頃とはだいぶ印象が違っていた。着古したダウンジャケットにジーンズ姿の研人は、自分がひどく場違いに感じられた。

「忙しいのに、すみません」

「いや、大丈夫だ。医局へ行こう」と吉原はナース・ステーションを出て、研人を連れて歩き出した。

「小児科の医者になるんですか？」

「いや、今は研修医だから、いろいろな科を渡り歩いてるんだ。小児科もいいけど、割に合わないからな」

「割に合わないって？」

「苦労する割に儲からないんだ。開業するなら、他の診療科にしたほうがいい」吉原は、小児科病棟を振り返って言った。「だから小児科の医者を見たら、金儲けとは無縁の立派な先生だと思って間違いない。俺は他の科に行くけどな」

エレベーターを待ちながら、吉原は本題に入った。「で、肺硬症だろ？」

それが肺胞上皮細胞硬化症の略称らしかった。「はい」

「残念ながら、現在の医療じゃ歯が立たない。対症療法を試して様子を見るしかないんだ。どれだけ延命につながってるかは疑問だけど」

「じゃあ、治療法は全然なし？」

「ない」と吉原はきっぱり言った。

「基礎研究も進んでないんですか？」

「世界で一人だけ、ポルトガルのガラードという医者が治療薬の開発を進めてる」

「治療薬を？」研人は驚いた。早くも予想外の収穫だ。「どの程度、進んでるんですか？」

「そっちのほうは、俺たちには専門外でな。ちょっと待ってくれるか」

一階上のフロアに出た吉原は、『医局』の表示が掲げられた一角に入った。廊下に沿ってドアが並び、診療科目ごとに部屋が分けられている。吉原が入室したのは『小児科』の医局だった。机が並んだ室内は、夕刻のせいか人影がまばらだった。吉原は隅のロッカーを開け、ショルダーバッグの中から紙の束を取り出して戻って来た。

「目についた論文をダウンロードしといた」

「あ、すみません」と研人は受け取って、ざっと目を通してみた。

「前臨床試験の、さらに前の段階じゃないか？」

「そうみたいですね」

リスボン医科大学のガラードという教授も、すでに『変異型ＧＰＲ７６９』の立体構造をモデリングしていた。それに基づき、この受容体に結合しそうな化学物質の構造をデザインして、薬としての活性を調べていた。おそらく、世界最先端の臨床応用研究だろう。

「リード化合物の構造最適化まで行ってる」

「何だ、そりゃ？」

「薬になりそうな化合物をすでに見つけていて、より薬理活性の高い構造に変えようとしてるんです」

先を越されたどころの話ではなかった。ポルトガル人医師の研究は、研人よりも数年は先に進んでいた。やはり、蜘蛛の糸で大魚を釣り上げようとしたのは無理な試みだったのだろう。老朽化（ろうきゅうか）したアパートに遺された六畳の実験室では、ガラード博士の研究には太刀打ちできない。リトルリーグのチームが、メジャーリーガーを相手に試合をするようなものだ。

「肺硬症の薬が、完成目前だってことか？」

「いや、それはまだ何年も先です。リード化合物を見つけても、薬になるのは千個に一個くらいの確率なんで。順調に行っても、五年以上はかかるんじゃないですかね」

「じゃあ、今いる患者は助からない？」

「そう思います」

吉原は一つため息をつき、「こっちへ来てくれるか」と、さらに廊下の奥へと歩き始めた。研人の頭上を、『ICU：集中治療室』の表示が通り過ぎて行った。

「受け持ちの患者さんの中に、肺硬症の子が一人いる」

「え？」

スウィング・ドアを通り抜けた向こうに、集中治療室があった。廊下の壁面に大きな窓が取り付けられていて、重篤な患者たちが室内のベッドに横たわっているのが見えた。

「左の列の手前から三番目」と吉原が小声で言った。

大人の患者たちの間にぽつんと、六歳くらいの女の子が横になっていた。肌が青紫色に変色しており、苦しそうに目を閉じている。病状がどれだけ重いのかは、点滴スタンドに下げられた薬液の数が物語っていた。

ベッドサイドには、若い看護師と、母親と思しき三十過ぎの女性の姿があった。雑菌を持ち込まぬために母親もマスクをしていたが、泣き崩れる直前の弱々しい表情を浮かべているのが明瞭に見て取れた。

看護師が、女の子の顔にあてがわれた小さな酸素マスクを持ち上げて、口の周りを赤く染めた鮮血を拭き取った。研人は、頭を小突かれたようなショックを受けて一歩下がった。

「末期だ。あの子は一カ月ほどで死んでしまう」

あまりに理不尽な話だった。見たくもない悲惨な現実を目の前に突きつけられて、研人の惨めさは増した。自分には、あの子は救えない。父の遺した実験室のみすぼらしさが、そのまま自分たち親子の実像にも思えた。

研人は己に罰を与えるべく、患者名を記したネームプレートを読み取った。『小林舞花6才』とあった。生涯、その名を忘れることはないだろうと思った。自分が見殺しにしてしまう幼児の名前を。

「俺だって、金も稼ぎたいが、患者も助けたい」と吉原は言った。「お前、薬学部なんだから、いつか肺硬症の薬を作ってくれよ」

「でも、一カ月じゃ無理ですよ」力なく答えた研人の脳裏に、父親が遺した二月二十八日という期限が浮かんだ。まさに一カ月後だった。


とっくに日は暮れていた。気温もかなり下がってきていた。歩道に沿って流れる横十間川では、冬の渡り鳥が水面に漂って羽を休めている。

研究室へと戻る道すがら、研人はダウンジャケットのポケットに両手を突っ込み、手負いの獣のようにうなだれて歩いていた。死に瀕した幼女の姿が、頭から離れなかった。

あの子は何も悪いことなどしていないのに、どうしてあんなに苦しまなくてはならないんだろう。どうして、たったの六歳で死んでしまうのだろう。科学者の端くれである研人には、その答えは分かっていた。時として自然は人間に対し、無差別に、残酷なほどの不平等をもたらすのだ。

そうした脅威と戦うために薬学の研究者がいるというのに、自分は今まで何をしてきたのか。大学に入学してからの六年間、何の使命感も持たずに無為に日々を積み重ねてきてしまった。捨てたも同然の年月だった。

しかし、だからと言って、これから先、自分に何ができるというのか。研人は鬱屈した気分を晴らそうと頭を上げ、夜空を見上げた。宇宙が見えた。何光年も離れた恒星の光が、地球の天上を飾っている。

肺胞上皮細胞硬化症の特効薬開発は、いずれは成功するだろう。しかしそれは五年以上も先の話であって、一ヵ月後ではない。少なくとも今の自分には無理だ。無力感に押し潰されそうになる一方で、父親の遺したメッセージが頭に引っかかっていた。たとえ無名大学の教授でも、科学者として最低限の論理的な訓練は積んできたはずだ。何百万円もの私財を投じて実験室を準備した裏には、特効薬開発の成算があったはずなのだ。現段階で残された唯一の手掛かりは、ノートパソコンにインストールされている『GIFT』というソフトだが、詳しい機能は不明だった。

どうやら最後の頼みの綱は、コンピューターを使った創薬の研究者、韓国からの留学生になりそうだった。仲介を引き受けた友人の土井が、相手のスケジュールを打診してくれているはずだ。土井に電話してみようかと考えているところへ、自分を呼ぶ声が聞こえた。研人は思考に埋没するあまり、その細い声を一度は聞き逃した。「古賀研人さん」との二度目の呼びかけで、研人は足を止めた。

理系キャンパスの、薬学部棟の裏まで来ていた。夜はほとんど人の通らない区域だ。明かりと言えば、遠くにある自転車置き場の蛍光灯しかない。

誰が自分を呼んだのかと、研人は暗がりに目を凝らしたが、人影は見えなかった。女の人の声だったが、と怪訝に思いながら歩き出そうとした時、背後から小さな足音が近づいて来た。

振り向くと、ほっそりした中年女性が立っていた。地味な色合いのコートに、化粧っ気のない顔。理系の女性によく見られる、一種独特の清潔感を漂わせている。

「古賀研人さんですね」と、相手は消え入りそうな声で尋ねた。

理学部の教員だろうか。それにしても、なんだか幽霊っぽい人だなと研人は思った。

「はい、古賀ですけど」

「ちょっとお話があるんですけど、お付き合い願えませんか？」

「はあ」

と曖昧に答えると、「では、こちらへ」と女性は言って、研人を大学の敷地の外へと連れ出そうとした。

「待って下さい。どんなご用件ですか？」

「お父さんのことで」

「父のこと？」

女性は、頷く間もじっと研人の顔を窺っていた。「是非、折り入って、お話ししたいことがあるんです」

「でも、どうして僕が、古賀誠治の子供だって分かったんですか？」

「前にお父さんから写真を見せてもらいましたから。お父さんは、ずいぶんと研人さんの自慢をしてらっしゃいました」

研人は即座に嘘を見抜いた。あの親父が、倅の自慢話などをするはずがない。

「さあ、こちらへ」と女性が足を速めた。自転車置き場から聞こえてきた学生の話し声を気にしたようにも見えた。

「どこへ行くんですか？」

「外じゃ寒いですから、車の中でお話ししましょう」

「車って？」と訊き返している間に、裏門にさしかかった。大学の塀に沿って延びる細い車道の側らに、ワンボックスカーが停められていた。街灯の狭間に置かれているので、黒っぽい色としか分からなかった。

研人は立ち竦んだ。どういうわけか、あの車に乗せられたら二度とこのキャンパスへは戻って来られないような気がした。「ここで話せませんか？」

「でも――」

「父の、どんなことですか？」と訊いてから、混乱気味の頭にもう一つの質問が浮かんだ。

「すみませんが、そちらはどなたですか？」

「ああ、私」と言って、女は視線を泳がせた。「私は以前、お父さんのお世話になっていた者で、サカイと申します」

「サカイさん？　下のお名前は？」

「ユリです。サカイユリ」

研人には心当たりのない名前だった。「どんな字を書くんでしょう？」

存在感の薄い女性は、『坂井友理』という漢字表記を教えた。「お父さんから聞いてなかったかしら？」

「いいえ。それで、ご用件は何ですか？」

坂井友理は、ちらっとワンボックスカーに目をやってから言った。「お父さんが亡くなられたと聞いて、驚きまして」

しかし、弔問（ちょうもん）に出向いたにしては変だった。どうして厚木の実家に行かないのか。「坂井さんと父とは、どんな関係だったんです？」

「ウイルスの研究でご一緒でした」

「多摩理科大学で、ですか？」

「私は外部の研究機関におりましたけど」

「つまり、共同研究？」

「そうです。研人さんは、本当に何も聞いていらっしゃらないんですね」

研人としては、頷かざるを得なかった。父の生前の行動は謎のままだったので、坂井友理の言葉の真偽のほどは量りかねた。

「今日、お伺いしたのは、その研究のことなんです。実験の重要なデータを、お父さんに預けたきりになってしまっていて」

「あ、データですか」と研人は一瞬、相手の言葉を信じかけた。研究者にとっては、何をおいても大事な問題だ。

「お父さんは、小さな黒いノートパソコンを遺されていませんでしたか？」

研人は動きを止めた。坂井友理が言っているのは、書斎に遺されていた、起動しないパソコンのことだ。

『A5サイズのパソコンは、絶対に他人に渡すな』

「し、知りません」と慌てて否定したが、動揺を見透かされたのは確実だった。

平静を装おうとしてメガネをずり上げている研人を見て、「ふふ」と坂井友理が笑い声を立てた。「お父さんにそっくりね」

相手の顔に浮かんだ笑みを、研人は驚いて見つめた。この陰気な女性が笑うとは予想していなかった。飾り気はないが、きれいな人だと初めて気づいた。

「車の中でお話ししません？」と友理が尚も誘った。「暖かいわよ」

しかし、スモークガラスで内部が隠されたワンボックスカーは、どうしてもこの女性の車とは思えなかった。いきなりドアが開いて、今にも男たちが駆け出して来そうな気配さえした。「ここでいいです。それより、A5サイズのパソコンって、何のことですか？」

「A5サイズとは言ってないわよ」

またもヘマをした。坂井友理に、いいようにあしらわれている。

「でも、私が言っているのも、そのA5サイズのノートパソコンなの」と友理は真顔に戻った。「持っているのね、お父さんの遺品を」

研人は返答に窮(きゅう)した。これ以上、何か喋ると、さらに墓穴を掘りかねない。

「そのパソコンを、私に頂戴」

しばらく思案してから、研人はやむなく作戦を変更した。「パソコンは、確かに僕が持ってます。でも父が、誰にも渡すなと言っていたので」

「それは当然でしょう。研究途中のデータですもの。研人君だって、実験ノートを研究室の外には持ち出さないでしょう？」

坂井友理が研究機関にいるというのは本当のようだった。本職でなければ、実験ノートの扱いについて言及したりはしない。

「お父さんは、ご自身が亡くなるとは思っていなかったのよ」

それも正解だった。父が遺した文書は、自分が死ぬことを前提としていない、奇妙な遺書だったのだ。

「こちらの研究が滞(とどこお)っているの。どうかパソコンを私に返して」

研人は訊いた。「父が三鷹の駅で倒れた時、どんな様子でした？」

何か言いかけていた坂井友理が、不意に口を閉ざした。かすかに首を傾げ、横目で研人を見つめている。細身で髪が肩くらいの長さの、四十歳くらいの女性に研人は重ねて尋ねた。「父は苦しんでましたか？」

「私は知らないわ」

「救急車を呼んでくれたの、坂井さんですよね？」

「違います」と、きっぱりした答えが返ってきた。しかし研人は信じなかった。この人こそが、生前の父と会話を交わした最後の人物に違いない。では、どうしてその場から姿を消したのだろう。坂井友理には、父の元から慌てて立ち去らなければならない理由があったはずなのだ。

「これはね、研人君のためにもなることなの」と友理は言った。「パソコンを返して」

「僕のためにもなる？　どういうことですか？」

「それは言えないわ」

「だったら、こちらもパソコンは渡せません」

黙り込んだ友理は、焦点を失った瞳の奥で次の一手を考えているようだった。研人は思わず身構えて相手の出方を待った。ところが友理は顔を上げると、「分かりました」と意外にも淡白に言った。「では」

話し合いは唐突に打ち切られた。引き止める間もなく、友理は急ぎ足で車に戻って行った。

研人は不可解な思いで見送った。もう少し会話を引き延ばして、相手の正体を探っておくべきだったか。車のナンバーが何かの手掛かりになるかも知れないと思いつき、研人は番号を読み取ろうとワンボックスカーに向かって足を踏み出した。ところがすぐに心臓が一拍、激しく打って、その場に釘付け(くぎづ)にされた。坂井友理が歩み寄った車の中、リアウインドウのスモークガラスの裏で、人影が見え隠れしていた。

坂井友理の他に、誰かがいる。

研人は本能的に身の危険を感じた。運転席のドアに手をかけた友理が、こちらを振り返った。闇を見透かす険しい視線が、一直線に研人に突き刺さっている。

研人は後ずさりし、大学の敷地の中に戻った。塀に遮られて車が見えなくなると、かえって恐怖が増した。身を翻(ひるがえ)して早足で歩き始めたが、薬学部棟に到着する頃には駆け足になっていた。階段を一気に上がって、仲間たちがいる研究室を目指す。三階の廊下で立ち止まり、階下の様子を窺ったが、誰かが追って来る気配はなかった。

ただの思い過ごしだったのか、それとも危機から逃れたのか。

研人はドアを開けて園田研究室に入った。セミナー室では、休憩中の女の子たちがソファに座り込み、仲良くお茶を飲んでいた。奥の実験室からは、院生に指示を出している助教授の声や、実験器具を扱う音が聞こえている。

いつもの光景に安堵した研人は、思い立って携帯電話を取り出し、父親のかつての勤務先にかけた。時刻は七時前。先方の研究室にも、まだ誰か残っているはずだ。

二回の呼び出し音で、電話はつながった。「はい、多摩理科大学です」

男の声だった。研人は尋ねた。「助教授の浜崎さんはいらっしゃいますか？」

「私が浜崎ですが」

「こちら、古賀誠治の息子の、研人と申しますが」

「ああ」と先方は、葬儀で挨拶しただけの研人を思い出してくれたようだった。

研人は世話になった礼を述べてから、「ちょっとお訊きしたいことがあって」と質問に取りかかった。「生前の父のことなんですけど、外部の機関と共同研究をしてませんでしたか？」

「共同研究？　いえ、それはなかったです」

「じゃあ、坂井友理さんという、四十歳くらいの研究者にお心当たりは」

「僕は知りませんけど」

やはり坂井友理の言ったことは嘘だったのだ。では彼女は一体、何者かと考えた途端、研人の背中一面に冷気が走った。

『今後、お前が使用する電話、携帯電話、電子メール、ファクシミリなどのあらゆる通信手段は、盗聴されているものと思え』

この電話は盗聴されているのだろうか。それも、坂井友理によって。

「ただ――」と浜崎は続けた。「関連するかは分かりませんが、古賀先生は長期の休暇を取られる予定でした」

「長期の休暇」と繰り返しながら、研人は動揺を抑える時間を稼いだ。「長期というのは、どれくらいの期間ですか？」

「二月二十八日までの一ヵ月間です。ご存命だったら、明日からお休みに入っていたはずです。共同研究ということで思い当たるのは、それくらいしかありませんが」

やはり父は、本気で肺胞上皮細胞硬化症の特効薬を作ろうとしていたのだ。二月末までに薬を完成させ、その後に現われるアメリカ人に渡す手筈になっていた。「分かりました。ご面倒をおかけしてすみませんでした」

「いえ。また何かあったら、いつでもどうぞ」と言って浜崎は電話を切った。

携帯電話の電源を切っても、研人の体にまとわりついた薄気味悪さは消えなかった。仲間のいる実験室へと戻りながら、坂井友理という女性について考えた。彼女が要求したのはただ一つ、父の遺品のノートパソコンだ。新薬開発に使おうとしていたマシンではなく、起動しない小型のノートパソコンのほうだ。

謎を解く鍵は、どうやら沈黙したままの黒いパソコンの中に眠っているようだった。あの中には、一体何が記録されているのだろう？

10

防弾仕様のリムジンの中で、ラティマー国防長官は早朝から不機嫌だった。イラクでの戦力培養計画を練らなくてはならないこの時期に、どうしてこうも次から次へと下らない問題が出来するのか。

「麻薬カルテルの下っ端がどうしたと言うんだ?」ラティマーは、手にした報告書とともに忍耐をも投げ捨てた。「口頭で説明してくれると助かるな」

後部座席に座っているワトキンス国家情報長官とホランドCIA長官は、露骨に心外そうな顔をした。もはや国防長官との不仲を取り繕う段階は過ぎていた。何もかもがインテリジェンス・コミュニティの失態にされることには、いい加減うんざりしていた。

「正確には下っ端ではなく、中堅幹部です」とホランドが言った。「表向きにはダミー会社の役員ですがね。その男が、小型機でコロンビアから合衆国に向かっている最中、操縦士が気を失ったんです」

何かの持病でもあったのか、パイロットが短時間、失神しているうちに、小型機の高度はどんどん下がっていった。異常に気づいた麻薬カルテルの中堅幹部が慌てて操縦桿を握った時、機はまさに大西洋上に墜落寸前だった。何とか水平飛行に移ったものの、操縦資格のない中堅幹部にとってはそれが精一杯だった。小型機は、本来のルートを大きく逸れて半時間も飛行を続けた後、ようやくパイロットが意識を取り戻した。彼は眼下に迫った海面に驚愕(きょうがく)し、操縦桿を引いて急上昇したが、このために北米大陸のあちこちで悲鳴が上がる結果となった。マイアミ沖四百五十キロの防空識別圏内に、レーダー網をかいくぐった不明機が出現したからである。空軍機の緊急発進(スクランブル)があと十数分、遅れていたら、大統領はホワイトハウス東棟地下の非常用防空壕(ぼうくうごう)に移されていたはずだった。

「初歩的なミスが重なっただけです」とホランドは事もなげに言った。「北米防空司令部(NORAD)が原因を洗い出し、防空体制を見直しました。二度とこのようなことは起こりません」

「ならばこの報告書は、今朝のブリーフィングから削除しろ」と、ラティマーは書類を突き返した。

降りしきる雪をかき分けて進むリムジンの行く手に、セント・レジス・ホテルの重厚な建物が見えてきた。ホワイトハウスまでは近い。ラティマーは、大急ぎで次のブリーフィング資料に目を通した。ロシアの防諜対策の不備について書かれたもので、彼の国(か)のインターネットを使った軍事通信網の脆弱性(ぜいじゃく)が指摘されていた。冷戦時代ならいざ知らず、こんな報告書で大統領を喜ばすことはできないが、一方で不興を買うこともない。ラティマーは、報告書を議題に残すことにした。

密閉された車内は、不自然に静まり返った。大統領日例報告の内容にまで口出ししてくる国防長官に対し、ワトキンスとホランドは雑談する気もないようだった。

ラティマーは、対露サイバー戦の優位を物語る最後の報告書について再考した。人類の歴史上、紀元前からすでに、武力だけが戦争の勝敗を決する時代ではなくなっていた。戦士たちの猛々(たけだけ)しくも悲惨な戦いの裏で、もう一つの暗闘が繰り広げられていた。情報戦である。暗号作成者と解読者の知恵比べが、多くの戦いの趨勢(すうせい)を左右してきた。自由民主主義で結束した連合国が、独裁者に率いられたファシズム国家を打ちのめした第二次世界大戦でも、米英の二カ国が敵国の暗号を解読していなかったら、結末がどうなっていたかは分からない。全世界がファシストたちによって征服されていたかも知れないのだ。しかし現実には、エニグマ暗号の攻略が第三帝国の野望を打ち砕いたし、紫(パープル)暗号の解読が大日本帝国を潰滅(かいめつ)に追い込んだ。

ところがこうした諜報(ちょうほう)戦争は、ほとんどの活動が機密扱いとされたため、勝利の立役者とされたのはレーダー技術や核兵器の開発に成功した科学者たちであった。第二次大戦が「物理学者の戦争」と呼ばれる所以(ゆえん)である。それから半世紀以上も経過した現在、情報技術は飛躍的に進歩し、サイバー戦争という新たな戦闘のカテゴリーが確立されていた。この戦争では、主戦場は現実の世界にあるのではなく、コンピューター・ネットワーク上にある。高度なハッキング技術をもってすれば、どんな大国をも機能不全に陥らせることができる。発電所や上下水道、交通管制といった各種インフラ設備だけではなく、金融取引や軍の命令系統に至るまで、コンピューターで結ばれた通信網に致命的なダメージを与えられるからである。今世紀に入ってから、アメリカはこのような攻撃を何度も受けていたし、アメリカも複数の仮想敵国に対して攻撃を仕掛けていた。平時に領空侵犯を行なって、敵の迎撃能力を探っておくようなものである。もしも二十一世紀に大規模な戦争が勃発すれば、「数学者の戦争」となるのは確実だった。

「報告書の最後の項目だが」とラティマーは訊いた。「ロシアの暗号は、どの程度、解読されているんだ？」

「NSAに訊いてみてはいかがですか」と、ホランドCIA長官が商売敵の名を挙げた。

それだけではさすがに不作法だと思ったのか、ワトキンスが言った。「我々が優位に立っているのは間違いありませんよ。特に、公開鍵暗号の解読能力は群を抜いています」

「何だ、それは？」

「インターネット上で使われているもっとも一般的な暗号です。RSA暗号とか」ワトキンスは、ラティマーがより詳しい説明を求めているようなので、仕方なく続けた。「RSA暗号では素数を使います。素数というのは、5とか7とか、つまり1と自分自身以外の数では割りきれない数字のことです。この素数には、掛け合わせるのは簡単でも、元に戻すのが難しいという性質があります」

ラティマーは眉を寄せた。「どういうことだ？」

「例えば」と、ワトキンスは暗算する間を取って、「203という値が、どんな数を掛け合わせて作られたか、すぐには分からないでしょう」

「確かに」

「正解は、7と29です」

「君がそんなに数学が得意だとは知らなかった」ラティマーの口から出る誉め言葉は、しばしば皮肉にも聞こえた。

「NSAの連中の受け売りですがね」と、ワトキンスは受け流した。「RSA暗号では、掛け合わせたほうの数を暗号化の鍵に使います。しかしこの数が使えるのは、暗号化の時だけです。同じ数を使っても、解読はされないように数学的な工夫が凝らされています。一方、その情報を受け取った側は、元々の二つの素数を解読の鍵にします。このため、暗号化の鍵となった数は公開してしまっても構わないんです。誰もそこから解読の鍵、つまり元の素数を割り出せないので」そして、国家情報長官は肩をすくめてみせた。「これ以上の詳しい話は、数学者にお尋ね下さい」

「ちょっと待ってくれ。暗号化に使われた数が、どんな素数の組み合わせなのかが分かれば、解読されてしまうわけだろう？」

「そうです」

「それなら、手当たり次第に素数を掛け合わせて照合していけば、いずれ分かってしまうんじゃないか？」

「原理的には、そうです。しかしご心配なく。とてつもなく大きい桁の数字を使っていますから。現行のRSA暗号の強度では、NSAの巨大なコンピューター資源を使わない限り、計算は不可能です。元の素数は分かりません」

「なるほど」とラティマーは納得した。NSAが保有するスーパーコンピューターは三百台を超えているため、もはや台数ではなく設置面積で数えるのが慣わしとなっていた。

「連中が巨額の予算を欲しがるわけだ」

「あと、優秀な数学者という人材もね」そこでワトキンスは顔を曇らせた。「これはおそらく杞憂でしょうが、現代暗号には問題もあるんです。もしも天才的な数学者が現われて、素数の組み合わせを見破る画期的な計算手順を編み出したら、インターネット上の安全は一瞬にして崩壊します。国家機密までが筒抜けになってしまう。たった一人の天才が、サイバー戦争を制して世界の覇権を握ることになりかねない」

「それは現実に起こり得る話か？」

「専門家の間では、そんな計算手順は見つからないだろうという意見が大半です。しかし、数学的に証明されたわけではありません。素因数分解の新たな手法が発見されるリスクは残ってます」

リムジンが、ペンシルベニア通り一六〇〇番地に到着した。北西通用ゲートから入った車は、大統領執務室のある西棟に直行した。降車までの短い時間を使って、ラティマーはもう一つの話題を振った。「ところで、例の化け物退治はどうなった？」

「アフガンの話ですか？」

「違う、コンゴだ」

「ああ」とワトキンスは頷いた。

特別アクセス計画に多大な関心を寄せているホランドは、二人のやり取りに聞き耳を立てた。

「相変わらず、例の〝天才児〟が張り切ってやっているんじゃないですかね」

「シュナイダー研究所の若造だな？」

「ええ。相当の切れ者ですよ。ガードナー博士とも馬が合うようでね」

「計画の進展具合について、何か聞いているか？」

国防長官のくせに、ラティマーは国防総省主導の特別アクセス計画について何も知らないらしい。今回の脅威を真剣に受け止めているのは自分だけだと、ホランドはあらためて思い知らされた。

「特別計画室の面々は、活動時間をコンゴ時間に合わせました」とワトキンスが答えた。「作戦開始が早まりました。実行部隊には精鋭が集められたようで、予定よりも早く訓練をクリアしたそうです」

「優秀な連中なのか？」

「そのように聞いてます」

「惜しいことだな」とラティマーは嘆息した。「しかし大統領の決定がなされた以上、仕方あるまい」

「決定は正しかったと思いますよ。半月ほどで作戦は完了します。最終報告をお待ち下さい」

ホランドは、重要事項に触れることなく話を切り上げたワトキンスの横顔を窺った。国家情報長官の取り澄ました表情は、「これ以上、何も話すな」と告げていた。現政権下では、大統領を失望させる情報をもたらした者には災いが降りかかる。今回の特別アクセス計画についても、水面下で進行しつつある不穏な兆候は秘しておかなければならない。日本で行なわれている防諜工作に関しては、いずれ物腰の柔らかいガードナー博士によって大統領に伝えられることになるだろう。


ガーディアン作戦の開始が、一週間以上も繰り上げられた。作戦部長のシングルトンが、訓練の経過を見て決定したらしかった。四人のメンバーは軍隊時代に鍛え上げられていたせいか、熱帯雨林の中を十日間に亘って行軍するだけの持久力を短期間で取り戻していたのだった。

これはイエーガーにとってはありがたい話だった。ジャスティンの入院しているリスボンへ、それだけ早く駆けつけることができるからである。

突然、下された出動命令にも、動ずる者はいなかった。淡々と準備をこなすだけだ。一同には様々な装備品が支給された。ハンモック、地図、コンパス、水筒、GPS装置、長距離偵察用の糧食（レーション）。防水ケースに入れられた致死性ウイルスの特効薬は、紛失に備えるため、メンバー全員が他の三人分を携行するように厳命された。さらに作戦遂行に必要な武器弾薬も揃えられた。ただし民間人に偽装するために、外に出して携行する武器はAK47に限られた。この攻撃用ライフルはコンゴではありふれた武器で、一ドルもしない値段で取り引きされているという。半自動式拳銃や暗視装置などは、人目に触れぬよう、民生用バックパックに詰めなければならない。イエーガーはミックと相談し、この他に手榴弾（しゅりゅうだん）と擲弾発射器（グレネード・ランチャー）を持って行くことにした。武装勢力とコンタクトした場合に備えて、最低限の火力は確保しておきたかった。

南アフリカを出る前の最後のブリーフィングで、一同には必要書類が配布された。偽造パスポート、野生動物保護団体のIDカード、黄熱病の予防接種証明書（イエロー・カード）、コンゴの武装勢力が独自に発行している複数の通行許可証。

「作戦地域の戦況は」とシングルトンが説明した。「コンゴ政府軍が大隊規模の戦力を送り込んでいるが、反政府勢力の優位は変わっていない。イトゥリ地方の中心部を地元民兵組織が、北と南の広い範囲をウガンダ・ルワンダ両国の勢力が支配下に置いている。もしもこうした反政府軍に接触した場合は、通行許可証を取り違えないように提示しろ。相手の区別がつかない場合は、動物保護の調査だと強調するんだ。連中は国際社会の反感を買わないために、動物愛護の姿勢を打ち出しているからな」

いつかシングルトンが皮肉雑じりに語ったように、国際社会は数百万の人命よりも、数千頭のゴリラのほうを気にかけているのだ。

「最後に現金を支給する。アメリカ・ドルで各自一万ドルだ。コンゴの役人や軍人は、賄賂(わいろ)を渡せば何でもする。武装組織相手にも強力な武器になる。和戦両様の構えでいけ」

四人の傭兵たちに、五十ドル紙幣二百枚の束が配られた。これでまた荷物が増える。

「では、短い期間だったが、君たちとの付き合いもこれで終わりだ。神のご加護があるように祈っている」

イエーガーたちは作戦部長と形ばかりの握手をし、私物を四人部屋に残してゼータ・セキュリティ社を出た。パッキングしたばかりの物資と武器弾薬は、彼らとは別に送り出されていた。四人は飛行機の便を変えて単独行動を取り、個別にウガンダの首都、カンパラに入った。

ビクトリア湖のほとりにあるこの都市は、イエーガーの予想に反して近代的な造りになっていた。アフリカ大陸の中央部で、まさか高層ビル群に出迎えられるとは思っていなかったのである。ほぼ赤道直下にあるにもかかわらず、標高が高いせいで暑さも苦にならなかった。人口百万の活気に溢れた街中を散策したい誘惑に駆られたが、イエーガーたちは人目を避けるため、ホテルの一室に閉じこもるように命令されていた。

日が暮れてからしばらくして、衛星携帯電話の呼び出し音が一回だけ鳴って切れた。イエーガーはカムフラージュ用に持参したボストンバッグを部屋に残し、手ぶらでホテルの外に出た。メイン・ストリートはむせかえるような熱気に包まれていた。もうもうと立ち籠めるディーゼル車の排ガスの中を、一向に途絶える気配のない人波が行き交っている。首都の中心部とあって、軒を連ねた商店の明かりが、路上を埋め尽くした人や車をくっきりと照らし出していた。

イエーガーは、左側通行の車道を見て、この国がイギリスの植民地だったことを思い出した。通行人の誰もがイエーガーを振り返り、「ムズング」「ムズング」と声をかけてくる。スワヒリ語で「白人」の意味だ。往来にいるのはすべて黒人ばかりで、西洋人やアジア人の姿は見当たらなかった。徒に目立つことを怖れたイエーガーは、露天商の後ろの車道に目当ての幌付きトラックを見つけ、足早に乗り込んだ。

運転席にいたのは、アフリカ系の中年男だった。着古したワイシャツの袖から、筋肉質の腕が伸びている。顔立ちは、妻子持ちの事務職といった印象だ。男は訛りのある英語で、「鍵を下さい」と言った。イエーガーは、ポケットからホテルの鍵を取り出し、運転手に渡した。

「チェックアウトは、私がやっておきます」運転手は渋滞の中、トラックをのろのろと発進させながら言った。それから右手を差し伸べ、「トーマスです」と自己紹介した。

イエーガーは握手に応じ、偽造パスポートにあった自分の名前、ジェイムズ・ヘンダーソンを名乗った。「ジムと呼んでくれ」

「分かりました、ジム。これを」と、トーマスが座席に置いてあった紙袋をイエーガーに渡した。「夕食です」

「ありがとう」袋の中は、見たこともないファストフード・チェーンのハンバーガーだった。ウガンダのフランチャイズらしい。腹が減っていたので、早速、紙包みを開いてかぶりついてみる。「これはうまいな」

「それはよかった」とトーマスは顔をほころばせた。

この人の好(よ)さそうな運転手は、CIAが雇っている現地工作員だろうとイエーガーは当たりをつけた。トーマスという名前も本名ではないはずだ。しかし穿鑿(せんさく)はしないことにした。何を訊いても相手が本当のことを言わないのは分かりきっていた。秘密作戦の際に徹底される『必要知規則(ニード・トゥ・ノウ)』により、各自に必要な情報以外は知らされないことになっているからである。トーマスのほうも、ジム・ヘンダーソンを名乗った男が何者で、何のために隣国の戦闘地域に送り届けるのか、知らされていないはずだった。ただ、雑談の中で、トーマスがウガンダ国籍に間違いないことだけは分かった。

「この国にまともな政治と教育さえあれば、先進国の仲間入りを果たせるんですがね」と嘆いた声は真剣そのものだった。

「発展はもう始まっているんじゃないか？」

多少のリップサービスを込めて言うと、トーマスは複雑な笑みを浮かべた。「この何年か、コンゴの鉱物が入ってきてるんです」

イエーガーは、この国が第一次アフリカ大戦の当事国であったことを思い出した。「略奪物資か？」

「そうです。地下資源の量から言えば、コンゴは世界一富裕な国です。ウガンダ軍は、コンゴ東部の民族間の殺し合いを煽(あお)って、治安維持の名目で現地を占領してました。今も密輸ルートは健在です。ただ――」と、トーマスは苦い顔になって続けた。「ウガンダという国について、こんなことで判断されたくないですね。狂った頭で戦争を言い出すのは、決まって国のリーダーなんです。国民じゃありません」

「アメリカだって同じさ」とイエーガーは答えた。「どこの国でもそうだ」

渋滞を抜けるまで、一時間近くかかった。驚いたことに、この都市の交差点には信号がなかった。それからほんの数キロ走っただけで、首都の風貌は一変した。電気が来ていないらしく、明かりの乏しい住宅地は、アフリカの広く暗い夜空に押し潰されているように見えた。家々の窓から漏れるランプの光を眺めながら、ここの人々はどんな暮らしをしているのだろうとイエーガーは考えた。仕事や家族のことで思い悩んだり、日々のささやかな楽しみを見つけたりしながら、決して楽ではない毎日を乗り切っているのだろうか。だとするなら、物質的な豊かさの差こそあれ、人間としての内面はアメリカ人と変わらないはずだ。

赤土の露出した道を走っていたトラックが、速度を落とした。ヘッドライトが照らし出した道端に、一人の男が立っていた。ギャレットだ。イエーガーは運転席側に体をずらし、乗り込んで来た仲間を迎え入れた。

「どうやってここまで来た？」

イエーガーが訊くと、ギャレットは微笑を浮かべ、フロントガラスの向こうを指さした。

「あれだよ」

対向車線を、ワンボックスカーが猛スピードで走り抜けて行った。七人乗りの車に、その倍くらいの乗客が詰め込まれている。

「乗り合いタクシーだ。実に貴重な体験だった」

速度を上げた幌付きトラックは、さらに小一時間ほど走り続け、人家が途絶えた平原で停止した。サイドブレーキを引き上げる音が、アフリカ大陸の夜の闇に吸い込まれて消えた。車から降りたイエーガーは、束の間、上空に広がる星空に見惚れた。全天を埋めた星の一つ一つが呟きを発しているようで、周囲の静寂を感じさせなかった。地球という惑星が、宇宙空間に浮かんでいるのが直感的に分かる光景だった。

運転席から降りたトーマスが、懐中電灯を手にトラックの後部に向かった。荷台には木箱が積み重なっているが、それは外側だけで、奥には男たちが身を横たえることのできるスペースが設けられていた。木箱をどけると、イエーガーが乗り込む前から荷台にいたマイヤーズとミックが体を起こした。

「やっと休憩か？」

トーマスが、四つのバックパックとAK47小銃を示した。「皆さんの荷物はそこにあります」

傭兵たちは、国境を越えるための準備に取りかかった。各自の荷物からタクティカル・ベストとレッグホルスターを出して身に着け、銃器を手に取った。小銃と拳銃、双方の薬室に弾丸を送り込んで発射態勢を整える。暗視装置を入れたポーチも手元に置いたが、電池の消耗を抑えるために、いざという時までは使用を控えることになっていた。

次いで虫除け剤を取り出し、皮膚と服、それにバックパックにも塗り込んだ。一連の儀式の仕上げに、トーマスが木箱の中にあった携帯無線機を一同に手渡した。四人は周波数を確認し、本体を肩口のポケットに入れ、ヘッドセット部を頭にかけた。

「準備はいいですか？」

一同が頷くのを見て、トーマスが木箱を持ち上げ、外からは荷台の奥が見えないように二重の壁を作った。マイヤーズが手にしたペンライトの光を頼りに、男たちは左右両側の木箱にもたれかかって腰を下ろした。

エンジンがふたたび始動し、トラックが走り始めた。マイヤーズがライトを消すと、荷台は暗黒に閉ざされた。

イエーガーは訊いた。「木箱の中身は何だ？」

「スクラップやら何やら、雑多な物が入ってる」とマイヤーズの声が返ってきた。「少なくとも、土嚢の代わりにはなるよ」

イエーガーは自分のライトで、後部を塞いだ箱の列を照らした。木箱の間には、意図的に四つの狭い隙間が空けられていた。銃眼にするにはもってこいだ。トーマスという男もプロだった。

車に揺られての長い道中、タイヤを通して伝わる路面の感触が滑らかになるたびに、道路沿いにある町を通過しているのだと分かった。イエーガーは少しでも眠っておこうと努めたが、微睡みは断続的だった。

日付が変わる頃にトラックが停止し、ヘッドセットからトーマスの囁き声が聞こえてきた。「ウガンダ側の国境を出ます」

荷台に潜んでいる四人は、漏れ伝わってくる音に耳を澄ました。トーマスが運転席に座ったまま何か言っている。スワヒリ語でのやりとりだ。相手はウガンダの国境警備兵らしい。トーマスは一度、車を降りてどこかへ行ったが、すぐに戻って来てトラックを出した。

「出国は完了です。コンゴとの緩衝（かんしょう）地帯に入りました」

三キロ先がコンゴ民主共和国のはずだった。ところがほんの数分後に、トラックがふたたび停止した。

「コンゴ側の兵士一名、少年兵二名、全員が小銃を携行」

イエーガーたちはAK47をそっと取り上げ、片膝立ちの姿勢で不慮の戦闘に備えた。

運転席の外から話しかける甲高い声が聞こえた。声変わりのしていない子供の声だ。「五百ドル」と繰り返し言っている。賄賂を要求しているらしい。トーマスが強い口調で何か言い返し、やがて交渉は「トゥンバコ」で落ち着いた。タバコと引き換えに通行が許されたのだ。

荷台の四人は、揺れる車内の中で同じ姿勢を保ち、コンゴへの入国を待った。やがてトラックのスピードが落ち、トーマスが報告してきた。「兵士三名、小銃携行。出入国管理事務所には、さらに十二名が詰めているはずですが、心配は要りません」

このあたりは、ウガンダの支援を受けた武装勢力の支配下にあるので、ウガンダ人のトーマスなら切り抜けられるはずだった。それでもイエーガーたちは想定外の事態を考慮して、暗視装置のスイッチを入れた。両眼のすぐ前に、蛍光グリーンの電子映像が浮かんだ。

イエーガーのハンドシグナルで、他の三人が木箱の壁へと移動した。

トラックが止まった。窓越しの短い会話の後、トーマスが外に出て行った。出入国管理事務所に向かったのだろう。しかし、車の周囲をうろつく足音が残っていた。イエーガーは、木箱の隙間から外の様子を窺った。

戦闘服姿の黒人兵が見え隠れしていた。明らかに荷台の貨物に関心があるようだ。そこへもう一人、別の兵士が現われて、二人で何か話し始めた。冗談を言い合っているのか、笑い声を上げている。二人の男はそのまま荷台に手をかけ、トラックに上がり込んで来た。

イエーガーは、手振りでギャレットとミックを攻撃要員に指名した。自分はマイヤーズとともに、射殺された二人の死体を荷台の奥へと引き込む腹づもりだった。

兵士たちが、積み上げられた一番外側の木箱を下ろした。中を覗き込み、値打ちのある品物を見つけられずに舌打ちしている。ギャレットとミックが足を踏ん張り、サプレッサー付きのグロックを両手で構えた。二列目の木箱が下ろされた瞬間、両者を隔てる壁が取り払われ、二人の兵士は額に銃弾を撃ち込まれるはずだった。だが互いにとって幸運なことに、兵士たちは強欲の虜ではなかった。二人は木箱を元に戻すと、荷台から飛び降りた。

ほどなくして、トーマスが帰って来た。賄賂を要求する兵士たちを先ほどと同じように軽くあしらい、それでも幾許かの現金を渡したようだったが、無事に運転席に収まった。

エンジンの低い唸りが車内に響き、トラックが走り出すと、イエーガーたちは元の位置に戻った。そこへ、トーマスが無線で伝えてきた。「コンゴに入りました。武装勢力の活動時間ではありませんが、警戒だけはしていて下さい」

荷台の四人は、二時間交替のシフトを決めた。二名が即応態勢を取る横で、残る二名が仮眠を取る。眠れる時に眠っておけというのは、特殊作戦の鉄則だった。

しかしコンゴの領土内を走り出してからというもの、とんでもない悪路に悩まされて寝るどころではなかった。この一帯に敷かれた唯一の幹線道路のはずだが、舗装はされていない泥道で、路面が大きく波打っている。しかも、凹凸を回避するだけの道幅もなかった。幌付きトラックは激しく揺れ、何度も跳ね上がり、スタックを回避するためにトーマスが荷台に載せた長い木の板を下ろしては、路上に開いた穴やぬかるみに渡して車を前進させた。大変な重労働だが、トーマスはたった一人で黙々とこなしていた。

夜を徹してのドライブは、午前四時にようやく終わった。徐行を強いられていたトラックが停車し、バックで横道に乗り入れた。幌の両側で木の枝が擦られ、へし折られる音が車内に響いた。

「到着しました」

四人は腰を上げた。凝り固まった足腰の筋肉をほぐしてから、防波堤となっていた木箱の壁を解体し、それぞれの荷物を持って地面の上に降りた。

まだ夜は明けていなかった。濃密な樹木の匂いが空気を重くしている。気温は低く、長袖シャツ一枚では肌寒く感じるほどだった。

フラッシュライトを点けたイエーガーは、照らし出された風景に驚いた。トラックが停車している小径はトンネルになっていた。左右のジャングルから張り出した木の枝が、遠くまでアーチを形作っている。文明社会の一員だったイエーガーは、認識の逆転を迫られた。道路の両側に森があるのではない。深く広大な森の中に、人間という小動物の作った獣道が、消え入りそうな線となって辛うじて存在しているのだ。

四人は戦闘用装備を解いてバックパックの中に戻し、GPS装置などを入れたカメラマン・ベストを新たに着込んだ。全員が綿のシャツにカーゴパンツという出で立ちなので、外見だけで身分偽装を見破られる心配はない。

イエーガーは地図を広げて言った。「現在位置を確認しよう」

トーマスが指を滑らせて解説した。「この南北に延びる幹線道路が、国境から通って来た泥道です。これ以上先は、車では進めません。路面の状態が悪すぎるのと、突き当たりにあるマンバサという街に民兵組織の駐屯が確認されているためです。私たちがいる地点は、道路から西に入ったこの小径です」

GPSが示す座標も、トーマスの説明と一致していた。地図の上では、アラフュという集落の手前だ。イエーガーたちはここから森の中に分け入り、幹線道路と平行して北上することになる。攻撃目標である『カンガ・バンド』のキャンプ・エリアまでは、およそ七十キロの行程だ。順調に行けば、五日間でケリが付くとイエーガーは踏んだ。目標地域に到達するまで二日間、カンガ・バンドの滞在しているキャンプ地を特定するのに一日、それから偵察と実行に二日間。

「最新の情報ですが、昨日、ここから北東に百キロの地点で、民兵組織とコンゴ政府軍との戦闘がありました。政府軍側に六十人ほどの死者が出た他、数万人の避難民が発生しています。他に反政府軍の待ち伏せ攻撃で、ＰＫＯの兵士が殺害されました」

百キロも先の戦況など、不正規戦では問題にならないものだが、コンゴでは違った。イエーガーたちのいる地点から百キロ先まで、ジャングルを貫く一本の道しか通っていないのだ。その上、道路沿いには、略奪の標的となる村落が数キロおきに点在している。武装勢力が南に向かって進軍を開始すれば、必ず幹線道路上で鉢合わせをすることになる。トーマスが、この地点で一同を降ろしたのは正解だった。

「連中は道路沿いの村だけでなく、森の中の集落を襲う場合もあります。十分にご注意を」

カンガ・バンドまでの進路は、密林の奥深くに取らなければならないとイエーガーは考えた。

「最後に、ご注文の品です」

トーマスが、トラックの荷台から四振りの山刀を抜いて一同に渡した。ウガンダ人運転手のやることは、何もかもが完璧だった。

「トーマス、いろいろとありがとう」

「どういたしまして」と、相手は微笑んだ。

他の三人も、感謝の気持ちを込めてトーマスと握手した。

「では、私はウガンダに戻ります。どうかご無事で」と言い残し、彼は運転席に乗り込んだ。

ガラクタを載せた幌付きトラックが右折し、木々の向こうへ消えて行くと、あたりは真っ暗闇となった。イエーガーたちは、額に上げていた暗視装置を下ろした。ひとまずジャングルの中に入って姿を隠し、日が出るのを待って行軍を開始する。

四十キロの荷物を背負った男たちは、無言で頷き合って行動開始のシグナルとした。誰もがためらう素振りも見せずに歩き始めた。

アフリカ大陸中央部に横たわった暗黒の樹海の中へ、ガーディアン作戦のオペレーターたちは、一人また一人と呑み込まれていった。

11

坂井友理と名乗る女性が現われてからというもの、研人は不快な緊張感に悩まされ続けていた。携帯電話やメールを使おうとするたびに、盗聴されているのではないかという不安に駆られ、夜道を歩く際には誰かに尾けられているのではないかと背後が気になった。

この週末の夜も、研人は実験のペースをわざと落として、帰宅時間を調節していた。指導係の西岡と一緒に研究室を出られれば、下宿近くまでは二人連れで行動できる。

「古賀君」

と、同期の女の子に呼びかけられて、研人は振り向いた。「何？」

「お客さんが来たわよ」

「客？」

「うん。入口で待ってる」

普段、研究室を訪ねて来る客などいない。研人の頭の隅で警戒ブザーが鳴り始めた。実験台の前からは、研究室の入口は見通せなかった。「どんな人？」

「自分で見てくれば」

「中年の女の人じゃない？」

「違うわ。男よ」

「男？」これまでとは別種の不安が頭をもたげた。新たな脅威が出現したのだろうか。展開溶媒に使っているクロロホルムを持って行って、いざとなったら相手に嗅がせる、というアイディアが閃いたが、却下せざるを得なかった。サスペンス・ドラマとは違って、実際にそんなことをやったら相手が死んでしまう怖れがあった。

研人は戦々兢々（せんせんきょうきょう）としながら廊下に向かい、そっと入口を窺った。研究室に入ってすぐの所に、こざっぱりした感じの男子学生が遠慮がちに立っていた。中肉中背で、小振りなメガネの奥で柔らかい視線をこちらに向けている。

予想に反して、癒（い）やし系のキャラだった。ひとまず警戒心を解いた研人は、廊下に出て行って「古賀ですけど？」と名乗った。

すると相手は、「土井さんの紹介で来ました」と答えた。

「土井？」と訊き返してから、ようやく相手が誰かを察した。安堵のあまり、思わず声が大きくなった。「ああ、創薬物理化学の」

「そうです。李正勲（イ・ジョンフン）です」

韓国人留学生が名前を名乗るまで、研人は訛りにまったく気がつかなかった。「古賀研人です。よろしく」

正勲は微笑み、「今、忙しいですか？　後にしますか？」と訊いた。

研人は腕時計を見た。午後七時半。幸いなことに、今日は土曜日だ。「李さんは、今夜、何か予定ありますか？」

「ないです」

「じゃあ、三十分ほど後でもいいですか？」

「はい」

　それから研人はさらに考えた。彼に見てもらいたい二台のノートパソコンは、アパートに保管していた。「申し訳ないんだけど、うちに来てもらえますか？　ここから歩いて十分くらいなんですけど」

「そこはバイクは停められますか？」

「大丈夫だと思います。ちょっと失礼」研人はセミナー室に引っ込み、誰かが置きっ放しにしたメモ用紙に自宅までの地図を書いて戻って来た。「このアパートの204号室です。八時に待ってます」

「分かりました」

「じゃあ、あとで」

　李正勲と一度、別れてから、研人は大急ぎでやりかけの仕事に戻った。実験台の上でオーバーナイトの反応を仕込んでから研究室を出た。

　狭い自分の部屋に外国人がやって来ると思うと、ちょっと不思議な気がした。それから冷蔵庫の中身を思い出し、閉店間際の酒屋に立ち寄って缶ジュースとスナック菓子を買い込んだ。ビールにも手が伸びたが、バイクで来るという客にアルコールを勧めてはまずいだろうと思ってやめた。

　夜道を急ぎ足で歩いていると、中学時代の記憶が蘇った。夏休みに父方の実家に行った時、祖父と伯父を相手に口論になったことがあった。古賀家の先代とその跡継ぎは、中国や朝鮮半島の人々を毛嫌いしていた。

「あいつらは信用ならん。シナ人も朝鮮人もだ」と酒の席で力説する伯父の言葉に、研人は最初、素直に驚いた。甲府の街に、そんなに多くの外国人が居住しているのかと意外だったのである。

「伯父さんたちは、中国とか韓国の人と付き合いがあるの？」

研人が訊くと、伯父は目を白黒させてから言った。「ない」

今度は研人が目を白黒させた。「付き合ったこともない人間を嫌うって、どういうこと？」

すると、横の祖父が怖い顔になって割り込んだ。「おじいちゃんはな、若い頃、東京に出て朝鮮人と喧嘩になったんだ。それでひどく痛めつけられた」

腕っ節の強さが自慢だった祖父に、研人は訊いた。「日本人と喧嘩をしたことは？」

「そんなのは何度もある」

「じゃあ、日本人も嫌いになった？」

祖父はあんぐりと口を開けた。「馬鹿なことを言うな。日本人が日本人を嫌いになるわけがないだろう」

「それはおかしいよ。同じ喧嘩なのに、どうして朝鮮半島の人たちだけ嫌うんだよ？」研人は、祖父の言う「朝鮮人」を「朝鮮半島の人たち」に言い換えた。老人の口から「朝鮮人」という言葉が発せられると、特定の民族を意味するだけの単語が、なぜか侮蔑的なニュアンスに塗(まみ)れてしまうからだった。薄汚い差別感情を感じ取った研人は、彼らとは同類になりたくないと思った。「結局、おじいちゃんも伯父さんも、無理に理由をこじつけて相手を嫌ってるだけじゃないか」

「屁理屈(へりくつ)を言うな、馬鹿」と叱りつけた祖父の顔には怒気が浮かんでいた。心の奥底に淀(よど)んでいた根深い敵意が、一気に噴出したかのようだった。

「こういうことを言いたい年頃なんですよ」伯父も、研人を見下した口調で言った。「お前は父親に似て、理屈っぽいな」

　こんなことで憎まれるとは、研人からすれば心外だった。祖父も伯父も、肉親への愛情よりも、「シナ人」やら「朝鮮人」への憎悪のほうが大きいのではないかとさえ思えた。自分の住む狭い町しか知らない人間が、外国の人々を劣等と決めつけているのだ。しかし彼らが口にする「シナ人」や「朝鮮人」という言葉は、一体、何を指しているのか。会話を交わしたことすらない人々か。だとするなら、彼らはその言葉が意味する対象を知らないはずなのだ。いい歳をして、そんな矛盾に気づかないほどのお粗末な頭なのかと、中学生の研人は呆(あき)れてしまった。

　それからしばらく経って、研人は日本人が起こした大量殺戮(ジェノサイド)を知って慄然(りつぜん)とした。関東大震災の直後、「朝鮮人が放火をし、井戸に毒を入れている」などの流言が飛び交い、政府や官憲、新聞社までもがこの根も葉もない噂を垂れ流したため、煽動された日本人が数千人の朝鮮半島出身者を虐殺したのである。銃や日本刀、棍棒などで嬲り殺しにした他、犠牲者を仰向けに地面に縛りつけてその上をトラックで轢くなどという残虐行為までが行なわれた。当時の日本人には朝鮮半島を武力で植民地支配した後ろめたさがあり、報復されるのではないかという恐怖が裏返って凶暴化につながったのだという。そのうち暴力は見境がつかなくなり、多くの日本人までが在日朝鮮人と間違えられて殺された。

研人の背筋を寒くさせたのは、この蛮行が、多数の一般市民の手によって行なわれたということであった。人種差別主義者の祖父や伯父が現場にいたら、間違いなく大虐殺に加わっていたはずだ。普段、他民族への差別感情を平気で口にするような連中が、何かの拍子に残虐性を爆発させて殺戮者に姿を変えるのだ。

彼らの心の中には、どんな魔物が棲みついているのだろう。殺されてしまった人々の恐怖や痛みは、どんなものだっただろう。日本人の怖さは、日本人には分からない。

このおぞましい想像の裏で、研人にとって一抹の救いになったのは、伯父が憎々しげに言った「お前は父親に似て」というフレーズだった。研人が中学生になるまで、日本人社会に潜む差別感情に鈍感だったのは、家庭環境によるものだった。父の誠治は、海外からの留学生にとりわけ好意的で、「劉さんがいい論文を書いた」とか「金君の学会発表は見事だった」などと、事あるごとに嬉しそうに話していたのである。そしてその性向は、一人息子に受け継がれていた。研人にとっては父親に似ていて誇らしく思える、唯一の美徳だった。

阪神淡路大震災の時は在日韓国・朝鮮人と日本人が助け合ったことだし、と、研人は自宅アパートの階段を上りながら考えた。時代は変わりつつあるのだ。これからやって来る客が、どうか日本人を怨(うら)んでいませんようにと祈るしかない。愚かな先祖を持つと、末代が苦労する。

部屋に入った研人は、脱ぎ散らかした服などを手早く片付け、六畳間の中に客を迎え入れるスペースを確保した。それからベッドの下に置いておいた二台のノートパソコンを机の上に用意した。

約束の時間きっかりに、窓の外からバイクの排気音が聞こえてきて、アパートの外で止まった。狭いベランダに出て路地を見下ろすと、李正勲が七五〇ｃｃのマシンから降りてヘルメットを脱いだところだった。大型バイクを乗りこなす研究者というのも、意外とめずらしい存在だ。

研人は玄関に回って、ドアを開けた。外階段を上がって来た正勲がこちらに気づき、

「お邪魔します」と言った。

「どうぞ」

靴を脱いで部屋に上がった正勲は、ニコニコしながら室内を見回した。

「呼び出してしまってすみません」

「いえ、こちらこそ、いきなり来てしまってすみません」

あらためて折り目正しい挨拶を交わしてから、研人は机の前の椅子を勧めた。「見ていただきたいのは、その二台のパソコンなんですが」

「はい、これですね」と正勲。

「はい、それです」と答えた研人は、正勲と会ってからというもの、語学の入門書に出て来るような堅苦しい会話をしていると気づいた。「ところで李さんは、何歳ですか？」

「私は二十四歳です」

「僕も二十四歳です。よかったら、タメ口でいきませんか？」と持ちかけて、研人は慌てて尋ねた。「タメ口って言葉は知ってる？」

「ああ、知ってる、知ってる」と、正勲は急にタメ口になった。

研人は笑ってしまった。「僕のことは、研人と呼んでくれればいいから」

「じゃ、こっちは正勲で」

「分かった。これ、適当に飲んで」と、買ったばかりのジュース類を床の上に並べてから本題に入った。「まず、この小さいほうのパソコン。起動しないんだけど、中にどんなデータが入っているか、分からないかな？」

正勲はA5サイズのマシンを開き、電源ボタンを押した。画面はこれまでと同じく、青く固まったままだった。何度か起動と強制終了を繰り返してから、正勲は首を傾げた。それから自分のノートパソコンとケーブルを出し、黒い小型パソコンと連結してから、さらに様々な操作を行なった。パソコンに詳しくない研人には、彼が何をしようとしているのかは分からなかった。

半時間ほども経ってから、正勲は床に座っている研人を振り返った。「これは謎だ」

「やっぱり手強い？」

正勲は頷いた。「壊れているのかと思ったけど、そうとは言い切れないし」

「壊れていない可能性もあるの？」

「ある」正勲はしばし考え込んだ。これまでの柔らかい眼差しが、鋭い視線へと変わっていた。研究者の顔だ。「一週間くらい貸してもらえたら、もっと詳しく調べるけど、どうする？」

「うーん」と今度は研人が考え込んだ。父親の遺言では、その機械を他人に渡してはならないことになっていた。その上、坂井友理の一件もあった。正勲にノートパソコンを預けた場合、彼に迷惑が及んだりはしないだろうか。「お願いしたいところだけど、僕の機械じゃないんで人には渡せないんだ」

「それなら仕方ないね」

「ちょっと一休みしよう」と研人は言って、缶飲料を差し出した。

休憩しながら頭をめぐらせたのは、もう一台のパソコンについてである。正勲の専門領域に関わるであろう『GIFT』というソフトの正体を見極めるのが目的だが、背景をどこまで説明すればいいのだろうか。研人としては、たったの一ヵ月間で難病の特効薬を開発するという無謀な企てについても、正勲の意見を聞きたくなっていた。

韓国人留学生が信用のおける人物だと見込んで、研人は切り出した。「これからの話は内密にしてもらえるかな？」

正勲は、怪訝そうに眉を寄せてから頷いた。

「実は、GPCRの作動薬を一ヵ月以内に作らなきゃならないんだ」

「えっ？　たったの一ヵ月？」

「そう。そのために、『GIFT』というソフトが用意されていた」

研人は手短に、父が遺した奇妙な研究のことを話した。研人の父親が最近、他界したのを知ると、正勲は心のこもったお悔やみを言ってくれたが、それ以外は黙って耳を傾けていた。話の最後に、父親の計画からは創薬の重要な過程がいくつも抜け落ちているのを語る時、研人は少し恥ずかしい思いをした。「こんなの無理だろう？　ウイルスが専門だった親父の、お粗末な考えだと思うんだけど」

ところが正勲は、言下には否定しなかった。彼の真剣な表情から、頭脳が高速回転をしているのが見て取れた。「先入観を捨てて、純粋に論理的な話をするよ」

「どうぞ」

「その計画を立てたお父さんが、何を考えていたのかは分かった」

「え？」と研人は驚いて身を乗り出した。

「無理な計画を成功させる条件が一つだけある。『ＧＩＦＴ』というソフトが完璧な場合だよ」

「完璧？」

正勲は頷いた。「もしも受容体の形を正確にモデリングして、そこに結合する薬の化学構造も完璧にデザインできたら、その後、問題になるのは人間のやることだけだ」

「つまり、実際に薬を作る合成過程？」

「そう。だからお父さんの研究手順には、合成がうまくいったかどうかを確かめる最低限の評価系（アッセイ）が用意されてるんだ」

現実に可能であるかどうかは別として、論理的に考えれば確かにその通りだった。創薬ソフトが完璧な設計図を描き出してくれれば、あとは化合物を合成するだけで薬は完成だ。

『Ａ４サイズの白いノートパソコンに、研究に必要なソフトが入っているのでこれを使え』

父は遺書の中で、必要にして十分な指示を与えていたのだ。正勲の言う通り、『ＧＩＦ

T』が完璧であるという前提のもとに、今回の計画が立てられたのは間違いないようだ。

「でも、そんな完璧なソフトなんて、この世にあるの?」

「ない」と正勲はあっさり言った。

研人は拍子抜けした。「なら、論理的に考えても無駄じゃないか?」

「父親は敬うものだよ」と正勲は笑いながら言って、大きいほうのノートパソコンに手を伸ばした。「問題の『GIFT』を見てみよう」

起動を待つわずかな時間が過ぎて、ディスプレイに『変異型GPR769』のCG映像が浮かび上がると、正勲は驚きの声を上げた。「何、これ?」

「専門家からすると、やっぱり変?」

「こんなリアルな画像は見たことないけど、えーと、何て言うか、説得力がある」

正勲はしばらくの間、7回膜貫通型受容体のモデルに見入っていたが、やがてマウスカーソルを動かしたりキーボードを叩いたりして、『GIFT』の機能を次々に突き止めていった。「なるほど」とか「へえ」とか、日本語で合いの手を入れながら、時折、笑い声も上げている。ひと通りチェックが済むと、研人に言った。「このソフトは、あり得ないよ。今の科学のレベルを五十年ほど超えてる。現在の人間には、こんなソフトは作れない」

「つまり、人智を超えてる?」

「そうそう、人智を超えてる。まず、遺伝子の塩基配列（シークエンス）を入れるだけで、作られるタンパク質の立体構造が分かる。さらに結合（ドッキング）する薬の化学構造を〝デ・ノヴォ〟で、つまりゼロからデザインすることができる。結合した後の複合体構造を予測する機能もあるし。それから、これは何だろう？」

　表示されたメニュー画面に、『ADMET』と書かれた項目があった。その用語は、研人の専門領域に引っかかっていた。「そのアルファベットは、『アドメト』だ。体内に入った薬物が、どうなるのかの指標だよ。吸収、分布、代謝、排泄（はいせつ）、毒性の英語の頭文字を並べたものだ」

「ああ」と正勲も気づいたようだった。「薬物の体内動態と毒性か」

「このソフトは、『アドメト』まで調べられるの？」

「うん。その機能だけを見れば、それほどおかしなものじゃない。体内動態や毒性を予測するソフトは他にもあるからね。でも『GIFT』の場合、ヒトとかマウスとか、生物種まで指定できるし、ゲノムの入力欄もあって、必要とあらばテーラーメード医療にも対応できるようになってる」

　研人もようやく実感として、『GIFT』がどれだけ常識から外れているかに気づいた。

「このソフトが完璧なら、臨床試験まで要らなくなる」

「うん。これ一本で、創薬の工程を全部こなしてしまう万能ソフトだ。人間がやることは、実際の合成作業と確認だけ」

研人と正勲は顔を見合わせて笑い出した。

「じゃあ、次に」と、正勲はふたたびパソコンに向かった。とんでもないソフトを手にして面白がっているようだった。「このソフトが完璧ではないという証拠を見つけよう。何かいい方法はないかな」

「これ、役に立つかな？」と研人は、本棚に突っ込んであった紙の束を出した。研修医の吉原がダウンロードしておいてくれた、肺胞上皮細胞硬化症についての論文である。「ポルトガルの研究者が、さっきの受容体の立体構造を発表してる」

論文に目を通した正勲は、「ホモロジー・モデリングか。これはいいな」と呟き、『GIFT』の表示を何度か切り替えた。リアルだったCG画像が、球やリボンを組み合わせたような抽象的なモデルに変わった。受容体の活性部位を拡大すると、リガンドと結合する部分がどうなっているかが原子レベルで図示された。

「ああ、やっぱりだ」と正勲は言った。「二つのモデルはかなり違ってる。原子座標の数値も違う」

「じゃあ、やっぱり『GIFT』はデタラメ？」

しかし正勲は難しい顔になった。「いや、まだ分からない。論理的に考えると、ポルトガルの研究者が正しいか、『GIFT』が正しいか、どちらも間違っているかのどれかだ」

安直に答えを出そうとしない正勲の態度に、研人はつくづく感心した。強靭な論理こそが、科学者の唯一の武器だ。

「実際のところ、コンピューター支援のドラッグ・デザインは、壁に突き当たってるんだ。今ある最先端のソフトでも、膜タンパク質の立体構造を正確に予測するのは難しいんだよ。多分、ポルトガルの博士も、間違ったモデルを使っていると思う」

正勲は自分のノートパソコンのソフトを立ち上げ、塩基配列のデータをコピーして、『ＧＩＦＴ』に入力した。「このタンパク質の構造は正確に分かってるから、答えを比較してみよう」

エンター・キーが押されると、画面に英語のメッセージが現われた。『インターネットに接続して下さい』とある。

「なぜ？」と正勲が首をひねった。

研人は自室に引いてある高速インターネット回線を、Ａ４の白いノートパソコンに繋いだ。マシンがサイバー空間と結びつくと、『ＧＩＦＴ』の表示が変化した。

『Time remaining 00:03:11』

その数字は、一秒ごとに減っていった。

「たった三分？」と正勲が呟いた。

三分後、『ＧＩＦＴ』が答えを出した。表示枠の中に、正勲の指定したタンパク質の立体構造が浮かび上がった。あれこれと精査していくうちに、正勲の顔は真剣になっていった。「どうもおかしい。このソフトは、百個のアミノ酸がつながって出来たタンパク質の構造を、正確に描き出した」

研人は驚いた。それはつまり、『GIFT』が完璧ということではないのか。

ところが正勲は、ここでも性急には答えを出さなかった。「まず最初に考えられるのは、やはりこのソフトが偽物だということだね」

「じゃあ、どうやってタンパク質の構造をモデリングしたんだろう？」

「計算する時に、インターネットに繋ぐように指示したよね」

「うん」

「ネット上から、すでに分かっている構造を探し出してきて、自分が計算したように見せかけたのかも。タンパク質のデータベースにアクセスすれば、そうした情報はいくらでもあるから」

「なるほど」と研人は言って、すぐに新たな問題に気づいた。「でもそうなると、僕たちは『GIFT』が偽物かどうかの判断はできないんじゃ」

「その通り。『GIFT』が自分で正しい計算をしても、あるいは他人の発見を持ってきたとしても、僕たちには見分けがつかない。正しい構造は一つしかないからね。一方で、未知の構造を計算させれば、『GIFT』と他のモデルのどちらが正しいかは誰にも分からない」

狡猾極まりないペテンに引っかかった気分だった。だが『GIFT』が偽物なら、誰が何の目的で、こんな手の込んだ悪戯をしたのか。

正勲が訊いた。「研人のお父さんは、プログラミングには詳しかった？」

「いや、全然」

「じゃあ、お父さんは、どこでこのソフトを手に入れたんだろう？」

「分からない」

『贈り物』というソフト名が、だんだんと薄気味悪く感じられてきた。

「もう一つの可能性だけど、つまり『GIFT』が完璧だと仮定した場合。あくまでも仮定だよ」と正勲は強調して、「このソフトには、分散コンピューティングのハッキング・ソフトが入っているのかも」

「分散コンピューティング？」

「そう。宇宙人探しの『SETI計画』で使われてる手法だよ。宇宙から飛んで来る電波の中から人工的なものを探し出そうとすると、膨大な計算が必要になるんだ。そこでボランティアを集めて、その人たちのパソコンをネットで繋いで、CPUの一部を使わせてもらうんだ。数十万台のパソコンが集まって計算すれば、スーパーコンピューターを超える能力が得られるからね」

「一瞬だけ、話を逸らしていいか？」

「いいよ」

「宇宙人は見つかった？」

「まだ」

ちょっとがっかりだった。

「ただ過去に六回だけ、銀河系の中心方向から来た正体不明の電波が検出されてる。この電波については今も謎だよ。世界中の天文学者たちは、宇宙人存在の証拠が見つかった場合に備えて、正式な報告手続きを決めてるんだ」

「へえ」

「で、話を戻すよ」

研人は素早く、宇宙人から『ＧＩＦＴ』に頭を切り替えた。「どうぞ」

「このソフトの機能の一つ、受容体とリガンドの複合体の計算を例に取ると、ソフトウエアの性能を決める重要な因子は二つある。コンピューターの計算能力と、アルゴリズムだ」

「アルゴリズムというのは、計算手順のこと？」

「そう。無駄な演算を省略して、より少ない計算手順で正解を得る方法」

研人は、必死に頭をめぐらせながら専門外の話についていこうとした。

「まず、このパソコンが、分散コンピューティングで他の機械に計算をやらせているとすると、計算能力は補える。でも、一億台のパソコンを繋いだとしても、分子動力学的な計算を完璧にやるのは無理だ」

それは研人にも分かった。完璧な計算が無理だからこそ、実際に薬を作って構造活性相関などのデータを取り、より最適な化学構造を調べる必要があるのだ。先進国がスーパーコンピューターの開発にしのぎを削っているのも、計算能力が科学技術力に直結する時代になっているからである。

「そこで計算能力の不足をカバーするのが、省力化された計算手順、つまりアルゴリズムになる。いろいろな手法が使われてるけど、完璧なものなんてどこにもない。どのアルゴリズムを使うかで、全然違う答えが出てくる。それが今の科学の限界だよ。つまり現状では計算能力も足りないし、誰も完璧な計算手順なんて発見してない」

正勲は、今度こそ結論を出してくれたようだった。研人は言った。「つまり、『GIFT』が完璧であるはずがない」

「常識的に判断すれば、そうなるね」と正勲は応じたが、依然として納得のいかない表情を浮かべていた。

「まだ何か疑問がある？」

正勲の口調は、急に歯切れが悪くなった。「何て言ったらいいんだろう……タッチ？

手触り？」

「感触のこと？」

「あ、そうそう。このソフト、使った感触が変なんだ」

「具体的には？」

「えーと、何て言ったらいいか」と正勲は頭を掻きむしってから、彼の抱いた違和感を日本語に翻訳した。「使っていると、本当に万能のソフトみたいに思えてくるんだ」

そればっかりは、あらゆるソフトウェアに精通している正勲にしか分からない感覚だろう。

「このソフトを作ったのは、かなり優秀な研究者だと思う。分子レベルや電子レベルの複雑極まりない生命活動を、すべて解明したように見せかけてる。でも、このソフトが実際に使えるとなったら、ノーベル賞がいくつあっても足りない」

それは研人も同感だった。

「だけど、これがデタラメだっていう直接的な証拠は見つからないようになってる。本当にうまく出来てるよ」

「このソフトを作った人間は、何が目的だったんだろう？」

「謎だね。専門家なら、すぐに『あり得ない』って思うだろうし、素人には何のソフトだか分からないし」

それを聞いて、研人ははっとした。「専門外の研究者なら騙(だま)せるかも」

「どういうこと？」

「つまり、親父のようなウィルス学者だよ。『創薬の万能ソフトだ』とか言われて騙されたんじゃないかな」

研人の頭に浮かんだのが、坂井友理と名乗った女性だった。彼女と父がどのような関係にあったのかは不明だが、坂井友理がこのソフトを持ち込み、難病の特効薬開発を持ちかけたのではないか。父を釣るための餌は、新薬がもたらす莫大な特許料だ。しかし実際には『ＧＩＦＴ』は紛(まが)い物で、坂井友理は父が個人的につぎ込む研究資金を着服し、行方をくらまそうと考えていた。多額の研究資金が預けられていた他人名義の銀行口座は、坂井友理が金を振り込ませるために用意していたのだろう。

ではなぜ、父の死後、坂井友理は危険を冒してまで研人の前に現われたのか。彼女が取り返そうとした小型パソコンに、詐欺行為の証拠となる電子データ、例えばメールのやりとりなどが残されていると考えれば辻褄(つじつま)が合う。『ＧＩＦＴ』がインストールされたマシンを放置したのは、これだけでは出所が特定できないからだ。

「親父の奴、どこまで馬鹿だったんだ」と、腹立ち紛れに研人は言った。

「お父さんには、いいところもあったと思うよ」と、正勲が穏やかにとりなした。

ただし、この筋書きに唯一、符合しないのが『ハイズマン・レポート』だった。人類絶滅の研究の五番目の項目には、何が書かれていたのだろう。レポートの入手を頼んだ新聞記者の菅井からは、まだ連絡はなかった。『ハイズマン・レポート』だけではなく、今回の〝新薬開発詐欺〟の件でも菅井に相談したほうがよさそうだと研人は考えた。場合によっては、警察沙汰も覚悟しなければならないだろう。

「この機械は借りられる？」と、正勲が『GIFT』搭載マシンを指して訊いた。「もうちょっとだけ遊んでみたいんだけど」

「うん、いいよ」

「ありがとう」

正勲は、一時間ほど研人とお喋りに興じ、携帯電話の番号を交換してから、日付が変わる前に帰って行った。雑談の中で、研人は韓国人留学生の意外な経歴を知った。母国の高校で一学年飛び級をして十七歳で大学に入ったというから、相当な頭脳の持ち主だ。流暢な日本語も、学校の授業だけでマスターしたという。その上、大学を休学して兵役に就いた際、アメリカ軍基地に勤務して英語も身に付けていた。飛び級といい、兵役といい、国が変わると学生を取り巻く環境もずいぶんと違うものだ。

正勲を見送った研人は、気の合う友達が出来た時にだけ感じる清々しい気分を味わった。それから狭いユニットバスでシャワーを浴び、歯を磨いて寝支度を整えてから、ベッドに横になって最終的な答えを出した。『GIFT』が使えないと分かった以上、父の遺した研究は無理だと断定せざるを得なかった。肺胞上皮細胞硬化症の特効薬開発は、諦めるしかないのだ。

挫折に慣れている研人は、どうせ無理だったんだと、いつものように自分に言い聞かせた。十万人の子供の命を救うなんて、身の程知らずの無謀な考えだったんだ。

しかし今回ばかりは、頭にこびりついて離れない光景があった。

口の周りを血だらけにして苦しんでいた小さな女の子。

小林舞花。

研人のいるアパートから、徒歩二十分の距離にあの子はいる。酸素を十分に取り込めない苦しさに喘ぎながら、病院のベッドに横たわっている。しかし、今、この時、この瞬間に、確かに存在しているあの女の子は、一ヵ月後にはこの世界からいなくなってしまう。

死、だ。

あの子を助けてやれる人間は、この地球上には誰一人としていないのだ。

畜生、と小さく呟き、研人は眠りにつこうとしてスタンドの明かりを消した。

何度も寝返りを繰り返すうち、浅い眠りの中に閉じ込められた。覚醒と睡眠の狭間で、思考とも夢ともつかぬ無秩序な想念が浮かんでは消えた。誰もいない研究室。実験に失敗して途方に暮れている。自分が非難されているような雰囲気を感じる。籠の中で動き回っているマウスの群れ。細胞膜から姿を見せているオーファン受容体が、巨大な口を開けて闇の中に存在している。電子音が響いた。軽い音質のメロディが、どこからか聞こえてくる——

びくっと全身を動かした研人は、たった今まで自分が寝ていたと知った。布団の外に右腕を伸ばし、床の上で鳴り続けている携帯電話を取り上げた。

薄目を開いて液晶モニターを見ると、『表示圏外』と出ていた。時刻は午前五時。部屋の中はまだ真っ暗だ。研人は不機嫌な呻き声を漏らし、電話を受信した。「もしもし？」

「コガケントサン、チュウイブカクキイテクダサイ」

「え？　もしもし？」

同じ甲高い音声が耳元で響いた。「コガケントサン、チュウイブカクキイテクダサイ」

コンピューターが作った人工音声だった。抑揚(よくよう)のない平坦(へいたん)な声で、「古賀研人さん、注意深く聞いて下さい」と言っているのだ。

「どなたですか、こんな時間に」

研人がむっとしているのにも構わず、相手は一方的に続けた。「三十分以内に、あなたの部屋から出て行け。三十分以内に、あなたの部屋から出て行け。あなたの部屋に滞在するな。あなたの部屋に滞在するな」

どこか変な日本語で、人工音声は同じメッセージを二度ずつ繰り返していた。悪戯電話かと研人が切ろうとした時、文言が変わった。「小さいコンピューターを、誰にも与えるな。小さいコンピューターを、誰にも与えるな」

起動しないA5のノートパソコンのことだと研人は気づいた。ベッドの上で体を起こし、電話機から聞こえてくる機械の声に耳をそばだてた。

「三十分以内に、あなたの部屋から出て行け。あなたの部屋に滞在するな。小さいコンピューターを、誰にも与えるな」人工音声は、これまでのメッセージを立て続けに言って、最後に付け加えた。「あなたの部屋から早く逃げろ。あなたの部屋から早く逃げろ。あなたの携帯電話の電源を停止しろ。あなたの携帯電話の電源を停止しろ」

「もしもし？」と呼びかけるのと同時に、電話は切れた。

研人は自分の頭を叩いて、眠気を振り払おうとした。奇怪なメッセージを思い返すうち、冷え切った部屋のせいではなく、体の内側から薄ら寒い空気が吹き上げてきた。

小さいコンピューターを、誰にも与えるな――

三十分以内に、あなたの部屋から出て行け――

あなたの部屋から早く逃げろ――

今のは明らかに警告だった。三十分後に、何者かがノートパソコンを奪いにこの部屋にやって来るのではないか。

携帯電話の電源を停止しろ――

慌てて携帯電話の電源を切ったものの、警告を真に受けるべきかどうか、判断がつきかねた。何者かがノートパソコンを奪いに来るとしたら、坂井友理と名乗った女性しか思い当たらないが、では電話をかけてきたのは誰なのか。甲高い人工音声は、おそらくコンピューターに文字を打ち込んで再生させたものだろう。こちらの問いかけを無視して一方的に喋り続けたのは、文面があらかじめ用意されていたからだ。

あなたの部屋に滞在するな——

意味は通じるが、熟(こな)れていない日本語。外国人の作文だろうかと考えて、李正勲の顔が浮かんだ。いや、しかし、正勲はもっと流暢に日本語を操る。ほとんど完璧なくらいに。

研人はベッドから出て部屋の明かりを点け、暖房を入れた。寝不足で頭が重かった。もしも坂井友理が押しかけて来るなら、さほど心配は要らないはずだった。いざとなったら、いくら小柄な研人でも力尽くで押し返せる。

早く逃げろ——

しかし人工音声のメッセージは、妙に切迫した印象だった。逃げないと大変なことになると言わんばかりに。

トイレに入りかけた研人は、ふたたび寒気に襲われた。夜の大学にワンボックスカーで現われた坂井友理。あの車の中には、他にもう一つの人影があった。相手は一人ではないのだ。

「これはね、研人君のためにもなることなの」と坂井友理は言っていた。今の研人には、言外の意味がはっきりと汲み取れた。あれは、パソコンを渡さなければ身に危険が及ぶという脅しだったのではないか。

ぐずぐず考えている間に、十分以上も時間を浪費していた。しかし、どうすればいいのか。優柔不断な自分の性格に呆れていないで、何かしなくてはならない。研人はトイレで用を足し、洗面を済ませる間に、どうにか次の一手を決めた。警告電話を信じたわけではないが、とにかく部屋を出て様子を見るのだ。コンビニかどこかへ行って時間を潰し、日が昇る頃にこのアパートに戻って来ればいい。

研人は服を着替え、財布と部屋の鍵、それから電源を切ったままの携帯電話をポケットに入れた。すぐに部屋を出ようとしたが、動揺していて一番重要な品物を忘れるところだった。A5サイズのノートパソコン。これをどうやって持ち運ぶか。一度着込んだダウンジャケットを脱ぎ、クロゼットをかき回してアウトドア用のコートを出した。胸元に地図を入れるマップ・ポケットがあり、小型の機械がちょうどいい具合に収まった。

そこへ、窓の外から車のエンジン音が聞こえてきた。時刻は五時二十六分。まだ四分の猶予があるはずだが、と思いながら研人はカーテンとサッシを開き、足音を忍ばせてベランダに出てみた。あたりはまだ暗かった。街灯の明かりを頼りに一方通行の細い路地を見下ろすと、ベランダの真下にワンボックスカーの屋根があった。坂井友理の車に似ているが、色合いが違っている。だがその車は疑いの余地なく、アパートの出入り口を塞ぐ位置を狙って停車していた。

研人は逃げ道を断たれたような気分になった。この建物から出ようとするなら、あの車の脇をすり抜けて行かなくてはならない。

助手席のドアが開き、一人の男が降り立つのが見えた。その肩が動いてこちらを見上げそうになったので、研人は急いで頭を引っ込めた。何がどうなっているのか、見当もつかなかった。中腰の姿勢のまま戸口に戻り、這って部屋の中に入った。鼻からずり落ちそうになったメガネを元に戻し、室内を右往左往しているうちに、致命的なミスに気づいた。部屋の電気は点けたままだし、サッシとカーテンは開いている。車から降りた男は、住人が在室していると知ったはずだ。

路上からは、ドアの開閉音が複数回、響いた。相手は二人か、三人か、などと考えているうちに、予想外に早く、外の通路に人の気配が現われた。インターホンが激しく鳴り始めた。何度も何度も、まるで怒っているかのように、男の指が強くボタンを押し続けているのが分かる。研人は震え上がったものの、この期に及んで居留守を使うわけにもいかなかった。とりあえず戸口へ行って、覗き窓から外を見てみた。薄いドアを隔てて、目つきの悪い中年男が立っている。勤め人のようなコート姿だ。さらにその後ろに、白いマスクで鼻から下を覆った二人の男が控えている。

研人は返事をする勇気もなく、尿意を催しながら外の様子を窺い続けた。と、先頭の男が後方の仲間に頷きかけた。それを受けて、マスクをしたうちの一人が、円筒形をしたルーペのような物を取り出して覗き窓に被せた。途端に研人の視界が歪んで、外が見えなくなった。

何をされたのか、すぐに分かった。覗き窓のレンズの歪曲を、ルーペで補整して外から覗き込んできたのだ。つまりマスクの男は、ドアの裏側にいる研人の姿を、はっきりと見咎めたに違いない。

研人は思わず後ずさりした。そこへ怒鳴り声が響いてきた。「古賀さん！　古賀研人さん！　ドアを開けて下さい！　警視庁の者です！」

警視庁？　警視庁って何だっけ、と混乱した頭で研人は考えた。

「いるのは分かってるんです！　早くドアを開けろ！」

相手は警察官だ。なぜ刑事たちがやって来たのかは分からなかったが、先方の悪意だけは伝わった。日曜日の早朝に警察だと怒鳴り散らすことで、アパートの他の住人の耳目を集めようとしているのだ。

研人は仕方なくドアの鍵を回し、防犯チェーンは付けたままで、扉を半開きにした。

「古賀研人さんですね？」ただ一人、素顔をさらしている先頭の男が、身分証のような物を突きつけて言った。「警視庁の門田です。我々を中に入れて下さい」

緊張のあまり、研人の口の中からは唾液が消えていた。「ど、どんなご用件ですか？」

門田と名乗った男は、顔を一層険しくさせて告げた。「お父さんの、誠治さんの件です」

「父の？」

「詳しい話をしますから、チェーンを外してドアを開けて下さい」

もしかしたら新薬開発詐欺の件で、警察が捜査を始めてくれたのかも知れないという淡い期待が研人の胸に萌した。だが、寝込みを襲うようにやって来た刑事たちは、どんなに善意に解釈しようとしても友好的とは言えなかった。研人は、陰湿な眼光を放っている三人の男たちに言った。「警察手帳をもう一度、見せてもらっていいですか？」

門田は舌打ちして、上下に開くパスケースを開けて身分証を見せた。

「警察手帳って、黒い表紙の手帳じゃないんですか？」

「それは古いタイプです。今、使われているのはこれです」

研人は、門田刑事の所属部署名を読み取った。「警視庁公安部というのは、何をやっている所ですか？」

門田はケースを閉じて言った。「これは捜査協力ですよ。最近、亡くなられた古賀誠治教授について、海外の警察から問い合わせが来たんでね」

「海外の警察？」研人はパニックになりそうな思考回路を、何とか立て直そうとした。親父が過去に行ったことがある国はどこか。学会出席で訪れたのはアメリカとフランス。それからヒト免疫不全ウイルスの調査で、アフリカのザイールにも行ったことがある。「海外の警察って、どこの国ですか？」

「アメリカです」

「アメリカのどこの州？」

「どこの州でもありません。問い合わせてきたのは連邦捜査局です。いわゆるＦＢＩですよ」

驚くことばかりだった。「ＦＢＩが何を知りたがってるんですか？」

「お父さんには、犯罪の嫌疑がかけられています。向こうの研究機関を訪ねた際に、実験データを盗み出したのではないかと」

研人は啞然として、門田の顔を見つめた。いくら情けない親父でも、犯罪に手を染めるほど堕落していたとは思えなかった。ところがすぐに間接的な証拠に思い当たって、崖っ縁に立たされた気分になった。父が遺した、自分の死を前提としていない不可解な遺言だ。

『このメールが届いたということは、私が五日以上、お前や母さんの前から姿を消しているのだろう』

あれは、警察によって身柄が拘束されるのを予期したものではなかったか？

「もちろん、お父さんは死亡しているので、今から訴追されることはありません。ただ、事実関係だけは確認しなければならない」

何を信じればいいのか、研人には分からなくなってきた。こんな時に研究者が取るべき道は何か。論理だ。そうだ、論理しかない。結論を急ぐな。昨夜の正勲の態度を見習え。

父は何を言い遺した？　あの遺言から論理的に導かれる結論は？

『だが心配は要らない。おそらくあと何日かすれば、父さんは帰れるはずだ』

研人はうつむき、目の前の刑事を視界から消した。父は無実だ。たとえ警察に連れて行かれても、数日間で疑いが晴れて戻れると言っているのだ。

「お父さんの遺品のパソコンを持ってないですか？」と門田が訊いた。

「パソコン？」と訊き返すうち、自分でも驚くほどの強い怒りが込み上げてきた。親父を馬鹿にするのも、いい加減にしろ。

「そうです。研究に使っていたパソコンです」

小さいコンピューターを、誰にも与えるな――

研人は確認した。「父が盗んだというのは、実験データなんですか？　ソフトウエアではなく」

門田は不審そうに眉を寄せたが、「実験データです」と断言した。

「最後に一つだけ」と研人は粘った。「刑事さんたちが来たのは、親父への容疑なんですね？　息子の僕が疑われているわけではないんでしょう？」

「もちろん。これは関係各所への捜索です」

研人は素早く計算した。それなら自分が逃げても、罪には問われないはずだ。

「こちらにあるパソコンは、すべて押収させていただきます。とにかく我々を中に入れて下さい」

研人は震え出しそうになるのを堪え、蛮勇を振るって言った。「お断りします」

突然、刑事の目の色が変わった。門田は上着のポケットから一枚の書面を出すと、研人の鼻先に突き出した。「裁判所の捜索差押許可状だ。これは強制捜査でね。嫌と言ってもやるよ」

あなたの部屋から早く逃げろ——

「分かりました。チェーンを外します」と研人が言うと、門田がドアの隙間に突っ込んでいた靴の爪先を引っ込めた。

研人は素早くドアを閉じ、錠を回して鍵をかけた。研人は愕然とした。即座に外からドアが激しく叩かれ、回したばかりの内鍵がくるっと逆回転した。刑事たちは大家から合鍵を入手していたのだ。急いでスニーカーを履こうとしたが、指先がもつれて紐がうまく結べなかった。ふたたび開かれたドアの隙間に、刑事の一人が鋼鉄製の巨大なハサミを突っ込んで、チェーンを切断しにかかった。

どうにか靴を履き終えた研人は、そのまま六畳間を駆け抜け、ベランダに飛び出した。背後から金属の破裂音が響いた。鎖が断ち切られたのだ。研人の視界の隅に、雪崩を打って部屋に突入して来た刑事たちの姿が映った。たじろいでいる暇はなかった。研人はベランダの柵を乗り越え、胸のマップ・ポケットに入れたパソコンを片手で押さえると、ワゴン車の屋根の上に飛び降りた。高度差およそ一・五メートル。耐衝撃構造の車体は、自らが凹むことによって上空からの落下物を最小のダメージで受け止めた。

車の屋根から地面に転がり落ちている間、研人は我ながら無様な動きだと思ったが、格好を気にしている場合ではなかった。無傷で路上に降り立った研人は、ワゴン車の向きとは逆方向に駆け出した。

肩越しに振り返ると、車の運転席から四人目の刑事がよろめきながら出て来るのが見えた。両腕で痛そうに頭を抱えている。研人の重みで凹んだ車の屋根に、脳天を直撃されたらしい。暴行か傷害か、何か罪に問われるのではないかと研人は怖れたものの、速度を緩めずに走り続けた。

日曜日の早朝とあって、住宅街に人通りはなかった。一分も走らないうちに、息が切れてきた。早く逃げ切らなければと研人は焦った。相手は追跡のプロだ。追いかけっこが長引くだけ、こちらは不利になる。

研人は四車線の大通りに出た。まばらに行き来する車の中にタクシーは見当たらなかった。道を渡って小道に入り、右へ左へと進路を変え、再度、別の大通りに出た。今度はタクシーが見つかった。研人は両腕を振り、停止した車に乗り込んだ。後ろを振り返ったが、追って来る刑事たちの姿は見えなかった。

行き先を告げようとして、どこに行こうか迷った。タクシーは両国(りょうごく)方面に向いて止まっている。しかし隣駅では近すぎるし、財布の中身を考えると、そう遠くへも行けない。

「秋葉原まで」と研人は言った。もう電車が動き始めている時間だった。

「はい」と運転手が応え、アクセルを踏み込んで左折のウインカーを出した。

後部シートで荒い息を整えながら、研人は思った。大変なことを仕出かしてしまったのではないか。今頃、警察から厚木の実家に連絡が行っているかも知れない。息子の犯罪行為を知らされたら、きっと母は取り乱すだろう。安全な場所まで逃れてから、あらためて母と連絡を取ろうと考えたが、電話で受けた警告が頭をよぎった。

あなたの携帯電話の電源を停止しろ——

無機質な人工音声のメッセージが何を意味していたのかは、今になって分かった。携帯電話の基地局が三つあれば、電話機の電波を捕捉(ほそく)されて位置が割り出されてしまう。警察に居所を知られたくなかったら、携帯端末の電源を入れてはいけないのだ。今後、誰かと連絡を取ろうとするなら、公衆電話を使うしかない。

タクシーが、錦糸町から三駅先の秋葉原駅に到着した。料金を払うと、所持金の残りは二千円になった。しかしありがたいことにお金の心配はなかった。財布の中には、『スズキヨシノブ』名義のキャッシュカードが入っているのだ。

駅へと歩き出し、どこへ行こうかと考えた研人は、隠れ家までが準備されていることに気づいた。町田の老朽化したアパートだ。あそこの住所を記した父のメッセージは、親子にしか特定できない本の中に隠されていた。つまり、たとえすべての通信を盗聴されていたとしても、警察は私設実験室の存在は把握していないはずなのだ。あらゆる解決策が前もって用意されていることに、研人は驚いていた。

自動券売機の前で立ち止まり、背後を確認した。誰も自分を追って来てはいなかった。鉄道の路線図を眺めて乗り換え経路を頭に入れ、研人は改札口を通り抜けた。

こうなったらとりあえず町田に身を隠し、最後に残された手掛かり、『ハイズマン・レポート』の全容が明かされるのを待つしかない。

12

イトゥリの森での行軍を開始してから二日目の朝を迎えた。イエーガーは浅い眠りから覚め、ハンモックの上で腕時計を見た。バックライトで浮かび上がったデジタル表示は、予定時刻ちょうどの五時三〇分を示している。特殊部隊にいた頃の感覚は鈍っていないようだ。

ハンモックを覆っている蚊除けネットと防水シートをくぐって、イエーガーは寝床から出た。密林内の空気はひんやりしていた。日の出前の薄暗がりが不自然に白いのに驚き、目を凝らすと、濃霧に取り巻かれているのだと分かった。

霧の中、小銃を手に佇（たたず）んでいるミックの姿が、まるで戦死者の亡霊のように浮かび上がっている。二時間交替の周辺警戒に当たっていたミックは、こちらを振り返り、「異状なし」と小声で告げた。

イエーガーは頷き、他の二つのハンモックに目をやった。ギャレットとマイヤーズの寝息がかすかに聞こえている。ミックが防水シートをめくり、二人を起こしにかかった。

全員が起床すると、男たちは出発準備にかかった。ハンモックを片付け、支柱にしていた木の枝を解体する。二組しか用意していない衣服を、睡眠用の乾いたものから行軍用の湿ったものに取り替える。虫除け剤を塗り直し、味はともかく必要カロリーだけは摂取できる長距離偵察用糧食を口に入れ、抗マラリア剤を飲み下す。さらに排泄を済ませた上で、トイレ用に掘った穴を埋め戻した。

今回の作戦は、潜行任務にしては好条件に恵まれていた。周囲を敵に囲まれたような地域に投入されれば、自分たちの痕跡を完全に消すため、排泄物をポリタンクに入れて持ち運ぶことになる。トイレットペーパーを使うことすら許されない。しかし一辺が数百キロもある広大なイトゥリの森では、そんな用心は無用だった。ガーディアン作戦の四人のオペレーターたちは、大海を泳ぐ稚魚の群れに過ぎないのだ。

イエーガーとミックは地図とGPS装置を使い、今日の行軍ルートを確認した。想定外の戦闘で離散した場合に備え、合流地点も複数、取り決めた。

重いバックパックを背負い、武器を手にした四人は、ミックを先頭に、イエーガー、ギャレット、マイヤーズの順に一列縦隊となり、戦闘警戒行軍のフォーメーションを作って動き出した。正面、側面、後方のどの方角からの攻撃にも即時に対応できる陣形だ。ただし、熱帯雨林の暗がりでは十分な視界が確保できないため、それぞれの間隔は通常よりも狭まっている。

一時間も歩くと霧が晴れてきた。樹冠の隙間から射し込む日の光が、昼なお暗きジャングルの灯火となって、四人をさらに森の深部へと誘った。

果てしなく続く樹木の海が、イエーガーの覇気を吸い取りにかかっていた。密林には、こちらの意気地を挫く魔力が潜んでいる。ここは人間の理性の及ばない独立した世界であり、衣服を身にまとい、直立二足歩行で移動する動物は余所者なのだ。あらゆる生物がいるのに、人間だけが疎外された空間を歩き続けていると、ホームシックにも似た心細さが胸に押し寄せてくるのだった。

ジャングルがもたらす不安や恐怖に対処するには、脅威を一つ一つ確認するのが唯一の方法だと、特殊部隊の教官は言っていた。天候か、気温か、飢餓か、方向感覚の喪失か、毒を持った小動物か。脅威を確認したら、それを取り除くことだけに集中しろ。脅威が存在しないのなら、何も怖れるな。

そう、ここには脅威は存在しないと、イエーガーは自らに言い聞かせた。実際のところ、イトゥリの森は、ジャングル戦の訓練で送り込まれた東南アジアの密林とは違っていた。赤道直下にもかかわらず、標高が高いので暑さは気にならない。森の中を一陣の風が吹き抜けただけで、体を覆った汗を心地よく拭き取ってくれる。昆虫や蛇などの小動物の脅威は存在するのだろうが、数は多くない。油断さえしなければ大丈夫だ。何よりありがたいのは、至る所に清流が流れていることだった。そこで汲んで飲む水は、バグダッドで支給されていたミネラルウオーターよりも旨かった。

そもそも、ピグミーと呼ばれる人々は、何万年もの間、この森の中で生活してきたのだ。イトゥリの森が人間に対して過酷な環境であったなら、彼らは絶滅していただろう。この密林を、過度に怖れる理由などないのだった。

前方のミックが立ち止まり、ハンドシグナルで招集をかけてきた。イエーガーたちは足音を忍ばせ、ポイントマンのもとへ集合した。

「これは何だろう？」とミックが、AK47の銃口で灌木（かんぼく）の幹を指し示した。「見たこともない生き物じゃないか？」

イエーガーが見ると、どす黒い色の、ミミズを平たくしたような生物が幹に張り付いて蠢（うごめ）いていた。

「こいつはヒルの一種だろう」とイエーガーは言った。「見たことはないが、想像はつくよ」

「殺して回収しなくていいか？」

「放っとけ」

ギャレットが笑い出した。「俺たちは博物学者か？」

ヌメヌメした生き物が予想外の敏捷さで、マイヤーズに向かって跳ねた。ぎょっとして飛び退いたマイヤーズを見て、他の三人が笑った。

その時、付近の草むらで、何かが動く気配がした。イエーガーたちは、瞬時に音のした方角へ小銃を向けた。中型犬ほどのサイズの、鹿によく似た動物が起き上がって森の奥へと駆けて行った。どうやら寝ていたらしい。人の話し声に驚いて逃げ去ったのだ。

小休止を取るにはちょうどいい頃合いだったので、イエーガーは休憩を告げ、樹木の間に開けたわずかばかりのスペースにバックパックを下ろした。下生えの上に腰を下ろすと、巨木の根が板を立てたような形状で地面から突き出していて、格好の背もたれになった。

水筒の水を飲みながら、マイヤーズが一同に訊いた。「見たこともない生き物って、何だと思う？」

「見当もつかんな」とギャレット。

「平らなヘビかも」とミックが言った。

「何だ、そりゃ？」

「日本にいる未確認動物だ。見つければ懸賞金がもらえる」

「我々はコンゴじゃなく、日本に行くべきだったのかもな」

　ミックの故郷の日本は、どんな国だろうとイエーガーは考えた。ごみごみした雑踏と、下品なネオンサインに彩られた大都市の光景が頭に浮かんだが、ステレオタイプの日本像だろうと思った。

　マイヤーズが周囲を見回し、森の静寂を確認してから一段と声を落として言った。「今回の作戦は、何かがおかしいような気がするんだ」

　イエーガーは訊いた。「どういうことだ？」

「よく考えると、僕たちには、まったく関係のない二つのターゲットが与えられてる。ウイルス感染者の集団と、見たこともない生き物」

「私には専門的知識はないが」とギャレットが言った。「ウイルスに感染した生物が、化け物みたいに姿を変えるってことはないのか？」

「それじゃ、ハリウッド映画だ。生物学的にはあり得ない」とマイヤーズは断言した。

「ひょっとすると、作戦の真の目的は、ただの暗殺じゃないのかな」

「ピグミーのか？」

「違う。ムブティ人と一緒にいる、ナイジェル・ピアースって人類学者だ」

「それは俺も考えたが」とイエーガーは言った。「ピアースだけを殺せばいいのなら、他に作戦の立てようがあったはずだ。ムブティ人まで殺す必要はない」

「口封じってことは？」

「いや、夜間強襲なら心配は要らない。ムブティ人の誰かが目撃しても、俺たちが何者かは分からないはずだ」

「じゃあ、やはり、ウイルス感染者を殺すのが目的なのかな」

「俺が心配しているのは」とミックが言った。「作戦終了後だ。俺たちは、死体の臓器を集めて持ち帰ることになってるよな？　脳とか生殖器とか」

不快な任務を思い出し、マイヤーズが顔をしかめた。

「つまり、恐ろしいウイルスを持ち帰ることになる。この作戦の本当の目的は、ウイルスを入手して生物兵器を作ることじゃないのか？」

「アメリカ軍は、生物兵器の開発はしないことになってる」と、イエーガーは古巣を庇った。「どこまで本当かは分からないが」

マイヤーズが何か言いかけたが、すぐに口を閉ざした。他の三人も動きを止め、聴覚に神経を集中させた。風上から、草を掻き分ける音がかすかに聞こえている。足音だ。それも一つではない。五人以上はいる。こちらに接近するのではなく、イエーガーたちを取り囲むように、円を描いて移動しているのが分かる。

四人は攻撃用ライフルを手にし、音もなく立ち上がった。ミックが自分自身を指さして、斥候を買って出た。イエーガーは頷いて許可した。わずかに銃口を下げた接敵準備姿勢でミックが進み始めると、イエーガーとマイヤーズがいつでも掩護できるように前方百八十度の射界を確保し、ギャレットが陽動に備えて側面と後方を警戒した。

樹木に遮られて見通しの利かない森の中を、ミックは慎重に移動して行った。その後姿を見失いそうになったため、イエーガーたちは一人ずつ歩を進めて、ミックを孤立させないようにした。

やがて、大木の幹を盾にする姿勢でミックが立ち止まり、前方に小銃の狙いを付けた。だが、発砲はしなかった。彼は全身の緊張を解いて銃を下に向け、ハンドシグナルで一同を呼び寄せた。

イエーガーたちは一人ずつ、ミックに近づいて行った。日本人の指さす方向に目を向けると、五メートルほど前方、樹木のまばらな一角を、大型類人猿の集団が移動しているのが見えた。七頭のチンパンジーだった。間近で観察すると意外に大きい。直立したら、小柄な人間ほどになるだろう。

秘境の住人たちは、人間に監視されていることに気づいていなかった。先頭のサルがそっと動き、合図を送るような動きを見せると、後方に連なった他の面々が身を屈めて距離を詰める。それは明らかに統制の取れた動きで、敵に忍び寄る隠密行動を思わせた。類人猿のコスチュームを着た人間が演じているのではないかと錯覚させるほどの、知性を伴った行進だった。

「俺たちの真似をしてるんじゃないか？」とギャレットが笑いを嚙み殺し、囁き声で言った。「おサルのグリーンベレーだ」

イエーガーも面白がって眺めていたが、チンパンジーたちのさらに向こう側、浅い茂みの中に、別の集団が見え隠れしていることに気づいた。十頭以上の群れが、毛づくろいをしたりして、のんびりと座り込んでいる。

不穏な空気を感じ取ったイエーガーが軍用双眼鏡を覗いた時、突然、襲撃が始まった。忍び寄っていた七頭が、狂ったような叫び声を上げて茂みの群れに突進して行った。それと同時に、周囲の木々の枝が一斉に動き始めた。他のサルたちが、金切り声を上げながら逃げ出したのだ。茂みにいた一団もすぐに散り散りになったが、一頭だけが逃げ遅れた。身を守ろうとしてうずくまったその一頭に、全身を総毛立たせた七頭が襲いかかった。周囲は凄まじいばかりの喧騒に包まれた。興奮状態に陥った数十頭の類人猿が、声を限りに狂乱の叫び声を上げている。

縄張り争いだろうとイエーガーは踏んだが、しばらくするうち、様子がおかしいことに気づいた。闘争が起こっているのはたったの一カ所、茂みの中央だけだった。そこでは七頭のサルによる暴力が続いていた。標的の一頭を取り囲み、摑みかかったり嚙みついたりして深傷を負わせている。一体、何のためにチンパンジーがこんなことをするのか、イエーガーには理解できなかった。だが、人間同士の暴力行為を見せつけられているのと同じような、不快な感情が心の奥底にわだかまった。

　リンチを続けていた類人猿のうちの二頭が、流血しているチンパンジーの腕を両側から摑み、タイミングを計った動きで持ち上げた。見事な連係だった。暴行に耐えていたサルの体が引き起こされると、正面にいたボスザルが、その腕の中から何かを奪い取った。イエーガーは我が目を疑った。強奪されたのは子供だった。大きさからして、人間で言えばまだ乳児かも知れない。攻撃されていたサルは、必死に我が子を守っていたのだ。獲物を抱えた攻撃側のボスは、走ってその場から離れると、子ザルの両足を摑んで振り回し、大木の幹に頭を叩きつけた。子ザルは顔を歪めて泣き叫んでいる。しかしボスザルは意に介する風もなく、子供の腕を引き千切って食べ始めた。

　マイヤーズが呻いた。「何てこった」

　周囲にいる類人猿たちの猟奇的な興奮が頂点に達した。全身の毛を逆立たせ、我を忘れて叫んでいる。狂宴の中心にいるボスザルは、きょときょとと狡賢い老人のような瞳を動かしながら、両手を器用に使って子供の肉と木の葉を交互に食べていた。それを遠巻きにした他のサルたちが、分け前に与ろうと近づいて行ったが無視された。獲物を独り占めにしたサルは、続いて子供の頭部を口に入れた。皮膚と筋肉を齧り取られ、頭蓋骨が露わになっても、悲惨なことに子ザルはまだ生きていた。残った三本の手足を小刻みにばたつかせている。

無言で見つめていたミックが、AK47攻撃用ライフルを構え、ボスザルに向けた。

「よせ」

ギャレットが短く制止したが、ミックは引き金を引いた。銃声が轟き、驚愕したチンパンジーたちが反射的な動きで四方に散った。ミックの放った一発の弾丸は、子ザルの頭を吹き飛ばして苦痛を終わらせ、そのままボスザルの喉元を貫通して背後の茂みに血飛沫を撒き散らした。大人と子供の二体の類人猿が、死骸となって草木の中に倒れ込んだ。

「チンプ野郎」とミックは言葉を吐き捨てた。

マイヤーズが唖然としたまま振り返り、日本人を見た。病んだ人間を見るような目つきだった。ギャレットは顔を伏せ、弱々しく首を左右に振っている。

傭兵たちの間には、奇妙な動揺が広がっていた。たった今、一同が目撃したのは、単なる動物の共食いではなく、知性と狂気が綯い交ぜになった組織的な殺戮行動だった。つまり、戦争だ。

イエーガーは、攻撃用ライフルの重みを両手に受け止めながら考えた。人間は、人間になる前から殺し合いを続けてきたのだろうか？

男たちの視線の先で、傷だらけの母ザルが子供の亡骸に駆け寄った。ついさっきまで母親の胸に抱かれていた子ザルは、頭と右腕を失った無残な姿で地面の上に投げ出されていた。それを覗き込んでいる母ザルが何を思っているのか、人間たちに推し量る術はなかった。

「見世物は終わりだ。ここを離れる」と、イエーガーは小声で指示を出した。万が一にも付近に武装勢力が潜伏していれば、今の銃声を聞かれたはずだ。「ミック、今後は不必要な発砲は控えろ」

すると日本人は、こちらを小馬鹿にするような冷笑で応じた。イエーガーの頭に血が上ったが、すんでのところで怒りを自制した。異人種を殴ることへの抵抗感があった。それに加え、ミックがなぜ、類人猿を撃ち殺したのかという疑問があった。子ザルを苦しめないためか、それともボスザルへの憎悪か。実際はそのどちらでもなく、下等動物に武力を誇示して、卑しい虚栄心を満足させたかっただけではないのか。

「行こうぜ」と、マイヤーズが言って歩き出した。ギャレットが無表情で後に続いた。ミックだけが意気揚々とした風を装っていて、それが余計にイエーガーの癇に障った。いずれにせよ、全員が今起こった出来事を殊更に矮小化しようとしているのが見て取れた。

四人はバックパックを置いた地点に戻った。イエーガーは荷物を背負い、一列縦隊を作ると、顎をしゃくってミックに進行方向を指示した。

早く行けと、イエーガーは心の中で毒づいた。この狂ったジャップめ。

バーンズ大統領が手にした写真には、手足をもぎ取られた幼児の死体が写っていた。イラク人の子供だ。反米武装勢力への大規模な掃討（そうとう）作戦の際、巻き添えを食って死亡した一般市民のうちの一人だった。

大統領は不快そうに頬を歪め、隣に座っているチェンバレン副大統領に写真を押しつけた。チェンバレンは表情を変えなかった。

会議テーブルの反対側にいるバラード国務長官は、この二人の冷血漢を説得するにはどうすればいいのかと、早くも次の一手を考えなければならなかった。

「民間人の死者数は数えるな」と、チェンバレンが機先を制して言った。「マスコミに嗅ぎつけられたら面倒なことになる」

ラティマー国防長官も大きく頷いた。

バラードは、閣議室のテーブルを囲んだ面々を順繰りに見渡し、政権の底に沈んでいる潜在的な良心に訴えかけようとした。「しかしイラクでは、我が軍の攻撃によって、すでに十万人の市民が死亡しています。こんなことでイラク人民の支持を得られると思いますか」

「その程度の付帯的損害（コラテラル・ダメージ）は承知の上だ」とチェンバレンが言い放った。

他国による軍事攻撃でチェンバレンの家族が殺されたら、同じ台詞を吐けるのかは甚(はなは)だ疑問だった。しかしバラードは、嫌みも当てこすりも心の奥にしまい込み、辛抱強く言った。「これほどの大規模な破壊が行なわれれば、敵対勢力はますます我々への憎悪をつのらせ、勢いづくでしょう。現地の治安維持のためにも、我が軍は一刻も早く増派すべきです」

「それは君の所管事項ではないだろう」とチェンバレンは一蹴(いっしゅう)した。

「軍事オプションの決定については、外交的な見地も必要かと思ったのでね」かつて統合参謀本部議長まで上り詰めたバラードは言った。

「これは決定事項だ。今さら覆せない」と、バーンズが副大統領に加勢した。

その周囲で頷く一団を見て、いつから新保守主義(ネオコン)がこれほどまでに増長したのかとバラードは首をひねった。こいつらは、保守党の中でも傍流に過ぎない勢力だったはずなのに。

「この議題については、以上でよろしいですか」エイカース首席補佐官が大統領の意向を確かめ、議事を手早く進行させた。「最後の議題に移る前に、用の済んだ方々は退席して下さい」

アフリカ問題担当を除く国防次官補たちが、ぞろぞろと閣議室を出て行った。他に残ったのは政権の中枢(ちゅうすう)を担う閣僚たちと、インテリジェンス・コミュニティのトップ数名だった。バラードは、これ以上の抵抗を諦めた。

「最後の議題は何だ？」とチェンバレンが訊いた。

「例の特別アクセス計画（SAP）です」と首席補佐官が答えた。「暗号名は、『ネメシス』」

それを聞いて、一同の間にリラックスしたムードが流れた。会食の席で難しい折衝（せっしょう）を終えた後の、デザート・タイムに似ていた。ワトキンス国家情報長官とホランドCIA長官だけは、内心の緊張を悟られまいとしていた。特別アクセス計画は、難しい局面に差しかかっていたのだった。

科学技術担当大統領補佐官のメルヴィン・ガードナー博士が閣議室に招き入れられると、高官たちは微笑を浮かべて彼を迎えた。

「では、まず私からご説明します」遠慮がちにテーブルに着いたガードナーは、飄々（ひょうひょう）とした口調で語り始めた。「ネメシス作戦は順調に進行中です。アフリカでの第一フェーズは、あと数日で終了するでしょう。ところがここへきて、些細な問題が持ち上がりました。NSAからの報告によると、日本で不穏な動きがあるとかで」

「日本で？」意外そうにバーンズが訊いた。「どうして日本なんだ？」

「詳細は不明です。おそらくは取り越し苦労でしょうが、念には念を入れて、手は打ってあります」

ホランドは、大統領が納得していないのを素早く見て取って、後を継いだ。「東京にいる何者かが『ネメシス』にアクセスしようとしている形跡があり、調査したところ、セイジ・コガという大学教授とその息子が特定されました。父親は最近になって病死したものの、息子のほうが活動を継続中です」

「息子は何者だ？」

「ケント・コガという名の、大学院生です」

チェンバレンが訊いた。「そいつの専攻は何だ？　ジャーナリズムか、それとも宗教学か？」

「薬学です。父親のほうは、ウイルス学を専門にしていました」

「しかしどうして、我々の秘密計画（ブラック・プログラム）の存在に気づいたんだ？」

「それは目下、調査中です。現在、エージェンシー（CIA）の東京支局が現地工作員をリクルートして、この青年に接触させています。さらにそれとは別に、ＦＢＩ経由で現地警察のテロ対策チームも動かしています」

　ワトキンスが補足した。「もちろん日本人工作員も、現地警察職員も、『ネメシス』については何も知らされていません。すべては我々のコントロール下にあります」

「ああ、そういうことだったのか」と、本来ならネメシス作戦の統括責任者であるはずのラティマー国防長官が言った。「特別計画室の連絡官から、君の意見を聞くように言われてたんだ」君、とはバラード国務長官だった。「万が一、日本で手荒な手段を取ることになったら、あちらの政府の協力は取りつけられるかね？」

「手荒な手段とは、具体的には何を指しているんです？」

「さあな」とラティマーは、とぼけてみせた。「特別計画室の責任者が、然(しか)るべき手段を考えるだろう」

「責任者というのは、例の若造か？」とバーンズが訊いた。

「ええ。優秀な頭脳の持ち主だそうで」

「よほどのことがない限り、日本政府が協力を拒むことはないでしょう」とバラード国務長官は、両国の力関係を頭に描いて言った。それから穏健派らしく、一言付け加えた。

「手荒な手段は、最後まで残しておいて欲しいですがね」

そのやり取りを聞いていたホランドは、『墓所(ザ・グレイヴ)』を思い浮かべた。シリアにある、異臭の漂う地下拷問施設だ。そこでは棺桶(かんおけ)サイズの独房と各種拷問器具、それに人間に苦痛を与えることを何よりの楽しみとする拷問役人たちが来訪者を待ち受けている。バーンズ大統領はこうした人権侵害に憤慨し、シリアを「ごろつき国家」だと非難したが、それは全世界に向けて発せられた恥知らずな大嘘だった。バーンズは捕虜の取り扱いを定めたジュネーヴ条約を無視し、テロ容疑者をシリア政府に引き渡して拷問を代行させているのだ。アメリカの拷問装置となった国はシリアだけではない。エジプトやモロッコ、ウズベキスタンなどへも、これまで多数の敵性戦闘員が引き渡されていた。そしてこの『特別移送(スペシャル・レンディション)』と呼ばれている致死性任務(リーサル・ファインディングス)を実行するのが、ホランド率いるCIAなのだった。

悪事の片棒を担がされているCIA長官は、陰鬱な気分でグレゴリー・S・バーンズを見つめた。合衆国大統領の肩書きを持つ壮年の白人男性。演説会場に赴けば、満場のスタンディング・オベーションで迎えられる地上最大の権力者。この紳士然とした、たった一人の男の意思によって、多数の人間が拷問施設へと送られ、殺されてきたのだ。

悪魔に似せて作られたこの男の手にかかれば、日本の大学院生をひねり潰すことなど、至極簡単だろう。

13

真っ暗闇の中で目が覚めた。まだ夜かと思って二度寝しようとした研人は、手足の自由が奪われているのに気づき、自分がいる場所を思い出した。父親が遺した私設実験室だ。縮こまった両腕を寝袋から出し、腕時計で時刻を確認した。朝の九時だった。疲れていたせいか、思いのほか熟睡したようだ。前日は、自宅アパートの二階から飛び降りて刑事の追跡を振り切るという一世一代の大冒険をやった後、電車を乗り継いで町田に辿り着き、スズキヨシノブ名義の口座から現金を引き出したり、着替えを買ったりして一日を過ごした。今日が逃亡生活の二日目だ。

起き出した研人は、遮光カーテンを開けたい誘惑に駆られたが、近所の目を怖れて思いとどまった。こんな怪しげな実験室の様子が知れたら、警察に通報されないとも限らない。六畳間の電気を点け、台所に行って洗面を済ませた。今日はいろいろとやらなければならないことがある。

前夜のうちに買い込んでおいた菓子パンをかじって朝食を終えてから、まずは四十四のマウスの世話に取りかかった。ところがケージの掃除をしようとした時、押し入れの奥に置かれた書類の束が目についた。日本語ではなく、英語で書かれた文書だ。

一枚目は、海外の運送業者が発行した伝票だった。ポルトガルのリスボン医科大学から、東京の多摩理科大学へと送られた貨物。差出人は、『Dr. Antonio Gallardo』となっている。

アントニオ・ガラード博士。

それが肺胞上皮細胞硬化症の世界的権威の名前であるのを思い出し、研人は驚いて残りの書類を見ていった。7600ユーロの請求書と領収書には、『40』というマウスの個体数が記されている。押し入れの中にいる四十四のマウスは、父の誠治が一千万円もの大金を支払って、ガラード博士から譲り受けたものらしい。

別の書類には、分譲するマウスの系統は二つあり、一つは正常なマウス、もう一つは肺胞上皮細胞硬化症の病態発現マウスである旨がはっきりと記載されていた。

研人は、四つ並んだケージのうちの右半分に目をやった。かなり弱っている様子の二十四のマウスは、人為的に遺伝子を改変し、肺胞上皮細胞硬化症を発症させた疾患モデル動物なのだった。

よく考えてみれば、難病の特効薬を作ろうとしていた父が、このネズミたちを用意していたのは当然であった。合成した薬物の活性を個体内（イン・ヴィヴォ）で調べるには、病気を発症している動物が必要になるからだ。

研人が慌てたのは、こんなぼろアパートの押し入れで遺伝子導入（トランスジェニック）マウスを飼育するのは明らかに違法行為であるからだった。遺伝子を改変した動物は自然界には存在しない生き物なので、法律によって厳重な管理が義務づけられているのである。

しかし、だからと言って、目の前のマウスたちを処分する気にはなれなかった。外に逃げ出さないように細心の注意を払いながら世話を続けるしかない。いずれにせよ、遺伝子操作されたマウスたちは余命幾許（いくばく）もないのだ。研人が、肺胞上皮細胞硬化症の特効薬を作らない限りは。

ぶり返してきた無力感を心の片隅に押しやって、研人は黙々と手を動かし、マウスたちの住み処（か）をきれいにしてやった。

私設実験室を出たのは昼前だった。向かった先は秋葉原だ。数カ所に電話をする必要に迫られていたが、かける先の番号は、電源を入れてはいけない携帯端末のアドレス帳に記録されていた。これを何とかしなければならないのだ。

新宿駅で電車を乗り換えた研人は、警察が自分を追っている可能性を考慮して、最低限の用心だけはすることにした。秋葉原駅は逃走の際に使っているので、刑事が張り込んでいる怖れがある。そこで一つ前の駅で下車し、あとは徒歩で電気街に入った。

以前、工学部の友人が持っていた機械を探して、数軒の店舗を見て歩いた。四軒目でそれは見つかった。手のひらに収まる大きさの箱形の機械だ。コーヒーショップに入り、隅の席に陣取って、買ったばかりの機械を作動させた。携帯電話の妨害電波を発信する装置は、途端に威力を発揮した。カウンター席にいる若い女が、「もしもし?」と声を上げ、不通になった携帯電話を耳から離した。

ごめんなさいと心の中で謝りながら、研人は自分の電話機を出し、電源を入れた。電波の受信状況を確認すると、『圏外』と表示されていた。基地局のアンテナは、妨害電波に邪魔をされて、研人の端末から出ている電波を見失ったのだ。これでこちらの位置を特定される危険はない。研人は安心し、アドレス帳を画面に呼び出して、必要になりそうな電話番号を一つ一つメモしていった。

それが済むとコーヒーショップを出て、大通り沿いにある電話ボックスに入った。まずはメモを見なくても分かる実家の番号にかけた。

「もしもし?」

「研人？」息子の声を聞くなり、母は一方的に喋り始めた。「昨日から何度も電話したのよ。どうしてたの？　こっちは大変だったのよ」

悪い予感がした。「大変って？」

「警察の人が来て、お父さんの部屋とか遺品を調べて行ったの」

刑事たちは実家にも行っていたのだ。母も、研人が聞かされたのと同じ、ＦＢＩへの捜査協力という理由を告げられたのだという。

「それだけじゃなくて、刑事さんの一人が変なことを訊いてきたのよ。『アイスキャンディで汚した本はないか』って」

研人の背中を寒気が走った。

『アイスキャンディで汚した本を開け』

父親からのメールに書かれた、たった一つの指示。それを警察が知っていたということは、父が言い遺した通り、電子メールが傍受されていたに違いない。

『今後、お前が使用する電話、携帯電話、電子メール、ファクシミリなどのあらゆる通信手段は、盗聴されているものと思え』

あれは父の被害妄想などではなかったのだ。今、こうしている間も、何者かが自分を監視しているのだろう。不気味さと不快さが研人の胸を覆った。目には見えない大きな力が自分を捉え、押し潰そうとしている。

「研人に心当たりはない？」

「ないよ」と研人はとっさに答えた。『アイスキャンディで汚した本』と、その中に隠されていたメモは、父の指示に従って処分していた。それにしても親父は一体、何をやっていたのか。研人は、自分で考えた新薬開発詐欺の推理も、刑事たちが語ったＦＢＩの話も、すべてが疑わしく思えてきた。父の生前の行動の裏には、もっと大きな秘密が隠されていたのではないか。

「それからね、研人から連絡が来たら通報するように言われたんだけど」

「刑事たちに？」

「そう。まさかあんた、何か仕出かしたんじゃないでしょうね？」

「何もしてないよ」と返しながら、焦燥に駆られて周囲を見回した。もしも実家の電話が逆探知されていたら、今いる電話ボックスの位置が特定されてしまう。「この電話のことは、刑事たちには黙っててくれる？」

「どうして？」

「面倒に巻き込まれたくないんだ。実験で忙しいから」

「でも――」

「いいね？　それから携帯が壊れたんで、電話はつながらないから。何かあったら、こっちから電話する」

「研人？」

と問いかけた母を遮って、研人は受話器を置いた。すぐに電話ボックスから歩道に出て、急ぎ足でその場を離れた。家電量販店やゲームソフト専門店の前を通り過ぎ、一ブロックほど進んでから振り返ると、電話ボックスのはるか向こうから、自転車に乗った制服警官がこちらに向かっているのが見えた。研人の鼓動が速くなった。自分を探しているのだろうか。

横の路地に入った研人は、早足で別の大通りまで出た。警官が追って来る気配はなかった。そこからタクシーに乗り、近場の繁華街、神保町（じんぼうちょう）まで移動した。ふたたび電話ボックスに入り、今度は研究室にかけた。

電話に出た園田教授は、相手が研人だと分かると驚きの声を上げ、すぐにあたりを憚（はばか）るように小声になった。「古賀か。何をやったんだ？」

「は？」休みを申し出るつもりだった研人は、出鼻を挫かれて訊き返した。「何のことですか？」

「さっきまで警察の人たちが来てたぞ。君の逮捕状を持って」

研人は仰天した。「逮捕状？　僕が何をやったって言うんです？」

「刑事さんの話では、三つの罪状だった。公務執行妨害と器物損壊、それから過失傷害。心当たりはないか？」

言われてみると、すべてに心当たりがあった。家宅捜索を妨害し、逃げる際に車の屋根を凹ませ、ついでに運転席の刑事の頭に一撃を食らわせたのだ。

「いや、でも」と口ごもり、研人は慌てて釈明した。「何かの間違いです。僕はそんな」

「身に覚えがないなら、すぐに警察に行って事情を説明しなさい」

「分かりました。そうします」教授を安心させるためにも、そう言うしかなかった。「何日か休みをいただくかも知れませんけど、いいですか？」

「ああ。こっちのことよりも、自分の心配だ」

「刑事さんたちは、他に何か言ってませんでしたか？」

「私が聞いたのはそれだけだった。あとは、研究室の全員が質問攻めにされた。君の交友関係とか」

「交友関係と言うと？」

「君が友達の家に逃げ込んでるんじゃないかと疑ってたようだ」

これで援軍が全滅してしまったと研人は思った。この先、研究室の友人を頼れば、警察に通報されてしまう。苦労して書き出した電話番号の大半が使えなくなってしまった。

「とにかく、今すぐにでも最寄りの警察に行きなさい」

「はい」と答え、心配をかけたことへの詫びを述べて、研人は電話を切った。

予想外の速度で事態は悪化していた。研究室の電話も逆探知されている怖れがあるので、研人は急いで地下鉄の駅に向かった。

今や自分は犯罪者になっていた。このまま警察に捕まったら、ただでは済むまい。大学院は退学させられるだろうし、もしかしたら刑務所に入れられるのかも知れない。

今頃、研究室は大騒ぎだろうなと考えて、研人は暗澹たる気分になった。悪い噂が広まるのは速い。自分の居場所を汚されたような屈辱感と心細さで、研人はちょっと涙が出そうになった。

目的地も決めぬままに地下鉄に乗り、今後の身の振り方について頭を悩ませた。いつまでも警察から逃げ続けるのは無理だ。警視庁の公安部とやらに出頭するのが現実的な選択なのだろうが、両手に手錠を掛けられる恐怖とは別の、正体不明の薄気味悪さが研人を思いとどまらせた。どうしてアメリカのＦＢＩが、父親に濡れ衣を着せるようなことをしたのか。どうして日本の警察が、難癖を付けてまで研人を逮捕しようとしているのか。彼らの背後に隠れた巨大な力が、闇の中から自分を捕まえにかかっているような不気味さがあった。こちらの与り知らぬところで何が起こっているのか、せめてそれだけは知っておきたいと思った。

地下鉄が渋谷駅に着いたので、研人はホームに降りた。地上へと歩きながら、現状維持しかないと結論づけた。当初の予定通り、最後に残った謎、『ハイズマン・レポート』の内容を突き止めるのだ。

渋谷の街に出た研人は、電話ボックスを見つけて中に入り、受話器を取り上げた。携帯電話から書き出したメモを手に、菅井に電話をかけた。新聞記者は三回目の呼び出し音で、自身の携帯電話を受信してくれた。

「ああ、研人君か」

先方の穏やかな声に、研人は慰められた。菅井の所へは、警察の捜査は及んでいないらしい。

「携帯電話のメッセージ、聞いてくれたかい？」

「すみません、まだです。携帯が壊れてしまって」

「じゃあ、ここで話すよ。ワシントン支局の後輩から、今朝メールが届いてた」

「『ハイズマン・レポート』について、何か分かったんですか？」

「それが意外な結果でね。『ハイズマン・レポート』は、三カ月前に『回収通知』扱いになっていて、閲覧が不可能になっていた。つまり、機密指定されたんだ」

「機密指定？」

「そう。合衆国の安全保障上、問題となる文書は、公開されない原則なんだ」

合衆国の安全保障上の問題。日本の大学院生にとっては、絵空事のように思える言葉だった。だが、自分が巻き込まれていることと何か関係があるような気もした。先ほどから感じている気味の悪い圧迫感が強さを増して、全身の肌を覆っていった。父の遺言が、悉く未来を言い当てていたようにも思えてくる――『本研究については、お前一人で行なえ。誰にも言うな。ただし、もしも身の危険を感じるような事態が起こったら、直ちに投げ出して構わない』

「でも、どうして今になって機密指定されたんでしょう?」

「それはこちらにも分からんよ。あのレポートについてどうしても知りたいんなら、まだ最後の手段が残ってる。前にも言った通り、三十年前の雑誌を手当たり次第に調べるんだ。当時、あの報告書は機密でも何でもなかったから」

「昔の雑誌って、どこで探したらいいでしょうね?」

「国会図書館なら揃ってるはずだよ」

過去に国会図書館を利用したことのある研人には、気の進まない提案だった。入館の際に、氏名や住所を紙に書いて提出しなければならないからである。警察がそこまで捜査の範囲に含めているのかは定かでなかったが、用心に越したことはない。

「あんまりお役に立てなかったが、それでいいかね?」

「はい――」と言いかけて、研人は最後のお願いをすることにした。「すみません、あと一つだけ。ある人物の身元を調べるには、どうしたらいいんでしょうね?」

「身元調査かね? それは社会部の連中に訊かないと分からないな。誰か調べたい人でもいるの?」

菅井が乗り出してくれればと淡い期待を抱きつつ、研人は「坂井友理」と名乗った謎の女性について、人相や年格好も含めて説明した。すると案の定、菅井は興味を持ってくれたようだった。「お父さんのパソコンを欲しがってた？　その人について、他に手掛かりは？」

「おそらく、理系の研究者だろうということだけです」

「あまり成算はないが、こちらで調べてみよう。携帯が壊れてるそうだけど、どうやって連絡したらいいかな？」

「ご迷惑じゃなかったら、こちらからまたお電話します」

「分かった。いつでもかけてくれていいから」

「いろいろとありがとうございます」

研人は丁重に礼を述べて、電話を切った。やるべきことが見えてきて、少しは気分がすっきりした。古雑誌の束と格闘して、『ハイズマン・レポート』の中身を突き止めるのだ。

センター街へと移動した研人は、インターネット・カフェを見つけて中に入った。狭い個室にあるパソコンを使ってネット検索すると、日本最大の雑誌専門図書館が都内にあるのが判明した。明治時代以降の七十万冊もの雑誌が閲覧可能で、さらにありがたいことには民間の経営だった。

おそらく明日の夕方までには、父から受け継いだ大冒険の筋書きが見えてくるだろうと研人は踏んだ。この図書館の蔵書の中に、人類絶滅の研究報告書が眠っているはずだ。

14

凶暴なまでの雨が、密林を押し流す勢いで降り注いでいた。それは空からの洪水だった。頭上を覆った樹冠に大粒の水滴が絶え間なく叩きつけられ、森全体が地鳴りのような音を立てて揺れている。

乾季としては例外的なこの悪天候も、攻撃目標に近づいていたイエーガーたちにとっては距離を稼ぐ好機となった。ムブティ人は、雨が降っている間は狩りには出ず、キャンプ地に閉じこもっている。不慮の遭遇を気にすることもなく、また足音を聞き咎められる心配もなく、彼らの居場所を捜索できるのだ。

約四十名のピグミーで構成されるカンガ・バンドは、幹線道路沿いにある定住キャンプから森の奥へと、八個の狩猟キャンプを渡り歩く。東西に延びるテリトリーの全長は三十五キロ。イエーガーたちは、その最深部のキャンプ地に接近していた。

残り一キロとなった地点で、一同は樹木が密生したスペースに防水シートを張って雨除けを作り、ジャングル迷彩の戦闘服（BDU）に着替えた。予備弾倉で膨れ上がったタクティカル・ベストも含めたフル装備だ。そこからさらに六百メートルほど進み、群生した草の合間にバックパックを下ろして集合地点とした。ジャングル内では十メートル進んだだけで方向感覚を失うため、全員がGPS装置に現在位置を記録した。

「北と南の二方向からアプローチする」イエーガーは一同を集め、手短に伝えた。全員がフェイス・ペイントを施しているので、暗い迷彩の中で白目の部分だけが光っていた。「ギャレットとミックが北から、マイヤーズと俺が南から入る。キャンプ内にナイジェル・ピアースがいるかどうかを確認し、同時にターゲットの正確な人数も把握しろ」

他の三人が真剣な顔で頷くのを見て、イエーガーは満足した。ミックが二頭の類人猿を殺して以来、チーム内の空気は微妙に変化していた。もはやお互いに親睦を深めようという態度は見られず、任務遂行だけを考える寡黙な集団に変わっていた。この期に及んでリーダーのイエーガーが憂慮するのはただ一点、メンバーの間に表立った反目があるかどうかだったが、さすがにそれは杞憂だった。戦闘のプロならば、チーム内の不和が全員を窮地に陥れることを知っている。馬鹿げた感情的対立を表に出して行動すれば、自分自身が死ぬ可能性が高くなるのだ。イエーガー自身、陰気な日本人への反感は心の奥底にしまい込んでいた。

「私からの確認事項だ」とギャレットが口を開いた。「この地域では、国連平和維持軍が武装勢力の無線連絡を傍受している。その監視網に引っかからないために、我々の携帯無線機は出力が抑えられている。通信可能距離は二百メートルが限度と思ってくれ。それから、送受信は必要最小限にするように。この集合地点に戻るサインは、送信ボタンを五回押すノイズだ」

最後にイエーガーは、不可解な命令についても言及した。「あとは、〝見たこともない生き物〟だ。正体不明の生物に遭遇したら直ちに殺し、死骸を回収しろ」

頷いた三人の顔には、困惑気味の微笑が浮かんでいた。イエーガーも真面目な表情を保てずに薄く笑った。

ガーディアン作戦のオペレーターたちは二手に分かれ、それぞれのルートを慎重な足取りで歩き出した。イエーガーは、ムブティ人を畏(おそ)れていた。数万年もの時を経て、ジャングル環境に適応した森の民。どれだけ場数を踏んだ特殊部隊の隊員でも、この深い森の中で彼らに太刀打ちできる者はいないだろう。

十分ほど進んだ所で、木々の向こうに開けた土地が見えてきた。緯度、経度を示したGPSナンバーも、ゼータ・セキュリティ社でのブリーフィングで教えられた数値と一致していた。イエーガーとマイヤーズは大木の蔭に身を隠し、双眼鏡を出して狩猟採集民族のキャンプ地を観察した。

樹木の間にぽっかりと開いた広場は、強襲訓練で使われた施設よりもはるかに狭かった。二十メートル四方ほどだ。中心部には木組みのベンチが置かれ、それを囲んで半球形の小さな住居が並んでいる。だが、豪雨に煙るキャンプ地に人の気配はなく、小屋の半数は壊れかけていた。

イエーガーとマイヤーズはサプレッサー付きのグロックを手に、ぬかるんだ地面を踏みしめながら、ゆっくりと広場に入って行った。ハンドシグナルを使って、それぞれがチェックする小屋の列を決め、仕事にかかった。

イエーガーは、手前の列の端から小屋を覗いていった。直径二メートルほどの住まいの構造がよく分かった。何本もの長い木の枝を半円形に折り曲げ、両端を地面に突き刺して骨組みにしている。その上を、大きな葉で葺いただけの原始的な造りだ。

一つ一つの住居をチェックしながら、イエーガーは人間以外の生物の気配にも注意した。〝見たこともない生き物〟が、無人の小屋の隅に潜んでいないとも限らない。しかし目についたのは、小さな昆虫だけだった。

やがて、このキャンプ地には誰もいないことが分かると、森の中から監視を続けているギャレットとミックに、集まるように手振りで指示した。

「焚き火の痕があった」と、マイヤーズが小声で報告した。「燃えかすは古くない。最近まで、ここには人がいたと思う。標的の四十人は、おそらく次のキャンプ地にいる」

イエーガーが頷いた時、あたりがぞっとするような沈黙に包まれた。薄暗がりの中に沈んでいたキャンプ地が、白く輝き出している。

二人は上空を見上げた。朝からの雨が止み、黒雲が急速に遠ざかっている。視界一面の空を見るのは、ジャングルに入ってから初めてだった。暗い海の底から浮上し、水面に顔を出した気分だ。

小屋の蔭から、ギャレットとミックが音もなく姿を現わした。イエーガーは一同に指示を出した。「次のキャンプ地に向かう。東に五キロだ」

まだ時刻は一四〇〇時。日暮れ前には到着できる。

四人は一旦、バックパックを置いた地点に戻ってから、ふたたび行軍を開始した。ルートは完全にカンガ・バンドのテリトリーに入っていた。雨音が消えているので、物音を立てぬように慎重を期さねばならない。

一時間ほどが経過して日の光が戻ってくると、降り注いだ雨が蒸発を始め、地面一帯から猛烈な森の匂いが立ち上ってきた。樹木や腐葉土の臭気が折り重なって、空気そのものが圧力を持ったかのように周囲を取り巻いている。

雨で増水した小川をいくつか渡った先で、イエーガーは人の声を聞いたような気がした。最初は錯覚かと思った。ところが耳を澄ましてよく聞いてみると、それは鳥や獣の声ではなく、確かに人間の叫び声だと分かった。イエーガーは、すぐさまGPS装置で現在位置を確認した。カンガ・バンドの次のキャンプ地まで、残りは約一キロ。

先頭を歩くミックも声に気づき、停止のシグナルを出してこちらを振り返った。一列縦隊を組んでいた面々は、その場で静かに片膝を地面に下ろし、前方と左右、それに後方に異状がないかを確認した。そうしている間も、細く長く叫ぶ男の声は続いていた。悲鳴ではないようだ。一つ一つの言葉は聞き取れないが、言語に特徴的な抑揚を保っている。喚き声は、短い余韻を残して不意に途絶えた。四人の傭兵は、さらに数分間を費やして周囲の様子を窺い、いかなる脅威も存在しないことを確かめてからイエーガーのもとに集合した。

マイヤーズが囁き声で訊いた。「何を叫んでたか、分かる人は？」

「英語だったと思う」とギャレットが答えた。「しかし、内容までは分からん」

一同は顔を見合わせた。ムブティ人は、地元農耕民の言葉を話す。この地方の公用語は、他にスワヒリ語とフランス語であって、英語ではなかった。四人の頭に浮かんだ最悪のシナリオは、反政府軍がカンガ・バンドを襲撃しているというものだった。コンゴ東部に侵攻しているウガンダやルワンダの勢力は、英語を公用語としているはずなのだ。

「助けを求める声だったのかな？」とマイヤーズ。

「いや、声は一人だけで、他に悲鳴は聞こえなかった」とイエーガーは言った。「襲撃じゃないだろう」

「じゃあ誰が叫んでたんだ？　ナイジェル・ピアースとかいう人類学者か？」

話し合っていても埒が明かないので、イエーガーは行動を起こすことにした。「全員、荷物を下ろせ。ここを集合地点にしよう。ミック、グレネード・ランチャーも持って行け」

イエーガーとミックは、バックパックの中に詰め込んでいたHK69グレネード・ランチャーを取り出し、予備の四〇ミリ擲弾をポーチに入れた。それから手榴弾を五個ずつ、ギャレットとマイヤーズに配った。

装備を確認した一同は、先ほどと同じように二手に分かれ、北と南の両方向から一キロ先のキャンプ地を目指した。

ジャングル内での索敵訓練を受けていたイエーガーは、歩き出してすぐに径の存在に気づいた。繁茂した草を、左右に掻き分けた痕が細く浮かんでいる。ムブティ人が狩猟で使うルートだろう。地面を観察したが、武装勢力が行軍したと思われる痕跡は見当たらなかった。

半時間ほど歩いた頃、木立の向こうからニワトリの鳴き声とともに人々の話し声が聞こえてきた。ムブティ人だ。声の調子から、和やかな空気が感じ取れる。少なくとも、彼らが軍事的脅威にさらされている気配はなかった。

イエーガーはキャンプ地の縁に接近し、近くの老木を選んで、音を立てぬように登り始めた。マイヤーズは地上に残り、周辺の警戒に当たっている。

三メートルほどの高さにある枝に両腕を預け、イエーガーは幹の蔭から頭だけを出して、前方の広場に双眼鏡を向けた。そしてピグミーと呼ばれる人々を、初めて自分の目で見た。

遠目にも、彼らの体が小さいのがよく分かった。西洋社会の基準に当てはめれば、小学生の集団を見ているかのようだ。全身は筋肉質なのに、なぜか下腹部だけが膨れている者が多い。肌の色が薄いのは、日照量の少ないジャングルで生活してきたためだろう。男たちは穿(は)き古したショート・パンツ姿、女たちは色とりどりの布地を体に巻き付けている。上半身が裸の女も目についたが、乳房がまさに房となって地面に向かって垂れ下がっているせいか、エロティックな感じはしなかった。むしろヒトという生物の、あるがままの姿を教えられているような光景だ。

彼らが身に着けている最低限の衣服や、調理に使っている鍋やナイフなどを除けば、数万年間も続いてきた原始の営(いとな)みがそっくりそのまま残されていた。しかし、文明社会から遠く隔たっているとは言え、一つ一つの顔に目を向ければ、そこには老若男女が揃っていて、無邪気さや穏やかさ、知恵や軽薄さや思慮深さといった、現代人が浮かべ得るすべての表情を垣間(かいま)見ることができた。

日没までは間があったが、広場に射し込む日の光は、すでに森によって遮られていた。一帯が闇に閉ざされるのも近い。イエーガーは作戦遂行に必要な情報を集めにかかった。

キャンプ地には、十一個の住居が数メートルの間隔を置いて、Uの字形に立ち並んでいた。イエーガーはその側面から観察しているので、手前に連なっている小屋の蔭にどれくらいの人数がいるのかは分からない。死角になっている部分は、反対側から偵察しているミックたちがカバーしているはずだ。

成人男性のほとんどは、広場中央に設けられた集会所のようなスペースに陣取っていた。人数は十五名だ。木製の長椅子に腰かけ、紙巻きタバコを吸いながらお喋りに興じている。女たちはそれぞれの住まいの外で、食事の支度に取りかかっていた。火を熾し、土の上に座り込んで、イモに似た果実を料理している。イエーガーの位置から確認できるのは五名だ。その他に子供たちがいた。蔓のような植物を丸めて作ったボールで、サッカー遊びに夢中になっている男の子が五名。他に六名の女の子がいて、花で作ったアクセサリーを頭に飾ったり、小さな子供の面倒を見たり、母親の料理を手伝ったりしている。

イエーガーは、自分が殺すことになる人々を観察し続けた。無理にでも病気の徴候を見つけようとしていた。彼らが致死性のウィルスに感染しているという確信さえ得られれば、罪悪感を払拭できる。彼らの頭に銃弾を撃ち込むのは、より恐ろしい死を避けるための、安楽死の手段だと言い逃れることができる。しかしこちらの願望とは裏腹に、彼らの立ち居振る舞いは健康そのものだった。

と、双眼鏡の狭い視界の中に、異様な人間が現われた。背のひょろ高い、白い肌を持った中年男。伸び放題の髭が顔の下半分を覆っている。人類学者のナイジェル・ピアースに間違いない。一番端の小屋から出て来たピアースは、ムブティ人たちと同じく、洗いざらしのTシャツにショート・パンツという出で立ちだった。その立ち姿は、まさに巨人だ。

これで、目の前のキャンプが攻撃目標のカンガ・バンドであることがはっきりした。彼らの間に病気の徴候が見られないのは、ウイルスが潜伏期間にあるからだろう。イエーガーは胸にのしかかる重圧を振り払い、今夜のうちに強襲を行なうべきかと考え始めた。彼らを一人残らず殺すことによって、人類を絶滅に追い込むウイルスを殲滅するのだ。ピアースの足元に痩せた犬がまとわりついているのを見て、番犬ならば最初に始末しなければならないと算段をつけた。

犬の相手をしていたピアースが体を起こし、周囲の森を見渡した。下手に動くとかえって目立つので、イエーガーは姿勢を変えずに監視を続けた。

ピアースは上体を反らし、胸一杯に空気を吸い込むと、いきなり英語で叫び始めた。

「どうか注意深く聞いてくれ！　私の声が聞こえているだろう！　君たちが近くにいるのは分かっている！」

イエーガーの足の下で、英語の怒鳴り声に驚いたマイヤーズが体の向きを変えた。目を丸くして、キャンプの方向を見つめている。

声の質といい、抑揚といい、ついさっき耳にしたばかりの叫び声と同じだった。しかし人類学者は、誰に向かって声を張り上げているのか。イエーガーはキャンプ地の様子を探ったが、ピグミーたちは意に介する風もなく、それぞれの仕事を続けている。

「私は君たちに語りかける！　ジョナサン・イエーガー、ウォーレン・ギャレット、スコット・マイヤーズ、そしてミキヒコ・カシワバラ、ガーディアン作戦の四名のオペレーターたちだ！」

イエーガーの装着している無線機から、ギャレットの声が響いた。「こちら、ギャング2。作戦が漏れてる」

了解のシグナルとして送信ボタンを押すノイズを一回送り、イエーガーは双眼鏡の中の人類学者を注視し続けた。

「ここにはウイルス感染者などいない！　ガーディアン作戦は欺瞞だ！　君たちは殺される！　アメリカの大統領府によって、君たちは全員殺される！」

驚愕したマイヤーズが、木の下からイエーガーを見上げた。

「心当たりがあるだろう、ギャレット！　君の背信行為はすでに露見している！　もはや逃れる術はない！」

ナイジェル・ピアースは何を言っているのか。ギャレットの背信行為とは何か。混乱した頭を必死に立て直そうとしているイエーガーの耳に、今度は自分の名前が飛び込んできた。

「それからイエーガー、よく聞け！　君の子供は助かる！　あの病気には治療法があるんだ！　こちらはジャスティンを救う手立てを用意している！」

イエーガーは頭を殴られた思いだった。ピアースのメッセージは明快に理解できた。ジャスティンの命を救えると言っているのだ。

想定外の事態に激しく動揺しながら、イエーガーは続く言葉を待った。だが、それを最後に叫び声は途絶えた。ナイジェル・ピアースは出て来た時と同じく、キャンプを囲んだ森の中に視線をめぐらせてから、彼の胸の高さしかない小さな住居に戻って行った。

イエーガーもマイヤーズも、動かずにじっとしていた。一時間ほどが過ぎ、キャンプ地全体が夜の闇に呑み込まれると、イエーガーは無線機の送信ボタンを五回押して撤収を指示した。

集合地点には、すでにギャレットとミックが待機していた。イエーガーとマイヤーズを迎えると、ミックが小声で「周辺には異状なし」と告げた。

全員が、顔の上半分を覆った暗視装置をイエーガーに向けた。彼らは押し黙り、リーダーが口を開くのを待っていた。

イエーガーは、通信担当のギャレットに命じて、雇用主であるゼータ・セキュリティ社の指示を仰ぐべきかを考えていた。だが、ナイジェル・ピアースの言葉が真実なら、自分たちはホワイトハウスに嵌められたことになる。さらに言えば、我が子を救う手立てがあることになる。

長い沈黙に痺れを切らしたのか、ミックが口を開いた。その声は怒気をはらんでいた。

「誰が作戦を漏らしたんだ？」

「そんなことは分からないだろう」とマイヤーズ。「僕たちはこの計画の末端にいるんだ。他にも関与している人間は山ほどいる」

「いや、ピアースは、はっきりと言った。ギャレットが背信行為をしていると」

ギャレットの頭がミックに向いた。「私が作戦を漏らしたというのか？」

「そうだ」

ギャレットは鼻で笑った。「大した想像力だな」

「とぼけるなよ、この嘘つきめ。お前が海兵隊出身じゃないことは分かってるんだ。俺たちに隠していることがあるんだろう？」

「待て」とイエーガーは割って入った。「全員、銃を下ろせ」

命令に従おうとしない三人の前で、イエーガーはゆっくりと攻撃用ライフルを地面に置いた。すぐにマイヤーズが続き、言い争っていた二人も渋々ながら小銃を手放した。

「状況を整理しよう」とイエーガーは言った。「ナイジェル・ピアースは、我々の作戦を察知している。その上で、ガーディアン作戦は欺瞞だと言った。ウィルス感染の話は嘘で、我々全員が殺されることになると」

「それこそが欺瞞じゃないのか」とミック。「作戦を中止させるために、俺たちを攪乱(かくらん)してるんだ。何もしなければ、自分が殺されるからな」

「だが、奴の情報は正確だった。我々についても、偽名ではなく本名を知っていた。それに」と、イエーガーは躊躇してから付け足した。「俺が病気の子供を持っていることもな」

「だから何だ？　奴の話を信じるのか？　まさか作戦の中止を考えているんじゃないだろうな？」

「ミック、落ち着け」とマイヤーズがたしなめた。「下手をすれば、俺たち全員の命に関わるんだぞ」

イエーガーは苛立っていた。ナイジェル・ピアースは、息子を救う手立てがあると言った。これではジャスティンを人質に取られたも同然だった。

そこへ、ギャレットがだしぬけに言った。「おそらく、ピアースが言ったことは本当だと思う」

他の三人が、一斉にギャレットを見た。

「少なくとも私には、命を狙われる理由がある」

「誰に命を狙われるんだ？」とイエーガーは訊いた。

「ホワイトハウスだ」ギャレットは、質問を浴びせようとしたミックを手で制し、イエーガーに言った。「二人だけで話をしたい」

「いいだろう」

「待てよ。俺たちにも聞く権利がある」

と詰め寄ったミックを、マイヤーズが肩を摑んで引き離した。「やめろ。これは軍事行動だ。リーダーの決定に従え」

ミックは反論しようとしたが、マイヤーズの右手がレッグホルスターの拳銃にかかっているのを見て引き下がった。「分かった」

イエーガーは小銃を拾い上げ、ギャレットとともに木立の奥に入った。

他の二人から十分な距離を取ると、ギャレットは言った。「すでにばれているとは思うが、私は海兵隊出身ではない。現役の〝ブルー・バッジャー〟だ」

〝ブルー・バッジャー〟とは、CIA局員を指す符丁だった。「エージェンシーの人間か」

「ああ。準軍事要員として、ずっと手荒な作戦に従事していた」

「手荒な作戦とは?」

「イスラム過激派の移送作戦だ。テロ容疑者の身柄を拘束し、海外の秘密収容所に送り込むんだ。そんな折り、急に配置換えになって、この作戦への参加が決められた。私はガーディアン作戦の遂行を監視するために、エージェンシーから送り込まれたのさ」

「見張り役だったというわけか」

「そうだ。みんなには嘘を言っていて申し訳なかったが」

「それが〝背信行為〟なのか?」

少しの間、逡巡(しゅんじゅん)してからギャレットは言った。「いや、違う。ピアースが言ったのは、その前の秘密移送作戦に関する話だと思う。バーンズ政権はイスラム過激派に対し、拷問を行なっている。水責めとか性的虐待とか、そんな生易しい話じゃない。シリアなどの第三国へ秘密裏に引き渡し、もっと激しい拷問を代行させるんだ。誰も生きては帰れない。現在の地球上には、鋼鉄製の折り畳みベッドに縛りつけられ、全身を二つに折られて殺される人間がいるのさ」この男にしてはめずらしく、感情の昂(たか)ぶりを見せながらギャレットは続けた。「これは明らかに戦争犯罪だ。そこで私は、あるNGO――人権監視団体とひそかに連絡を取り、二重スパイとなった。目的は、拷問の証拠を集め、グレゴリー・バーンズを戦争犯罪人として国際法廷に引き出すことだ」

「合衆国大統領を?」とイエーガーは驚いて訊き返した。「できるわけないだろう」

「そうだ。明らかに無理だ。だが、バーンズへの脅しにはなる。国際刑事裁判所(ICC)への提訴が検討されれば、少なくともアメリカ主導の拷問は行なわれなくなる」ギャレットは冷静な口ぶりに戻り、観念したように言った。「つまり私は、国家の名誉を考えて売国奴(トレイター)となったのさ。バーンズ政権に殺されても仕方ない」

イエーガーは視線を落とし、ギャレットの話をどこまで信じるべきかと思案した。「しかし、どうしてそれをナイジェル・ピアースが知っているんだ?」

「まったく分からない」

「他にも疑問はある。お前一人を殺したいなら、こんな手の込んだ欺瞞作戦は必要ないはずだ」

「いや、多分、こういうことだと思う。ガーディアン作戦が先にあったんだ。オペレーターを殺す必要のある計画が立案され、その中に私が組み込まれた」

「オペレーター、つまり俺たち三人までが殺される理由は？」

「口封じじゃないか？　罪もないピグミーたちを虐殺することになるからな」

「いや、それもおかしい。ピアースの言葉を信じるなら、致死性ウイルスすらも存在しないことになる。そうなると、ムブティ人を殺す理由もない」

そこで二人は、ふと顔を見合わせた。

「最後に残るのは、ガーディアン作戦における最優先の攻撃目標だ」とギャレット。「〝見たこともない生き物〟」

これまで冗談のネタにしてきた未知の生物が、俄に巨大な黒い影となってイエーガーの心を覆っていった。「その生き物について、何か思い当たることは？」

「まったく見当もつかん」と首を振ったギャレットは、イエーガーを正面から見つめて言った。「これで知っていることはすべて話した。信じる、信じないはそっちに任せる」

イエーガーは沈思黙考し、決断した。「よし、計画を一部変更する。来てくれ」

二人が元の場所に戻ると、ミックが苛立ちを見せて訊いた。「結論は出たのか？」

「ああ。今夜のうちに、カンガ・バンドへ強襲をかける。だが目的は、ムブティ人の殲滅ではない。ナイジェル・ピアースを拉致し、訊問する。奴がどういうつもりなのかを直接、聞き出す。この方針に異論のある者は？」

マイヤーズと、そしてミックも首を振った。とりあえずは納得のいく決定だったのだろう。

「〝ゼータ〟への連絡はどうする？」と通信担当のギャレットが訊いた。〝ゼータ〟とは、ゼータ・セキュリティ社の略称だった。「強襲開始のコールサインを送るか？」

「そいつは忘れろ」

「要撃に遭った場合の対応は？」とミックが質問した。「あいつらは、俺たちが近くにいることを知っているんだぞ」

「その時は応戦する。だが、なるべく殺すな。銃で威嚇すれば制圧できるはずだ。その後、直ちにピアースを連れ出し、訊問にかかる。今から十五分以内に手順を詰め、行動に移る。いいな？」

全員が頷き、足元に置いたAK47小銃を手に取った。

雑誌専門図書館は、世田谷区の住宅街にぽつんと建っていた。二階建ての鉄筋建築だが、ここに七十万冊もの蔵書が眠っているとは信じられないような、小振りな外観をしている。

朝の九時少し前、研人が到着した時には、すでに五名ほどの人々が入口前にたむろして開館を待っていた。インターネットの情報では、利用者の多くがマスコミ関係者とあったので、彼らはその世界の人々だろう。

ガラス張りの玄関の向こうに職員が姿を見せ、定刻通りに図書館の玄関を開いた。研人は一団の最後尾についてカウンターに行き、入館手続きを行なった。

「こちらに、お名前と連絡先をご記入下さい」

入館カードを差し出された研人は、一瞬、迷った末に、『田村大輔』という偽名とデタラメな住所を記入した。もしかしたら、またもや犯罪に手を染めたのかも知れなかった。

五百円の入館料を支払って、検索コーナーに行った。専用端末にキーワードを打ち込むと、掲載雑誌がリストアップされるらしい。空いている機械の前に座り込み、『ハイズマン・レポート』の文字列を入力して検索をかけた。

すると、コンピューター画面上に二十五冊もの雑誌名が表示された。発行年月日を見ると、ほとんどが一九七五年に集中している。間違いない。菅井の言っていた通り、三十年前の記事だ。

あまりに簡単に『ハイズマン・レポート』に到達したため、拍子抜けしてしまったが、とにかくすべての雑誌を『閲覧希望用紙』に書き込んでカウンターに提出した。

「雑誌は二階でお受け取り下さい」との案内に従って、研人は階段を使って閲覧室に向かった。そこはガラス窓に囲まれた明るいスペースで、大きな閲覧用のテーブルが並んでいる。開館時に一緒に入館した利用客たちが、すでに席について雑誌を開いていた。

「田村様、貸し出しカウンターまでお越し下さい」とのアナウンスが自分を指しているのに気づいて、研人は慌てて雑誌を受け取りに行った。

二十五冊の雑誌の束は、案外なボリュームだった。二度に分けて自分の席に運び、どれから見ていこうかと考えた。堅苦しい政治専門誌からヌード・グラビア満載の青年誌まで、硬軟取り混ぜた多彩な取り合わせだ。肩の凝らない物からにしようと決めて、『平凡パンチ』なる雑誌を手に取った。

三十年前のヌード写真は、モデルの下腹部が白くぼかされていた。研人は思わずニヤニヤしてしまったが、周囲の視線が気になって、真面目にならねばと自らを戒めた。目次を参照して『ハイズマン・レポート』の記事を探すと、すぐに見つかった。

『アメリカ政府の極秘文書!「人類絶滅の研究」が物語る全面核戦争の恐怖!!』

五ページを費やした『総力特集』だ。研人は一文字も逃すまいと誌面を追った。

そこに書かれていたのは、核戦争が起こったら世界がどうなるかの検証だった。米ソ両国が保有する核兵器を総合すると、全人類を二十数回にもわたって繰り返し絶滅させられるほどの破壊力になるという。五万発の核ミサイルが、世界各国一万五千箇所の攻撃目標に狙いを定めているので、地球上のどこにも逃げ場はない。ちなみに標準的な戦略核ミサイル一発の破壊力は二メガトンで、第二次大戦中に無差別爆撃で使われた通常型爆弾の総量に匹敵する。しかも核ミサイルの発射基地だけは核攻撃に耐えられるように設計されているため、核戦争の最初の段階で全人類が死滅した後も自動報復装置によって発射が繰り返され、無人となった地球上をさらに数万発の核ミサイルが飛び交う事態となる。核シェルター内部に生き残った人がいたとしても、備蓄食糧が底をついた段階で死に絶える。その時には地球全土が放射能に汚染され、ほとんどの動植物が絶滅しているからである。わずかに残った生物種も、放射線被曝による突然変異で怪物のように姿を変えているだろうとのことだった。

レポートが指摘しているのは、人類がさらけ出した桁外れの狂気だった。人間というのは、こんなに馬鹿な動物だったのかと研人は驚かされた。いや、人間全体ではなく、核兵器保有国の人間だけが馬鹿だったのだろうか。記事の中で論じられている核ミサイルの弾頭数は三十年前のデータだが、現在の核保有国は、全人類を何回殺せるだけの核爆弾を用意しているのだろう。

興味深く『総力特集』を読んだ研人であったが、父親が自分に託した研究とは無関係のような気がした。『ハイズマン・レポート』には人類の絶滅要因が複数、記載されているはずだが、記事で採り上げられているのは核戦争の恐怖だけだ。他の項目については、一切触れられていない。

研人は二冊目の雑誌に手を伸ばした。『GORON』誌の七五年六月号。

『核の冬は訪れるか?!　アメリカ秘密レポートが衝撃の警告!!』

　これもまた、核戦争の恐怖だった。菅井から聞かされていた通り、前世紀の後半は、核兵器による人類絶滅が真剣に論じられていた時代だったのだ。それはよく分かった。よく分かったのだが、と研人は、堆く積まれた雑誌の山に目をやった。

　この中から有用な情報を探し出すのは、かなり大変な作業になりそうだった。

　カンガ・バンドの監視地点に戻ってからの六時間あまり、イエーガーたちは拉致作戦決行のチャンスを待ち続けた。

　ピグミーの狩猟キャンプは夜の闇に閉ざされていた。家々の前に置かれた薪の炎が、光と闇の間を行き来する人々の横顔をぼんやりと浮かび上がらせている。

深い森の中に灯された炎は、それだけで驚異だった。野生動物が近寄ろうとしないのは当然だとイエーガーは思った。自然という世界の外へ、一歩足を踏み出してしまった生き物たちの徴。イエーガーにとっては、愛しさと郷愁を呼び覚ます温かい眺めだった。

　ムブティ人たちは夜の食事を終えると、手製の楽器を持ち出して歌や踊りに興じ始めた。彼らの音楽的才能は驚くべきだった。笛や太鼓、竪琴などの音色の上に、歌い手の声が幾重にも重なり、複数の素朴なメロディが絡み合って、見事なハーモニーを作り出している。野性の漲る暗黒のジャングルの中で、ここには確かに人間という生物が存在しているのだと、歓喜の声も高らかに主張しているかのようだった。

彼らの間に警戒行動を窺わせるものはないか、注意深く観察したが、小柄な人々は楽しそうに歌い踊るだけで、戦いに備えている気配は微塵も感じられなかった。途中、踊りに参加している子供たちが空を指さし、口々に何かを言い始めた。イエーガーが彼らの視線を追うと、夜空を埋めた星の一つが南から北へと高速で移動しているのが見えた。周回軌道を飛ぶ人工の星は、彼らの目にはどう映っているのだろう。

肝心の拉致目標であるナイジェル・ピアースは、途中で自分の小屋に引っ込んだきり、二度と姿を現わさなかった。住居の中を赤外線映像装置で覗き込んでみたものの、積み上げられた荷物に遮られてピアースの姿は捉えられなかった。

二三〇〇時を過ぎた頃に賑やかな宴が終わり、女や子供たちがそれぞれの住居に戻って行った。残ったのは、広場中央の集会所でお喋りを始めた八名の男たちだけだ。

やがて日付が変わり、全員が眠りについたのが〇二〇〇時。傭兵たちはさらに一時間を費やして、カンガ・バンドの四十名全員が寝静まるのを待った。

行動を起こす前に、イエーガーは最終チェックを行なった。この暗闇で戦闘になったとしても、こちらは暗視装置を持っているので圧倒的な優位に立てる。二匹いる犬の寝場所も確認済みだが、あまりに痩せ細っていて元気がないので、番犬の役目を果たすとは考えにくかった。

　樹上に陣取っていたイエーガーは、音を立てぬよう、慎重に地上に降りた。周辺警戒に当たっていたマイヤーズに頷きかけ、それから無線機の送信ボタンを二回押して、他の二名に接近開始のシグナルを送った。

　イエーガーとマイヤーズは、広場の南側から東側へ、キャンプ地を回り込むようにして移動し、一度立ち止まって、通信用ヘッドセットを耳から離した。Uの字形に並んだ小屋のあちこちから、鼾や寝息が聞こえていた。大丈夫だ。大半の者は熟睡している。ナイジェル・ピアースが使っている一番端の住居に暗視装置を向けると、ギャレットとミックが後方から近づいているのが見えた。

　イエーガーはＡＫ47を静かに下ろし、肩にかけたスリングでぶら下げてから、サプレッサー付きのグロックに持ち替えた。ピアースの声が漏れぬよう、口に突っ込むタオルは、すでにタクティカル・ベストの前面に差し込んである。

　ハンドシグナルで各自のポジションを指示すると、他の三人がゆっくりと動き、襲撃目標の小屋を背にして防御円陣を作った。広場の反対側で寝そべっている犬にも動きはない。

　決行の時だった。

　イエーガーはゆっくりと歩き出し、小屋の側面に辿り着いた。耳を澄ましても、寝息は聞こえてこなかった。ピアースは、まだ起きているのかも知れない。しかしそれも想定の範囲内だった。銃を突きつければ抵抗を封じることができる。

イエーガーは中腰の姿勢になり、拳銃の握りを確かめ、それから滑るような動きで小屋の前面に回り込んだ。入口は素通しだ。暗視装置の電子映像が、住居の内部を映し出した。探すまでもなく、拉致目標は目の前にいた。髭に覆われたナイジェル・ピアースの顔が真正面に見えている。何も敷いていない地面の上に座り込み、こちらを凝視している。だがイエーガーは怯まなかった。相手の眉間に銃の狙いを定め、「動くな」と低く命じて小屋の中に踏み込もうとした。ところがそこで全身が硬直した。

暗視装置が異様なものを捉えていた。イエーガーの首筋の毛が戦慄で逆立った。ピアースはその腕の中に、見たこともない生き物を抱いていた。

――この生き物の最大の特徴は、一目見ただけで未知の生物だと分かる、ということだ。

未知の生物も、じっとこちらを見つめ返していた。体毛のない肌、短い手足、その姿態は、人間の子供に酷似している。だが、それだけに頭部の異様さが際立っていた。

――その瞬間、諸君の頭は混乱するかも知れない。しかし何も考えるな。

人間の幼児に似た生き物は、不釣り合いなほど大きな頭を持っていた。発達した前頭部が丸みを帯びて張り出し、額から顎にかけての輪郭が急激に細くなって逆三角形を描いている。体は三歳児くらいの大きさだが、目鼻立ちはさらに幼い。まだ頭蓋骨の固まっていない新生児の華奢な顔のまま、首から下だけが成長してしまったかのようだ。

――この生き物は何なんだとか、疑問を持ってはいけない。

しかしその顔には、人間の乳児とは大きく異なる特徴があった。左右のこめかみに向かって吊り上がった大きな目だ。上目遣いにこちらを見据えている視線には、明晰な意識と知性が感じられた。その鋭い眼光が物語るものは何か。警戒か、好奇か、狂気か、邪悪か。イエーガーは、理解不能な存在を前にして恐怖を感じた。これは人間に似ているが、しかし人間ではない。

——見つけ次第、直ちに殺せ。

我に返ったイエーガーは、見たこともない生き物に銃口を向け、そして言った。「何だ、これは？」

グラビアの中から艶然と微笑みかける美女たちの誘惑を退け、研人は十八冊目にして、ようやく目当ての記事を見つけた。『季刊　現代政治』誌の七五年夏号。小冊子と言ってもいいほどの小さな雑誌だ。その巻頭に、『アメリカ合衆国のシンクタンク研究』という特集が組まれていた。本文の中ほどに、『以下に、シュナイダー研究所がホワイトハウスに提出した報告書、「ハイズマン・レポート」の全文を採録する。』との一文を見つけた研人は、図書館のパイプ椅子の上で座り直し、期待に胸を躍らせてページをめくった。

すぐに『人類の絶滅要因の研究と政策への提言』というタイトルが目に飛び込んできた。

これが『ハイズマン・レポート』の正式なタイトルだ。執筆者は『シュナイダー研究所首席研究員　ジョゼフ・R・ハイズマン Ph.D.』とある。

短い序文には、報告書の目的と断り書きが記されていた。

『この報告書においては、天文学的・地質学的な時間スケールの絶滅要因については言及しない。例を挙げれば、五十億年後に太陽が燃え尽きることによって起こる地球の終焉(しゅうえん)や、ヒトのY染色体が消滅して生殖が不可能になる数十万年後の未来、などである。』

なるほど、と研人は一つ頷き、本論に移った。

『1.　宇宙規模の災害』

最初の項目で論じられているのは、小惑星の地球への衝突と、その後に起こる二次的被害についてであった。研人がやや意外に感じたのは、三十年前の段階では、この問題は科学とSF的思考の境界に位置づけられていて、ハイズマン博士が敢えて『近未来に起こり得る、看過すべきではない問題』と注意を喚起している点だった。『近年の地質学的調査によって、他天体の地球への衝突は、従来考えられていたよりもはるかに高い頻度(ひんど)で繰返されていることが分かってきた。』

ハイズマン博士には先見の明があったと言うほかない。現在では、世界各国で地球近傍天体の監視が行なわれているし、大都市を壊滅させる程度の小惑星が、何度も地球とニアミスを起こしているのだ。

『2．地球規模の環境変動』

二番目の項目では、研人が知らなかった可能性が論じられていた。『地磁気の南北逆転現象』だ。地球上では過去に何度か、地磁気のN極とS極が入れ替わった形跡があり、これが恐竜の絶滅を引き起こしたという仮説まで立てられているらしい。一見すると遠い将来の問題、つまり地質学的な時間スケールの問題のようにも思えるが、『ハイズマン・レポート』ではこう警告している。『過去二百年間、地磁気は急速に弱まっており、一千年後には完全に消失すると考えられる。おそらくこの後に、地磁気の逆転が起こるのであろうが、その前の段階、地磁気が消失した時点では地球を守る磁気圏が失われ、太陽風を含む有害な宇宙線が地上に降り注ぎ、人類のみならずあらゆる生物種の大量絶滅が起こる可能性がある。』

三十世紀の地球に暮らす理系の人々は、この危機を回避するだけのテクノロジーを確立しているのだろうか。頑張れ、と研人は、一千年後の子孫にエールを送った。

『3．核戦争』

報告書が、もっとも多くのページを割いているのがこれだった。限定核戦争、全面核戦争、核ミサイルの誤射などによる偶発的核戦争のいずれもが、人類を滅亡に導くと警告している。『核攻撃が一度でも行なわれれば、抑止力によって辛うじて保たれている均衡が破られ、報復攻撃の連鎖がカスケード式に膨れ上がるのは必定（ひつじょう）』であり、『限定的な核戦力の行使でも、地球全土を覆う死の灰による生態系の被害、あるいは酸化窒素の濃度上昇によるオゾン層の破壊で、全人類が存亡の危機に立たされる事態となる。また、食物資源の壊滅的打撃により深刻な飢餓が発生し、これが次の戦争を勃発させる要因となるのは明らかである。そうなれば、第三次世界大戦が不可避のものとなり、その戦いは速やかに人類の終末戦争へと移行する。』

ジョゼフ・ハイズマンという学者は、徹底して核の非戦論を説いていた。おそらく、科学者たちが核兵器を生み出してしまったことへの自戒の念もあったのだろう。

『4．疫病：ウイルスの脅威及び生物兵器』

ここでいきなり、父親の専門分野が出てきたので、研人は意外に思った。父が関心を寄せていたのは『Heisman Report #5』、つまり五番目の項目だったため、そこでウイルス問題が論じられているのではないかと考えていたのである。

『自然界に発生した疫病が、人類を絶滅に追い込む可能性は皆無（かいむ）であると言ってよい。黒死病もスペイン風邪も、人類社会に甚大な被害を与えたが、我々を絶滅させるには至らなかった。ヒトという生物種が、限られた数の遺伝子で、どのように無数の抗原に対処しているのかは未（いま）だ不明であるが、あらゆる病原体に対して抵抗し得るだけの遺伝的多様性を獲得しているのは確かである。』

この謎を解き明かした日本人科学者がノーベル賞を受賞したんだっけ、と研人は思い出した。

『どのような危険な疫病に対しても、免疫的に打ち勝つ個体は必ず現われる。過去二十万年間にわたって人類を絶滅させる疫病が発生しなかったことは、現在、生きている我々自身が証明している。

一方で、現時点における唯一の心配事は、ヒトの免疫システムを直接攻撃するウイルスの出現である。』

研人は、開いている雑誌に向かって思わず身を乗り出した。そのウイルスなら、すでに発生している。後天性免疫不全症候群（エイズ）を発症させるヒト免疫不全ウイルス（HIV）だ。

『一九六九年六月に行なわれた、国防総省研究開発局副局長による議会証言によれば、「五年から十年以内に、免疫プロセスが通用しない病原性微生物を創り出す」とのことであるが、このような生物兵器が紛争地域で使用され、あるいは実験施設から漏洩し、感染が拡大すれば、ヒトの種としての存続は危機にさらされる。』

啞然としながら、研人はエイズに関する知識を頭の隅から引っ張り出した。あの病気がアメリカ国内で確認されたのは、一九八〇年代前半のことだった。アメリカ国防総省が証言通りに計画を進めていたなら、七〇年代には「免疫プロセスが通用しない病原性微生物」が誕生していたことになる。ウイルスの潜伏期間を考慮に入れると、生物兵器の開発とエイズという病気の出現が、時期的にはぴたりと一致する。

エイズ・ウイルスは、アメリカが開発した生物兵器だったのだろうか。

研人がそう考えたのには、もう一つ理由があった。十年ほど前、父の誠治は、エイズ禍が深刻化していたアフリカのザイールに行っていた。文部省の予算を得た疫学(えきがく)的調査であり、少数民族ピグミーの間に、エイズ・ウイルスが広まっているかどうかを調べるのが目的だった。ところがザイールに入ってからすぐに内戦が勃発したため、誠治は命からがら日本へ舞い戻る羽目になった。

ウイルス学者だった父、『ハイズマン・レポート』、そしてＦＢＩの捜査――一連の出来事を整理すると、一つの筋書きが見えてくる。エイズ・ウイルスが生物兵器であるという証拠を誠治が掴み、アメリカ政府が隠蔽(いんぺい)に動き出したというものである。

いや待て、と研人は椅子の背もたれに体を預け、天井を見つめて考え直した。何でもかんでもアメリカの陰謀にしてしまうのはまずい。ヒト免疫不全ウイルス(ＨＩＶ)に関しては専門家による調査が何度も行なわれ、アフリカ起源説が強く支持されている。それに加え、ザイール――その後の政変で国名はコンゴに変わったが、とにかく現地調査に赴いた誠治は、手ぶらで帰ってきたわけではなかった。ピグミーの中の一種族、ムブティとかいう人々の血液サンプルだけは採取し、彼らがＨＩＶだけでなく、いかなるウイルスにも感染していないことを確かめている。生物兵器の証拠を掴もうにも、肝心のウイルスは出てこなかったのだ。

いい線いっていたのだが、この仮説は捨てざるを得ないようだ。研人はポケットからくしゃくしゃになったハンカチを出し、メガネを拭いた。

いよいよ五番目の項目に目を通す時がきた。もしもこれが空振りなら、すべての手掛かりが消える。FBIを敵に回した大冒険も終わるだろう。警察に出頭する自分の情けない姿を思い浮かべ、暗い気分になりながら、研人は『現代政治』誌に視線を戻した。見開きページの右側に、目当ての項目があった。

『5. 人類の進化

生物進化が、遺伝子の点突然変異によってのみ、もたらされるという言説には疑義を呈する。化石資料を見る限り、生物進化は漸進的であるとともに断続的である。進化という現象には、漸進と断続の両面から生物種を作り替える未知のメカニズムが潜んでいる。生物は、長い時間をかけて微細な変化を蓄積させていく一方で、ある時突然、大きく形質を変え得るのである。そしてこの主張は、我々霊長類にも当てはまる。

著書『ヒトと進化』の中で、形質人類学の視点から人類の進化について論じたパリ大学教授ジョルジュ・オリヴィエの言を借りるなら、「未来のヒトは間もなく不意に来る」ことになる。実際のところ、約六百万年前にチンパンジーとの共通祖先から枝分かれした生物は、猿人、原人、旧人、新人と姿を変える過程で、進化の速度を明らかに加速させている。人類の進化は、明日にでも起こり得るのである。

現生人類から進化を遂げた次世代のヒトは、大脳新皮質をより増大させ、我々をはるかに凌駕(りょうが)する圧倒的な知性を有するはずである。その知的能力を、オリヴィエはこのように想像する。「第四次元の理解、複雑な全体をとっさに把握すること、第六感の獲得、無限に発展した道徳意識の保有、特に我々の悟性には不可解な精神的特質の所有」

このような次世代の人類が出現し得る場所は、文明国ではなく、周囲との交通が遮断された未開の地である可能性が高い。こうした地域に住む少数の集団では、個体レベルの遺伝子変異が集団間に定着しやすいためである。

では、新たに誕生したヒトは、どのように行動するだろうか。間違いなく言えることは、我々を滅ぼしにかかるだろうということである。現生人類と次世代の人類、この二つの生物種は生態的地位(エコロジカル・ニッチ)が完全に一致するため、我々を排除しない限り、彼らの生息場所は確保されない。その上、彼らから見た現生人類とは、同種間の殺し合いに明け暮れ、地球環境そのものを破壊するだけの科学技術を持つに至った、危険極まりない下等動物なのだ。知的にも道徳的にも劣った生物種は、より高度な知性によって抹殺される。

人類の進化が起これば、ほどなくして我々は地球上から姿を消す。北京原人やネアンデルタール人と同じ運命を辿るのである――』

第二部　ネメシス

1

アーサー・ルーベンスが幼稚園の入園テストを受けた時、彼の両親は園長に呼び出され、「お宅の息子さんのＩＱは測定不能です」と告げられた。もちろん、それが良い意味での「測定不能」であったために、メリーランド州で小規模のレストラン・チェーンを経営する父と専業主婦の母は大いに喜んだ。

　ルーベンスの年齢が二桁になる頃には、彼の知能指数は測定限界の内側に入ってきていたが、それでも正規分布曲線の末端にとどまり続けた。グラフ上のプロットが物語っているのは、ルーベンスが一万人に一人の優秀な頭脳の持ち主であるということだった。彼と同等か、それ以上の知的能力を有する者をアメリカ全土から掻き集めても、野球場の観客席を満員にすることは不可能なのだった。

　ところが周囲の期待とは裏腹に、ルーベンスが自分の能力を見限るのも早かった。十代半ばを前にして、すでに自分は独創性に欠けていると気づいていた。先人たちが打ち立てた学問的業績を受け継ぐことはできても、そこに革新的な知見を加えることはできない。人類の歴史において、高度な科学文明を築き上げてきたのは天才たちの頭脳に宿った一瞬の閃き(ひらめ)であり、そのような天啓を受け取るアンテナが自分の頭には立っていないことを、人生の早い段階で悟ったのだった。

そんな訳で、十四歳でジョージタウン大学に進学したルーベンスは、自ら神童の座から降りて秀才の地位に収まった。金銭欲も権力欲もなかった彼は、たった一つの人並み外れた欲求、知識欲を満たすために、あらゆる講義に顔を出した。中でも彼を魅了したのは科学史だった。紀元前六世紀の自然哲学の誕生から二十世紀の理論物理学の発展まで、人類が集積した知の全貌(ぜんぼう)を辿(たど)る旅は、何物にも代え難いほどの面白い娯楽となった。科学の視点から人類史を顧(かえり)みるに、返す返すも残念なのは、ヨーロッパ人が知的進歩を止めた暗黒時代の存在だった。これさえなければ、人類は遅くとも十九世紀には月面に到達していたはずなのだ。

勉学については申し分のない学生生活だったが、その他の面では最悪だった。ルーベンスの若さと頭脳、それにブロンドに彩られた端整な顔立ちは、年長の学生たちの妬(ねた)みを買うのに十分なほど突出していた。悪ふざけを仕掛けてくる年上の同級生の眼の底には、いつも拭(ぬぐ)い難い敵意が潜んでいたし、とりわけ閉口したのは、童貞であることを殊更(ことさら)に強調されることだった。嫉妬にまみれた男たちの、冗談めかして本気で他者を貶めようとする醜い笑顔を何度も見せつけられているうち、ルーベンスは一つの傾向に気づいた。知的に劣る男ほど、性的な面で優位に立とうとするのが歴然と見て取れたのだった。ルーベンスが女子学生と親しくしようものなら、嫌がらせはより陰湿になった。愚かな男たちの姿は、大きな角を突き合わせてメスを奪い合う獣の姿を連想させた。

以来、ルーベンスは、残酷な観察者となった。愚鈍を装い、他人の悪意に気づかぬ振りをして接していると、相手はますます図に乗って心の中の獣性をさらけ出してくる。すべてを見透かされているとも知らずに、自分たちが動物の一種であってそれ以上の存在ではないことを自ら暴露する。

ルーベンスの見たところ、社会生活の中に見られるあらゆる競争の原動力は、たった二つの欲望に還元されるようだった。食欲と性欲だ。他人よりも多く食べ、あるいは貯め込み、より魅力的な異性を獲得するために、人間は他者を貶め、蹴落とそうとする。獣性を保持した人間ほど、恫喝や謀略といった手段を用いて、組織と名付けられた群れのボスにのし上がろうとする。資本主義が保障する自由競争は、こうした暴力性を経済活動のエネルギーへとすり替える巧妙なシステムなのだ。法で規制し、福祉国家を目指さない限り、資本主義が内包する獣欲を抑え込むことはできない。とにかくヒトという動物は、原初的な欲求を知性によって装飾し、隠蔽し、自己正当化を図ろうとする欺瞞に満ちた存在なのだった。

大学に入ってから六年後、二十歳の若さでルーベンスは数学基礎論の研究で哲学の博士号を取り、女性の美しさと優しさを初めて肉体的に知り、それから住み慣れたジョージタウンを後にした。ロスアラモス研究所で博士研究員（ポスドク）として働き、さらに複雑系という科学の新しい潮流を学ぶためにサンタフェ研究所に赴（おもむ）いた。そこのカフェでたまたま知り合った心理学者から、ルーベンスはその後の進路を決定づける興味深い話を聞かされた。アメリカ軍兵士の、戦場における発砲率の研究である。

「第二次世界大戦中、近距離で敵兵と遭遇したアメリカ軍兵士が、どれくらいの割合で銃の引き金を引いたと思うかね？」

茶飲み話で発せられた質問に、ルーベンスは深く考えることもなく答えた。「七割くらいですか？」

「違う。たったの二割だ」

ルーベンスの顔に浮かんだ驚きと疑念を見て取って、心理学者は続けた。「残りの八割は、弾薬補給などの口実を見つけて殺人行為を忌避していたんだ。この数字は、日本軍の玉砕攻撃（バンザイ・アタック）にさらされた場合でさえも変わらなかった。最前線の兵士たちは、自分が殺されるという恐怖よりも、敵を殺すストレスのほうを強く感じていたのさ」

「意外な話ですね。人間は、もっと野蛮な生物かと思ってました」

すると心理学者は、にやっと笑って、「まだ続きがあるんだ」と言った。「この調査結果に慌てたのは軍部だ。兵士が道徳的であってはまずいのだ。そこで発砲率を高めるべく心理学的研究が行なわれ、ベトナム戦争での発砲率は九十五パーセントにまで急上昇した」

「軍部はどんなことをやったんです？」

「簡単なことさ。射撃訓練の的を丸形標的から人形（ひとがた）標的に変え、本物の人間のように自動的に起き上がるようにした。さらに射撃の成績によって、軽い懲罰（ちょうばつ）を科したり報酬を与えたりした」

「オペラント条件付けですか」

「そう。給餌器（きゅうじき）のレバーを押すようにネズミを仕向けるのと同じことだ。ところが――」

と心理学者は、少しだけ顔を曇らせた。この「敵を見たら反射的に発砲する」ための訓練方法には、大きな欠陥があった。兵士の心理的障壁が取り除かれるのは発砲する時点までであり、敵を殺した後に生じる精神的外傷（トラウマ）までは考慮されていなかったのである。結果、ベトナム戦争では、帰還兵の間に大量のＰＴＳＤ患者を生み出すこととなった。

「しかし」と、ルーベンスは疑問を口にした。「人間がそこまで殺人行為を嫌悪しているのなら、どうしてこの世から戦争がなくならないんです？　そもそもたった二割の発砲率で、どうしてアメリカは第二次世界大戦に勝てたんです？」

「まず、人を殺してもまったく精神的打撃を受けない〝生まれついての殺人者〟が男性兵士の二パーセントを占める。精神病質者だ。だが彼らの大半は、一般社会に戻れば普通の市民生活を送る。戦時においてのみ、後悔も自責の念も持たずに殺人を行なうことのできる〝理想的な兵士〟なんだ」

「しかし、それがたったの二パーセントでは、戦争には勝てないでしょう？」

「残りの九十八パーセントを殺人者に仕立て上げるのも、実は簡単なことだと分かった。まずは権威者への服従や帰属集団への同一化などで、個としての主体性を奪う。それからもう一つ、殺す相手との距離を隔てるのが重要となる」

「距離？」

「ああ。この言葉は二つの概念から成る。心理的距離と、物理的距離だ」

例えば敵が人種的に異なり、言語も宗教もイデオロギーも違うとなれば心理的距離は遠くなり、それだけ殺しやすくなる。そもそも平時からすでに他民族との心理的距離をとっている人間、つまり自らが所属する民族集団の優位性を信じ、他民族を劣等と感じている人間は、戦時においてはたやすく殺人者へと変貌する。普段の生活の中で周囲を見回せば、そんな人間の一人や二人はすぐに見つかるはずである。さらに戦う相手が倫理的にも劣った、鬼畜に等しい連中だと徹底的に教え込めば、正義のための殺戮が開始される。こうした洗脳教育は、あらゆる戦争で、あるいは平時にも、伝統的に行なわれてきた。敵国人にジャップやディンクなどといった蔑称をつけるのが、その第一歩である。

「物理的距離を保つためには」と心理学者は続けた。「兵器というテクノロジーが必要になる」

　戦闘の最前線で発砲をためらう兵士も、敵を直接見ることのできない遠距離にいるだけで、より破壊力のある攻撃手段――迫撃砲の発射や艦砲射撃、航空機からの爆撃など――を躊躇なく使えるようになる。目前の敵を射殺した兵士が生涯癒えぬ心の傷を負うのに対し、空襲に参加して百人の命を奪った爆撃手は何の痛痒も感じないのである。

「人間と他の動物を隔てるのは、想像力の有無だと言った学者がいた。だが兵器を使う際には、ヒトとしての最低限の想像力も麻痺する。爆撃機の下で逃げ惑っている人々が、どんな悲惨な死を遂げるかは眼中にないのさ。こうした倒錯が起こるのは軍人だけじゃない。一般市民の間にも見られる普遍的な心理だ。分かるだろう?」

　ルーベンスは頷いた。人々は、敵兵を銃剣で刺し殺した兵士を白眼視する一方で、敵機を十機撃墜したパイロットは英雄視する。

「殺戮兵器の開発は、敵をいかに遠ざけ、より簡単に大量の犠牲者を出すかに主眼が置かれてきた。素手で殴り殺すよりも刃物を、さらには銃器を、砲弾を、爆撃機を、果ては核弾頭を積んだ大陸間弾道ミサイルを、だ。しかもアメリカの場合、これが国を支える基幹産業の一つになっている。だから戦争は、なくならないのさ」

　こうした研究に接したルーベンスは、現代における戦争には共通した構造があることに気づいた。戦争当事者の中で、もっとも残忍な意思を持つ人間、つまり戦争開始を決定する最高権力者ほど、敵からの心理的・物理的距離が離れた位置に置かれているということである。ホワイトハウスで晩餐会に出席している大統領は、敵の返り血を浴びることも、肉体を破壊された戦友が発する断末魔の叫びを聞くこともない。殺人にまつわる精神的負荷をほとんど被らない環境にいるからこそ、生来の残虐性を解き放つことができるのだ。軍隊組織がこのような形態に進化し、兵器が科学技術によって改良されてきた以上、近代戦において殺戮が激化するのは当然だった。戦争の意思決定者は、良心の呵責を感じることなく大規模空爆を命令できるのだ。

　では、数十万人を殺すことになると分かっていながら戦争を指示する一国の指導者は、その残虐性において普通の人間なのだろうか。それとも、やはり彼らは異常な人間で、人並み外れた攻撃性を社交的な微笑の後ろに隠し持っているのだろうか。

　ルーベンスは後者だろうと推論した。権勢欲に取り憑かれ、あらゆる政治的闘争を勝ち抜いていく人間は、正常の範囲から逸脱した好戦的な資質を有しているはずだ。しかしその反面、民主主義国家では、そうした人間をリーダーとして選出するシステムが民意によって作り上げられているので、選ばれた人間こそが集団の意思を体現しているとも言えるのである。となれば、戦争の心理学は、権力者の心理学に置き換えることが可能だ。人はなぜ戦争をするのかという疑問に答えるためには、戦争を命じる人間の精神病理の解明が不可欠なのである。

サンタフェ研究所において、ルーベンスは複雑適応系についての見識を深める傍ら（かたわ）、余暇にはこうした考察を楽しむようになった。ロスアラモスの職場に戻っても、権力者だけを対象とした戦争心理学への探究心は薄れなかった。短期間で精神病理学と臨床心理学を習得した彼は、病跡学（パトグラフィ）の手法も採り入れて、次期大統領候補二名のパーソナリティを分析してみた。結果、グレゴリー・S・バーンズが合衆国大統領になった場合のほうが、そうでない場合に比べて戦争の起こる可能性が高くなると考えられた。半年後、大統領選でバーンズが勝利を収めると、ルーベンスは人類の歴史が悪い方向へ動くと判断し、是非ともその内幕を見届けたくなった。年齢も二十代後半に差しかかっていたので、学究生活には区切りをつけようと考えた。象牙（ぞうげ）の塔を出て、人間という生き物で埋め尽くされた大海に乗り出す時がきたのだ。

彼は手始めに、ロスアラモス研究所の同僚の伝手（つて）で、ホワイトハウスに近い就職先を探した。ルーベンスの人並み外れた知能は、国家機関からすれば魅力的に映ったらしい。陸軍情報部や国防高等研究計画局（DARPA）のリクルートを受けて迷ったが、そんな折り、聞き慣れない名称のシンクタンクの存在を知らされた。ワシントンDCに本拠を構える『シュナイダー研究所』である。第二次大戦後、次々に設立されたシンクタンクのうちの一つで、他の研究機関が経済や外交、軍事戦略などの専門分野を持つのに対し、シュナイダー研究所は情報戦略を受け持っていた。表向きは民間経営のPR会社であったが、最大の顧客はCIAと国防総省だった。ランド研究所などに比べて知名度が格段に劣るのは、研究所側が敢(あ)えて衆目を集めぬよう、細心の注意を払って活動していたからである。

シュナイダー研究所は、保守・リベラルに偏(かたよ)らない中立な立場を保っていたため、歴代政権と良好な関係を保っていた。ルーベンスは申し分のない就職先だと考え、人事担当者の面接を経て入所した。

ポトマック川のほとりにある、目立たない外装の六階建てのビルで、ルーベンスは専用の部屋と「研究員」という肩書きを与えられた。押しつけられる雑多な仕事をこなす以外は、好きな研究を続けていいと言われた。後になって知ったが、それは試用期間だった。ルーベンスは心理テストや嘘発見器テストを何度となく受けさせられ、さらに連邦調査員が彼の過去の居住地すべてに足を運んで、徹底した身辺調査を行なっていた。一年後、ルーベンスには差し迫った経済的問題はなく、外国籍の親族を持たず、いかなる反政府活動にも関与せず、ましてや犯罪歴も異常な性癖もないことが確認されると、TS-SCIレベルの機密取扱資格(セキュリティ・クリアランス)が与えられた。途端に彼は忙しくなった。「分析官」に格上げされ、国防総省が主導する情報戦争の最前線に送り込まれた。

この極秘作戦は、敵国ではなく自国民に対する心理戦だった。時あたかも、バーンズ政権はイラクへの軍事侵攻を画策しており、民意を開戦へと誘導する必要に迫られていた。そこでペンタゴンの言いなりになる約八十名の退役将官を選抜し、「個人の見解に基づいてイラク侵攻を支持する軍事評論家」に偽装して各メディアに送り込んだのである。マスコミを使って人心を操作するのは、本当に簡単だった。テレビの中でコメンテーターが繰り返すイラク脅威論に、バーンズ大統領の支持率は急上昇した。

しかしこの時、CIAは三十名のイラク系アメリカ人を祖国へと潜入させ、彼の国では大量破壊兵器の開発計画が放棄されている事実を掴んでいた。唯一の証拠とされたニジェールからイラクへのウラン輸出を物語る書類も、偽造されたものであることが明らかだった。問題となった核物質は、ヨーロッパ諸国と日本の商社によって、数年後の先物まで買い占められた後だったのである。ところがバーンズ政権はそうした報告をすべて無視し、戦争へと突き進んで行った。

与えられた仕事だけをこなし、あとは観察者の立場に徹していたルーベンスは、これが石油資源を狙った侵略戦争であると早期に見抜いていた。不正義ではあるが国益には適う戦いだ。彼が特に注視していたのは、国家とか軍産複合体などといった抽象的存在ではなく、現実に存在する人間たちだった。国家の人格とは、意思決定者の人格に他ならないからである。

侵略を主導する政権中枢には、戦争で私腹を肥やしている者がいた。かつて国防長官として軍隊業務の民間委託を推し進めたチェンバレンという男は、政権交代後に下野すると、自らが民間委託企業の会長に就任して巨額の利益を挙げた。その後、バーンズ政権下で副大統領としてホワイトハウスに返り咲くや、イラク攻撃の急先鋒に立つ一方で、戦争が始まる前から戦後復興業務の青写真を描き始めた。もちろん、戦争後のイラクで各種インフラ整備を請け負うのは、自身が経営していたエネルギー企業である。この間に彼は、個人資産を数千万ドルも増やしていた。

己の金銭欲を、新保守主義という政治思想で糊塗した政治家は政権内部にいくらでもいた。国防長官のラティマーでさえ、軍需企業と深く結びついている有り様なのだ。

ルーベンスにとってもっとも理解不能だったのは、バーンズ大統領その人であった。彼の発言内容から、イラクの独裁者を深く憎悪しているのは分かったが、なぜ殺すところまで憎むのかが判然としなかった。そこには国益とか軍産複合体への利益誘導だけではない、もしかしたらバーンズ本人でさえ気づいていない無意識的な動機が潜んでいるように思われた。そこでルーベンスは限られたマスコミ情報から大統領の生育歴を辿り、一つの仮説を立ててみた。家庭内で専制的だった父親の姿をイラクの独裁者に重ね合わせ、打倒しようとしているのではないかというものである。さすがにルーベンスは、データ不足からくる短絡的な分析だと自嘲したものの、もしもそれが的を射た洞察ならば怖いことだった。地球上にいるたった一人の男の親子関係が原因で、十万人以上の人々が殺されることになるからだ。そして念願叶って敵を打ち倒した暁には、バーンズは虚しさを覚えることだろう。それは本来、戦うべき相手ではなかったから。彼が殺したのは、自分自身の深層心理が生み出した虚構の敵に過ぎなかったからである。

とにもかくにも戦争は開始され、イラク全土で殺し合いが続いている最中にバーンズ大統領の勝利宣言がなされ、それからは多数のハイエナ国家が、戦後復興協力の美名のもとにイラク国内に入った。戦争が終わったはずの国で戦死者が出てはまずいため、多くの軍隊が民間軍事会社の傭兵を雇って自分たちを警護させるというブラック・コメディが展開された。そんな涙ぐましい努力でアメリカ追従の意思を示した国々は、略奪品のおこぼれとして油田の権益を分け与えられることになる。そうした国の指導者もまた、非人道的な国益に目が眩み、ありもしない大量破壊兵器を口実に自国民を欺き、あるいは国民の側も欺かれた振りをし、間接的にイラク人民を殺したのだ。その裏では、各国のエネルギー企業が莫大な利益を手にし、市民たちがより便利な生活を享受し、最前線に立たされた兵士たちの多くが心と体に深い傷を負ったはずである。

この史上稀に見る愚かな戦争を主導したアメリカの指導者たちは、いつか人生の終わりを迎えた時、彼らが信じた神によって地獄に堕とされるだろう。

イラクの戦後処理が泥沼化した頃、上級分析官に昇格していたルーベンスは、シュナイダー研究所を去る決意を固めていた。このシンクタンクで見られるものはすべて見た。次はアメリカの再生力だ。アメリカ人は馬鹿ではない。バーンズ政権の愚行の揺り戻しは必ず起こる。次期大統領選では、史上初のアフリカ系、あるいは女性の大統領が誕生する可能性すらあった。有力候補の選挙事務所にスタッフとして入り込めれば、最高権力者の座を狙う人間の心性と獣性を、もっと間近で観察することができるはずだ。

そんな折り、ルーベンスは研究所内の他の部署からの呼び出しを受けた。厳重な秘密保全措置の施された会議室で彼を待っていたのは、CIAやNSAといったインテリジェンス・コミュニティとの連絡を受け持つ対外調整部の部長だった。

「まずはこれを読んでくれ」と渡されたのは、『人類の絶滅要因の研究と政策への提言』と題された論文だった。執筆者の『シュナイダー研究所　首席研究員　ジョゼフ・R・ハイズマンPh.D.』の名を目にしたルーベンスは驚いた。ハイズマン博士は、専門は理論物理学であったが、あらゆる科学分野に通暁した屈指の碩学として名高い人物だった。特に科学史の領域では泰斗と言っても過言ではなく、ルーベンスは彼の著作を何冊も読破していたのである。そのハイズマン博士が、三十年も前にシュナイダー研究所に在籍していたとは、今の今まで知らなかったのだ。

ルーベンスは、『ハイズマン・レポート』を興味深く読んだ。通読して感銘を受けたのは、博士が徹底した非戦論者であることだった。冷戦構造の真っ只中で、このレポートを上申するのはかなり勇気の要ることだっただろう。ハイズマンへの尊敬の念は、ますます強まった。

「その報告書について、何か意見は？」と、対外調整部の部長が訊いてきた。

ルーベンスは手短に答えた。「博士の指摘はもっともだと思います」

部長は頷き、「では、次はこれだ」と数枚の書類を差し出した。「アフリカ情勢を監視しているNSAの部局が、コンゴ民主共和国から発信された電子メールを傍受した。発信元はナイジェル・ピアースという人類学者で、彼の研究仲間に宛てられたものだ。ここに書かれている内容を精査、評価し、一週間以内に報告書を提出してくれ。特に問題なのは信憑性だ。こんなことが本当に起こり得るのか、それともピアース博士の誤認か」

「二点、質問をしてもよろしいですか？」

「ああ」

「どうして僕なんです？　NSAか、またはCIAの分析官の仕事ではないですか？」

部長は薄く笑った。「連中の手に余る仕事なんだ。適任者は君しかいない。『ハイズマン・レポート』の警告が現実味を帯びてきたので、ふたたび我が研究所の出番となったのだ」

ルーベンスは頷き、第二の質問をした。「ナイジェル・ピアースという人物について、予備知識は必要ないですか？」

「必要なら、これを参照したまえ」と部長は、フォルダーの中から報告書を出した。

ルーベンスは、まずそちらから目を通した。CIAの身元調査によると、ナイジェル・ピアースは四十七歳の白人男性で、大手貿易会社『ピアース海運』の御曹司として生まれていた。しかし学究肌だった彼は、家督を弟に譲り、二十七歳で人類学の博士号を取得した。その後はフィールドワークを中心に研究生活を続け、四十一歳でロズリン大学の人類学部教授に就任した。

ピアースの学者としての評価は低く、彼が書いたムブティ・ピグミーに関する論文は、『紀行文としてはすこぶる面白く読めるが、学術的価値に欠ける』と酷評されていた。実際のところ、ピアースが教授職を続けていられるのは、一族の運営するピアース財団が多額の研究資金を援助しているからだった。CIAの報告書には彼の性格についての分析もあり、『精神的には極めて健康。学問に関する競争心も功名心も薄く、趣味で研究を続けていると言っても過言ではない』とあった。かなり淡白な人間なのだろう。政治家とは正反対のキャラクターだ。

資料には写真も添付されていた。ルーベンスは、日に焼けた肌を髭で覆ったピアースの顔を脳裏に焼き付けてから、彼が送信したとされる傍受メールに目を向けた。そちらの紙片には、『最高機密』のスタンプが捺されていた。致死性ウイルスについての報告を予想していたルーベンスにとって、メールの内容は驚愕の一語に尽きた。

『親愛なるデニスへ

知っての通り、私はコンゴ政府と反政府勢力の停戦協定を信じてイトゥリの森に戻った。そこで大切な友人たち、ムブティの人々と再会したのだが、驚くべき事態に直面したので報告しようと思う。しかし、以下の内容はくれぐれも内密にして欲しい。このメールを君に送るのは、人類史の新しい局面を最初に観察したのが私であるという証拠を残しておきたいからだ。

カンガ・バンドのキャンプに入ってすぐ、私は見たこともない生き物に遭遇した。その印象を、言葉で正確に伝えるのは難しい。人間の幼児のような四肢と胴体を持ち合わせているが、異様な頭部、特に目を見れば人間とは別種の生物だと分かる。どうやら我々の脳には、異種生物を見分ける能力が生得的に具わっているらしいのだ。私はこの別種の人間を目にした瞬間、理性が混乱し、あらゆる疑問が頭の中に渦巻き、全身が固まってしまった。文字通り、動けなくなったのだ。

しばらくして合理的な思考能力を取り戻すと、こんな言葉は使いたくないが、奇形児かと思った。その生物が、三年前、ムブティ人の夫婦から生まれたと聞かされたからだ。ところが観察を続けてみると、肉体的な機能には全く問題がない上に、年齢には不相応の高度な知性が宿っているように見受けられた。

その後、数ヵ月間をかけて、私はこの子供の驚異的な知的能力を確かめた。それはまさに超人的と言ってもいいものだった。詳細は帰国してから話すが、ここでいくつか例を挙げておく。

英語を教えたところ、読み書きを含めて、たった二週間でマスターした。現在では政治や経済に至るまで、複雑な問題について議論できる。しかし生後三年を経過しているにもかかわらず咽頭が未発達なので、音声による会話はできない。意思の疎通は、ラップトップ型コンピューターのキーボードを介して行なわれる。

あらゆる知的能力の中でも特に数学的な抽象思考能力が際立っており、素因数分解をいとも簡単にやってのけたのには本当に驚かされた。こちらがコンピューター上で用意した四十桁の合成数を、たった五秒の暗算で二組の素数に分解したのだ。人類が未だ解き明かしていない素数に関する数学的真理を、わずか三歳の子供が見抜いているとしか思えない。ピグミーの子供が最高強度のＲＳＡ暗号を解読できると知ったら、合衆国政府、特に国防総省は震撼するに違いない。それどころか、リーマン予想の証明も夢ではないのだ。

ここまで書けば、言いたいことは分かってもらえたと思う。異常に発達した前頭部や、幼形成熟を窺わせる解剖学的所見をも考慮に入れると、この子は大脳新皮質に突然変異を起こした別種の人間であり、つまりは人類の進化が起こった可能性が極めて高い。ＤＮＡ

のどの領域に変異が起こったのか、あるいは現生人類と交配可能なのかといった点については、文明社会に連れて行って調べるしかない。

参考までに言っておくと、この子の父親は普通のピグミーだ。母親はすでに病死しているが、特に異常な点はなかったという。周囲にある他のバンドも調べに行ったが、このような個体は彼一人だけだった。カンガ・バンドで生活していた両親のどちらかの生殖細胞にだけ、突然変異が起こったのだ。

コンゴ東部で戦闘が再開されてしまったため、ほとぼりが冷めるまではイトゥリの森から出られない。政府軍も反政府軍も凶悪な連中なので、いつ襲撃されるかと怯えながら暮らしている。そのうち機を見て、この子を国外に連れ出す算段をつけるつもりだ。

コンピューターと衛星携帯電話の調子が悪いので、メールを送れなくなるかも知れないが、どうか心配はしないでくれ。安全な地域に逃れたら、すぐに連絡する。重ねて言うが、以上のことはくれぐれも内密にしてくれ。

では、再会する日を楽しみにしている。ナイジェル・ピアース』

以上の報告文を読み終えた時、ルーベンスは興奮を顔に出さないよう、注意しなければならなかった。感情的な人間は歓迎されない職場だからである。「では一週間後に評価報告書を提出します」とだけ言って、会議室を出た。

ルーベンスは、合衆国の諜報能力にあらためて驚かされてもいた。ＣＩＡをも凌ぐ世界最大の諜報機関、国家安全保障局は、他のアングロサクソン四カ国と共同で、全世界盗聴システム『エシュロン』を稼働させている。世界中のあらゆる通信手段――固定電話や携帯電話、ファクシミリ、電子メールに至るまで――を盗聴できるのだ。ただし、盗聴したすべてのデータは処理しきれないので、合衆国の安全保障に関わるメッセージだけをコンピューターが自動抽出するプログラムが組まれている。この『辞書プログラム』に、ピアース博士のメールに含まれる特定の単語が引っかかったに違いない。おそらく今回の場合は、「反政府勢力」「素因数分解」「最高強度」「ＲＳＡ暗号」「合衆国政府」「国防総省」「震撼」「戦闘」といったキーワードが検出されたのだろう。

ＮＳＡが、ピアース博士のメールを問題視している理由は明らかだった。ムブティ人の子供が示したとされる素因数分解の能力だ。この能力さえあれば、現代暗号は無力化される。合衆国にとっては、国家安全保障上の重大な脅威になり得るのだ。

しかしルーベンスからしてみれば、それはあまりに近視眼的な危機評価だった。人類を凌ぐ知性が出現したら、世界はどうなるか。苦心惨憺しながらも、どうにか保たれている人類世界の秩序が、一挙に崩壊し得る危険性をはらんでいる。

傍受メールを目にしたその日のうちに、ルーベンスは母校のジョージタウン大学に向かい、図書館にこもった。人類の進化などということが本当に起こり得るのか、その可能性を徹底的に調べるためだった。

チャールズ・ロバート・ダーウィンとアルフレッド・ラッセル・ウォレスの二人が、ほぼ同時期に到達した『自然選択説』は、百五十年もの永きにわたって生物進化の中心的仮説であり続けた。突然変異によって生物の形質が変えられ、生存に不利な変化を遂げた系統は死に絶えるが、生存に有利な変化を遂げた個体は生き延びて子孫を残す。これが世代を経て繰り返され、微細な変異の積み重ねが、やがては生物種そのものを変えることになる。ＤＮＡの存在はおろか、メンデルの遺伝学さえ知らなかった二人が、自然観察だけでこの説に辿り着いたのは驚嘆すべき洞察力と言うほかない。だがそれ故に、進化という現象の片側しか論じていないという批判も当てはまる。ダーウィン進化論では突然変異が起こった後のことしか考察されておらず、そもそも突然変異がどのような機序で起こるのかについては触れられていない。彼らの仮説は、進化現象の全貌を解き明かしているわけではないのだ。

この問題に関しては、分子生物学の発展に伴い、様々な知見が加えられてきた。放射線などの外的要因、あるいは生殖細胞が作られる際のＤＮＡの複製ミスなどにより、生物の遺伝情報には変異が生じる。実際、三十億の塩基対からなるヒトゲノムは、二年に一個の割合でＤＮＡ上の塩基が別の塩基に置き換えられている。しかしこうしたランダムな変異のほとんどは、生存に有利でも不利でもない中立なものであり、種全体に定着するかどうかは偶然に左右される。

　さらにここ数十年の間に、分子生物学の領域では大きな発見が相次ぎ、定説が次々に書き換えられていった。突然変異による一塩基置換の他にも、ゲノムは変化する。一つの遺伝子がコピーされたり、別の部位へ移動したり、あるいは全ＤＮＡが丸ごと複製されて二倍に増えるようなことまでが、生物進化の歴史では起こっている。こうしたダイナミックな塩基配列の変化が、生物進化の原動力になっているのは間違いない。さらにはＤＮＡが不変でも、生物の形質は変化し得るという仰天するような発見が、前世紀の終わりに成されていた。メチル基やアセチル基といった原子団が、遺伝子の発現を促したり抑制（よくせい）したりしてしまうのだ。しかもこの化学修飾は、親子の間で正確に遺伝するので、一度起こった変異はそのまま次世代へと受け継がれることになる。

　こうしたＤＮＡ変異の機序を知れば知るほど、生物進化は従来考えられていたよりも急激に、即ち地質学的な時間スケールよりも短い期間で起こるのではないかとルーベンスは考えるようになった。『ハイズマン・レポート』で指摘されていた通り、『生物は、長い時間をかけて微細な変化を蓄積させていく一方で、ある時突然、大きく形質を変え得る』のだ。

　では、人類の進化に話を絞るとどうなるか。六百万年前、ある霊長類が二つの系統に枝分かれした。一方はチンパンジーとなり、もう一方は人間になった。ところが不思議なことに、チンパンジーが六百万年前からほとんど姿を変えていないのに対し、ラミダス猿人からヒト属へと続く進化の系統は、少なくとも二十種類以上の人類を生み出し、現在のホモ・サピエンスに至っている。しかもそれは一本の線ではなく、枝分かれを繰り返したため、太古においては複数の人類種が地球上に共存しているのが普通だった。五万年前にアフリカ大陸を出て地球全土に拡散していった現生人類も、原人やネアンデルタール人と遭遇したはずである。この、チンパンジーに比べて人類の進化だけが加速している現象についても、解答が得られつつある。

人間の脳で発現する遺伝子の中に、明らかに進化の速度を加速させているものが複数見つかったのだ。中でも、大脳皮質の形成に関与する『ヒト加速領域1（HAR1）』と名付けられた遺伝子は、生物進化の途上で現われてから三億年もの間、たった二つの塩基置換しか起こしていなかったが、六百万年にわたるヒトの進化の系統においてのみ、十八個もの塩基が変異している。つまり、あらゆる生物種の中でヒト亜科の動物だけが、知性を爆発的に発達させる方向へと進化の舵（かじ）を切ったのだ。

さらにルーベンスは、FOXP2という遺伝子にも着目した。チンパンジーもこの遺伝子を持っており、人間との差異はごくわずかにもかかわらず、両者の言語能力に圧倒的な違いをもたらしている。というのもFOXP2は転写因子と呼ばれる遺伝子で、他の六十一個もの遺伝子の発現を促進させる一方で、五十五個の遺伝子を抑制する。たった一つの遺伝子が変異しただけで、百を超える他の遺伝子が働きを変えるのだ。その結果が、人類が獲得した高度な言語能力なのである。

ヒトのDNA上にある進化の加速領域と、その微細な変異がもたらす多大な影響力を鑑(かんが)みるに、人類の進化が起こったとするピアース博士の報告をナンセンスと決めつけることはできなかった。そしてルーベンスは、評価報告書を書く間際になって、決定的な研究に出会った。およそ二十万年前に地上に出現した現生人類は、それから十九万年にもわたって原始生活を続けていたのに、どうして急に文明社会を構築し始めたのか。その謎を解く答えがヒトゲノムの中に見出(みいだ)されていた。六千年前に出現したASPMという遺伝子が、人間の脳を作り替えた形跡があるのだ。その後、地理的に離れた集団でも同様の機能を獲得する収斂(しゅうれん)進化という現象が起こり、文明が次々に勃興(ぼっこう)したと考えられる。この仮説が正しいなら、現生人類は小規模ながらもすでに脳の進化を経験していることになる。可能性を論じる以前に、ヒトの進化は既成事実なのである。

図書館での検討を終えたルーベンスは、ジョージタウンの外れにある自宅タウンハウスでコンピューターに向かい、命じられた評価報告書を一気呵成(かせい)に書き上げた。結論部分には、敢えて慎重な表現を使っておいた。

『ピアース博士のメールで報告されているムブティ人の幼児について、現時点では新種の生物と断定することはできない。厳密には、頭部組織に奇形を持ったヒトと考えるのが妥当である。しかしながら、その奇形は塩基配列の変異が原因であるのと同時に、当人に障害をもたらすどころか、逆に知力を促進させる方向に働いている。この点において、〝進化した人類〟あるいは〝新種の生物〟と表現するのは適切であると思われる。』

評価報告書は、期日通りに対外調整部の部長に手渡された。その場でルーベンスは、休む間もなく次の仕事を命じられた。

「この件は、大統領日報に記載されると思う。おそらく対処計画の立案を求められるので、先行して取りかかってくれ」

「対処計画と言いますと？」

「この生き物をどうすればいいのか、だ」

ルーベンスにとっては難題を突きつけられた格好となった。求められたのは生物学的な観点からの対処計画ではなく、国家安全保障上の問題を取り除くことなのだ。即座に頭に浮かんだのは三つの選択肢、「放置」「捕獲」「抹殺」のいずれかだが、どれを選ぼうが完璧な解決は望めないのではないかと考えた。

ルーベンスはふたたび図書館にこもり、対処計画立案に必要な情報を集めにかかった。根本的な問題が、まだ手つかずのまま残されていた。ピグミーの子供の遺伝子はなぜ変異したのか、遡って言えば、親の生殖細胞に何が起こったのか。

あらゆる資料を渉猟した結果、対処計画の参考になりそうなものは三つの仮説に絞られた。ルーベンスはその一つ一つをつぶさに検討していった。

最初に目をつけたのは、DNAのヌクレオソーム構造に関する研究で、メダカの塩基置換に周期性が見られるという発見だった。二重らせんの長い紐であるDNAは、その姿のまま細胞内に置かれているのではなく、ヒストンと呼ばれる球形のタンパク質に巻き付いた形で存在している。糸と糸巻きの関係だ。しかもDNAの長さに比べてヒストンが小さいため、一本のDNAは一つが巻き終わったら次という風に、列を成す無数の糸巻きに規則正しく巻き付いている。そしてメダカのDNAで観察された変異は、この糸巻き構造の周期性に呼応するかのように、ちょうど二百塩基の間隔で起こっていたのである。

この研究をヒトの進化に敷衍するならば、DNAには塩基置換の起こりやすい箇所があり、ヒト亜科生物の脳の発生に関与する遺伝子が、たまたまその領域に合致したと考えられる。そこではランダムな塩基置換が繰り返され、大半の受精卵は遺伝子エラーを起こして自然流産してしまうが、ようやく今回、コンゴのジャングルで暮らすムブティ人の中に、脳の進化を遂げた個体が現われたのではないか。この推測が正しいなら、生殖細胞の変異はカンガ・バンドのメンバー全員に起こったのではなく、親の一個体だけに限られることになる。つまり対処計画は、この親子だけを問題にすれば事足りるはずだ。

二つ目の仮説は、『ツングースカ大爆発』にまつわるものだった。一九〇八年、シベリア奥地のツングースカ地方で、謎の大爆発が起こった。空中に巨大な火の玉が出現して八千万本もの樹木を薙ぎ倒し、爆心地から六十キロメートルも離れた地域の人々をも爆風で吹き飛ばした。破壊力はTNT火薬に換算して十五メガトン級、つまりヒロシマ型原爆一千発が一度に爆発したのと同じエネルギーと推定された。何が爆発したのかは未だ解明されていないが、彗星か、または小惑星が、地球の大気圏に突入して空中爆発を起こしたのではないかと推測されている。

ルーベンスが注目したのは、爆発後に起こった植物の異変だった。爆心地付近の植物が通常の三倍のスピードで生長したり、あるいはまるで違う姿に変異するなど、明らかに遺伝子の異常を来していたのだ。こうした現象は放射線被曝によっても惹き起こされるが、不思議なことに現場一帯では残留放射能が検出されなかった上に、爆心地の植物の変異率は、放射能汚染が起こった場合よりもさらに高かった。

このことを知ったルーベンスは、念のため、対外調整部の部長を介して国家偵察局に連絡を取り、軍事偵察衛星のデータを入手した。すると大気圏内での小天体の爆発が、毎年七回程度、偵察衛星によって観測されていることが分かった。ツングースカの大爆発に比べればはるかに規模は劣るが、それでもナガサキ型原爆の破壊力に匹敵する二十キロトン級の爆発である。もしもこうした天体現象が生物に遺伝子異常をもたらすのだとしたら、そしてムブティ人の暮らすイトゥリの森上空で起こっていれば、その影響が付近の住民全員に及んでいる可能性がある。しかし国家偵察局に再度確認をとったところ、過去二十年間、コンゴ民主共和国上空での爆発は観測されていないとのことだった。この天体現象の大半は、人目には触れない海洋上で起こっていたのである。ルーベンスは第二の仮説を却下した。

最後に残ったのが、対処計画の方向を決定づけることになった『ウイルス進化説』だった。生物進化をめぐる数ある仮説の一つに過ぎないが、ルーベンスにとっては無視できないアイディアを含んでいた。ウイルスは自己複製能力を持っていないため、感染した生物の細胞を利用して増殖する。寄生した細胞のＤＮＡの中に自分のＤＮＡを組み込み、複製させてしまうのである。ところが何らかの理由により、ＤＮＡが組み込まれた段階でウイルスが活動を停止する場合がある。こうなると、寄生された側にはウイルスの塩基配列が加わったことになり、その変異は細胞分裂のたびに娘細胞へと引き継がれていく。ゲノムが変化したのだ。あるいは感染したウイルスが、宿主となった生物の遺伝子の一部を巻き込んで増殖する場合もある。このウイルスが新たに別の個体に感染し、活動を停止すると、元の宿主の遺伝子が次の宿主のＤＮＡに取り込まれたことになる。こうした現象が生殖細胞で起こり、受精卵となり、付け加えられた塩基配列が新たな機能を獲得すれば、それは進化となる。もしもウイルス進化説が正しいなら、生物進化はウイルスの感染によって、同時多発的に起こると考えられる。

この仮説を今回の問題に当てはめると、コンゴのジャングル内に新種のウイルスが出現し、ムブティ人に感染して進化をもたらしたという筋書きが成り立つ。

そこでムブティ人のウイルス感染について、何か疫学的な調査が行なわれていないかと調べてみたところ、セイジ・コガという日本人ウイルス学者が、HIV感染について現地調査をしていたことが分かった。ルーベンスにとってはお誂え向きに、調査対象にはカンガ・バンドの四十名が含まれていた。もしかしたらコガ博士は、自身は気づかぬままにヒトの進化をもたらす未知のウイルスを検出していたかも知れないのだ。

学術的な関心をそそられたルーベンスは、早速、日本語で書かれたオリジナル論文を取り寄せ、NSAに翻訳させた。ところが残念なことに、結果は二重の意味で空振りに終わった。調査が行なわれたのは、問題のムブティ人の子供が生まれた三年前よりもはるか以前、十年ほども前のことであり、しかもカンガ・バンドの四十名は、いかなるウイルスにも感染していなかったのである。

新種のウイルスが、コガ博士の調査後に発生したことも考えられるため、対処計画の立案に当たっては、進化が複数の個体で同時多発的に起こる可能性は残すことにした。

根を詰めたリサーチが終わり、ルーベンスはひとまず安堵した。これで「抹殺」という最悪の選択肢は避けられると思った。今後、ウイルス感染によって複数の〝超人類〟が誕生してくる可能性がある以上、カンガ・バンドの全員を殺さなければ脅威は根絶できない。しかし、そのような大虐殺が許されるはずはない。

そこで残る二つの選択肢、「放置」と「捕獲」を比較すれば、前者は却下せざるを得ない。最高強度の暗号を破るかも知れぬ驚異的な知性が、仮想敵国の手に渡る危険が残るからだ。

しかし「捕獲」にも不安要素があるのは否めなかった。『ハイズマン・レポート』によれば、超人類は「我々の悟性には不可解な精神的特質」を所有していることになる。こちらの捕獲作戦に対し、相手がどのような反応を見せるのかは予測不能なのだ。不測の事態を避けるためには、徹頭徹尾、敵対的な行動だけは慎まなければならない。

そこでまず、計画のフェーズⅠは調査だ。特殊部隊に護衛させた専門家チームを現地に送り込み、ピアース情報の真偽を確認させる。

事実確認が取れたなら、計画はフェーズⅡへと進む。「カンガ・バンドの成員、及び作戦参加者の全員隔離」である。作戦参加者までを隔離するのは、現地での活動中にウイルスに感染する可能性があるからである。作戦遂行の際には多少の欺瞞が必要で、エボラ・ウイルスか、もしくはそれに類する致死性ウイルスの蔓延という隔離理由を捏造しなければならない。

続くフェーズⅢで、隔離した全員に生化学的検査を実施し、進化をもたらすウイルスが本当に存在するのかを突き止める。ウイルスが検出された場合には、その後の措置は政治的判断に委ねられる。おそらく政治家たちは、抗ウイルス薬を開発し、進化の芽を摘み取ろうとするのではないか。一方でウイルスが存在しなければ、隔離された人々は解放される。

脳の変異を遂げた三歳児については、父親とともに合衆国の市民権を与え、生活を支援し、当局の緩やかな監視下に置くという方針をまとめた。あくまでも一人の人間としての権利を保障してやるのが大前提で、監禁などの暴力的手段は回避するべきだった。現生人類が敵ではないことを印象づけ、超人的な知性を合衆国の国益に利用するのだ。

ところが、ルーベンスがまとめた計画案は、提出の翌日に早くも突き返された。

「手ぬるい、というのが高次レベルの判断だ」と、シュナイダー研究所の会議室で対外調整部の部長は言った。「合衆国の脅威は、速やかに取り除かなくてはならない」

「取り除く？」即座にルーベンスは、その言葉の意味を察した。抹殺だ。

「その上、君の立てた計画は、費用においても実効性においても問題がある。我々は中東における二つの戦争で手一杯なのだ。紛争地帯にいる四十名のピグミーを隔離するのは到底不可能だ」

「それは軍事ではなく民事で解決できるはずです。致死性ウイルスの征圧という理由さえあれば、この作戦は人道支援に偽装できる。コンゴで戦っているどの武装勢力も、アメリカを敵に回すことはしないでしょう」

「なあ、アーサー」と部長は口調を和らげ、無分別な分析官をたしなめた。「現政権の体質を、まだ把握していないのか？　君がここで私を説得したとしても、奴らの判断は変わらんよ。自分たちの言うなりになる他の機関に乗り換えるだけだ」

単純な見落としを指摘されたルーベンスは、己の未熟さを恥じた。そう、それが奴らのやり方だ。反対意見の問題点をあげつらい、排除し、周囲を賛同者だけで埋めていく。民主的決定に見せかけた独裁である。バーンズ政権は、こうやってイラク人民の殺戮をも主導したのだ。

「それに先方が言ってきているのは、計画案の妥当性を検討した結果ではない。単なる好みだ。現政権は典型的なカウボーイ気質で、まだるっこしい手段は好まない。最高強度の暗号を破る者がいるなら、速やかに排除する。仮想敵国に、その存在が知られる前にな」

「しかし、たとえピグミーの子供を殺したとしても、潜在的な脅威は残りますよ。ウイルスによる変異だとしたら、カンガ・バンドの中から、新たな子供が生まれる可能性がある」

「それも吟味した上の結論だ」

ルーベンスは愕然として、テーブルの向こうの部長の顔を見つめた。バーンズ政権の精神病理を解明したつもりになっていたが、まだまだ彼らの邪悪さを見くびっていたらしい。

秘密保全措置のとられた会議室にいるにもかかわらず、ルーベンスは声をひそめて訊いた。

「つまりナイジェル・ピアースも含め、カンガ・バンド全員を抹殺する？」

部長は、顔を歪めて頷いた。「ここ、ワシントンで生きていこうと思うなら、言葉遣いに気をつけろ。〝抹殺〟ではなく、〝取り除く〟だ。ウィルス感染の可能性が残る以上、取り除くのはその四十一名だけじゃない。作戦を実行するオペレーターたちもだ」

必死に抗弁を続けるルーベンスは、自分の内面に意外なほど強い道徳心が潜んでいたのを発見して驚いていた。「しかしそれでは軍が納得しないでしょう。送り込むとしたら特殊部隊になりますが、彼らの育成には数百万ドルもの税金が使われている。そんな精鋭たちをも〝取り除く〟んですか」

「こんな時のために民間軍事会社があるんだ。傭兵どもを送り込めばいい。それにこの方針が具体化すれば、ホワイトハウス主導の暗殺任務になる」外注したほうが安全だ」

これはただの暗殺ではなく、ジェノサイドだとルーベンスは思った。ターゲットは、この世に一個体しかいない人類種。たった一人のジェノサイド。「ウィルス感染が、カンガ・バンドよりもさらに広範囲に拡大していたらどうするんですか？　周辺住民もすべて取り除くんですか？」

「その時には改めて検討が行なわれるだろう。明日までに新たな計画案を提出してくれ」

と命じた部長は、部屋を出て行く際、戸口から振り返って別れの言葉をかけた。

「気をつけろよ（ウオッチ・ユア・テイル）、アーサー」

脅しではなく、親切で言ってくれているのだろうとルーベンスは解釈した。

まだ日の高いうちに研究所を出たルーベンスは、ワシントンDCの中でもっとも心安らぐ街路、Mストリートを歩いて自宅に向かった。小規模だが品のいい商店が軒を連ねた通りは、去りつつある夏の陽光を惜しむかのように活気に満ちていた。ルーベンスの目に映るのは、誰の心の底にも潜んでいる野蛮な欲求とはきちんと折り合いをつけ、善良な市民生活を送っている人々の姿だった。これがアメリカだとルーベンスは思った。バーンズ政権は、このアメリカを辱（はずかし）めている。

プロスペクト通りへと続く急階段のたもとで、ルーベンスは立ち止まって思案に耽（ふけ）った。進化した人類を抹殺するという決定には、首肯（しゅこう）せざるを得ない面もある。チンパンジーが人間を利用できないのと同様に、人類にとって超人類は制御不能の存在なのだ。生かしておけば、人類社会の脅威となる可能性は十分にある。問題は、巻き添えとなる四十名ほどの人々だった。彼らの命を救う算段をつけぬ限り、ルーベンス自らが大虐殺の首謀者にされてしまう。

辞職という選択が頭をかすめたが、すぐに思い直した。自分が職を退いても、状況は何も変わらない。バーンズの意に沿う別の人間が後釜（あとがま）に座り、大虐殺を実行するだけだ。犠牲者を減らせる人間がいるとすれば、自分しかいないのだ。

現地にいるナイジェル・ピアースに警告のメッセージを送れればいいのだが、唯一の通信手段は、ピアースの衛星携帯電話を介した電子メールだけだった。そんなものは、たちどころにエシュロンに捕捉(ほそく)され、送信者が特定されてしまうだろう。

——気をつけろよ、アーサー。

ルーベンスは身の危険を感じ取った。知らず知らずのうちに犯罪組織に取り込まれ、脅迫を受け、暗殺者に仕立て上げられた気分だった。実際のところ、ホワイトハウスはマフィア組織に酷似(こくじ)していた。そこにはあらゆる面倒事が持ち込まれ、殺人までを含めた様々な解決策が検討され、実行に移される。

あれこれと考えた挙げ句、ルーベンスは自分の進むべき道を決めた。

ジョージタウン大学の近くに借りているタウンハウスに戻り、書斎として使っている小部屋に入ったルーベンスは、新たな計画案作りにかかった。

まずは作戦実行者に大量殺戮をさせるため、致死性ウイルスの感染爆発という筋書きをそのまま流用した。この、人類を絶滅の危機から救うという欺瞞作戦は、暗号名を『ガーディアン』としておいた。

その他、作戦の背景説明においては、これまでの報告書とは打って変わって、専門用語や難解な概念を注釈なしに、ふんだんに盛り込んだ。さらにこの作戦が極めてリスキーであり、失敗に終わる可能性が高いことも仄(ほの)めかしておいた。

ルーベンスが言外に示唆したのは、作戦の運営責任者の適性だ。この秘密計画を指揮する人物は、政治的・軍事的な素養に加え、生物学を中心とした学際的な知識を有していなければならず、いざという時には政権上層部がたやすく首を切れる人間でなければならない。そんな条件を満たす人間は、おいそれとは見つからないはずだった。シュナイダー研究所の年若き分析官を除いては。

ルーベンスはこの一点に賭けていた。イラク戦争以前から、シンクタンクも軍産複合体の一角を占めるようになっており、各種研究所に勤務する民間人が『特別計画室』なる部署を組織してイラク戦争を主導していたのである。ルーベンスが機密計画の実行にまで関与できる可能性は十分にあった。

夜半過ぎにひとまず全文を書き終えてから、空欄にしておいた二つの暗号名を決定した。暗殺のターゲットとなる三歳の子供は『ヌース（NOUS）』とした。これは超越的な知性を意味するギリシャ語で、イエズス会士の思想家、テイヤール・ド・シャルダンの唱える生物進化の第三段階『精神圏（ヌースフィア）』の語源ともなった言葉である。そしてヌースを抹殺する作戦は、ギリシャ神話の女神に因（ちな）んで『ネメシス』と命名した。天罰を擬人化した神の名であり、恐竜を絶滅に追い込んだとされる巨大隕石にも同じ名前が付けられていた。

一カ月後、特別アクセス計画に分類された『ネメシス作戦』は、バーンズ大統領の承認を得て発動した。国防総省の構内を放射状に走る廊下のうちの一本、三番コリドーの地下に作戦指揮所が設置された。『特別計画室　第二課』のプレートが表示された部屋に入るには、保安バッジやIDカードによる個人識別の他に、あらゆる生体認証システムをくぐり抜ける必要があった。そしてルーベンスは、その認証をパスする資格を得た。ホワイトハウスは彼を、作戦の運営責任者に任命したのだった。

　すべてはルーベンスの思惑（おもわく）通りだった。民間軍事会社から選抜された四名のオペレーターがピグミーたちを殺戮する寸前に、作戦を変更する権限が彼に与えられたのだ。ルーベンスは己に与えられた唯一の武器、人並み外れた知力を使って約四十名の人命を守る決意を固めていた。

　作戦指揮所は十一名の所員で構成されていて、監督官には国防総省アフリカ問題担当国防次官補代理が就任し、他に軍事顧問と科学顧問がそれぞれ一名ずつ、その下に室長であるルーベンス、そして彼の直属の部下として国防情報局員（DIA）の他に、CIA工作本部からの出向者など六名が配属された。これらのスタッフは言わば仕切り屋であり、各員の下には関連する部局のメンバーが控えている。

　ルーベンスにとって有り難かったのは、科学顧問のメルヴィン・ガードナー博士の存在だった。博士は量子力学の分野から物理化学へと専門を広げ、後に分子生物学への貢献を讃（たた）えられて国家科学賞を授与されていた。今回の作戦には申し分のない素養の持ち土である上に、万事につけて穏やかな物腰で、殺伐（さつばつ）としがちな作戦本部内の雰囲気を和らげていた。合衆国特殊作戦軍（USSOCOM）から派遣された制服組の軍事顧問、グレン・ストークス大佐は、かなりやりにくそうにしていたが、他のメンバーは顧問二人の嚙み合わない会話を見て楽しんでいた。

ルーベンスは、作戦開始直前にガードナー博士と二人だけで話し合いの場を持った。基本的事項について、博士の考えを質（ただ）しておくためだった。

「〝ヌース〟の処置について、博士も抹殺を支持されますか？」

と単刀直入に質問をぶつけると、ゆったりとした口調でガードナーは答えた。「こればかりは仕方のないことだろうね。その三歳児が成長して、常温核融合にでも成功すれば、世界の勢力図は書き換えられてしまう。エネルギー問題だけじゃない。兵器開発を含めた科学技術、医療、経済、すべての面において人類は支配される。そうなれば世界中の富と権力がヌースに集中しかねない」

どうやら科学顧問もルーベンスと同様に、コンゴのジャングルに出現した生物学的脅威を正しく評価しているようだった。脅威とは「力」だ。恐るべきなのは、核爆弾の破壊力でも最先端の科学技術力でもなく、それらを生み出した知力そのものなのだ。

「残念ながら、我々は不寛容だ」と博士は続けた。「自分たちよりも頭のいい生物がいることを許さない。もっとも、個人的にはヌースに会ってみたい気はするがね」

それはルーベンスも同感だった。「ヌースが成長したら、どんな姿になるでしょうね？」

「幼形成熟（ネオテニー）の可能性を考慮すれば、現生人類の子供のような顔つきになると思う。乳児期は異様な風貌（ふうぼう）でも、いずれはヒトの子供と区別できなくなるんじゃないか」

「なるほど」

　そもそも現生人類にしてからが、祖先となった類人猿の幼形成熟ではないかと言われている。チンパンジーの乳児とヒトの成人の頭蓋骨は、形状が瓜二つ（うりふた）なのだ。ヌースが成長した場合、ピグミーとしての低身長も加味されて、現生人類の子供と見分けがつかなくなるだろう。

「ところで、今回の作戦についての最重要因子ですが――」

「現段階におけるヌースの知的能力かね？」

「そうです。ナイジェル・ピアースの傍受メールから判断するに、ヌースの脳容積の増加は、大脳新皮質で限定的に起こったと判断するのが妥当ですが」

「脳発生の量的頑強性（ロバストネス）には謎が多いね」と、ガードナーは嘆息（たんそく）した。「ヌースの前頭部が、特に発達しているとのことだったが？」

「ええ」

「ヒトの高次の精神活動が前頭葉に集中しているのを考え合わせると、彼の能力を過小評価しないほうが賢明だろう」

「では、最大限に見積もっておきましょうか？」

「そのほうが安全だ」

結果、チンパンジーとヒトの知能差を、そのまま当てはめておくことにした。ヌースは現在、生後三年が経過しているので、現生人類の成人並みの知能を有していることになる。

「これなら、いい勝負になりそうだ」とガードナーは、まるでチェスの好敵手を見つけたかのように笑った。

実際に作戦が発動すると、ルーベンスは直ちに情報統制に乗り出した。まず、情報安全保障監督局(ISOO)を通じて、国立公文書館に眠っている『ハイズマン・レポート』を機密指定した。同時に、『ハイズマン・レポート』に言及したインターネット上のサイトをすべて〝消去〟した。ＮＳＡに命じて、どの検索エンジンにも引っかからないように細工をさせたのだ。

ネメシス作戦の滑り出しは順調だったが、準備が進むにつれて不穏(ふおん)な空気が漂い始めた。もっとも難航したのが、コンゴのジャングルに送り込むオペレーターの人選だった。

特別計画室のトップ、ハリー・エルドリッジ国防次官補代理が、ホワイトハウス側の意向をルーベンスに伝えた。「ウォーレン・ギャレットというＣＩＡの準軍事要員を参加させてくれ。作戦遂行の監視役だ」

ルーベンスは驚いた。「〝その他政府機関(OGA)〟の職員を、ガーディアン作戦に？」

「そうだ」

「いいんですか？」

エルドリッジは顔をしかめ、「上の意向だからな」と答えた。

『必要知規則（ニード・トゥ・ノウ）』により、ルーベンスには理由は伝えられなかったが、バーンズ政権がウォーレン・ギャレットという男を消したがっているのは明らかだった。

残る三人に関しては、エルドリッジが民間軍事会社とのコネクションを生かして適任者をリストアップしていった。ところがイラクで活動していた候補者たちは、次々に敵の攻撃を受けて死んでいった。そのたびにリストが作り直され、結局、陸軍特殊部隊と空軍パラレスキューの出身者、それにフランス外人部隊にいた日本人という、寄せ集めのチームが組織された。メンバー各自の技量には問題なかったが、ルーベンスは、ジョナサン・イエーガーという元グリーンベレー隊員の資質を疑問視した。身上調査書には、彼の一人息子が難病を患（わずら）っていて、余命幾許（いくばく）もないと記載されていた。こうした不幸に見舞われた場合、近親者の精神内部では自己破壊衝動が亢進（こうしん）する。肉体的に過酷な任務の最中に、イエーガーが自暴自棄になることはないだろうか。

その後、イエーガーの子供の問題は、まったく予想だにしなかった事態となって表面化した。最初にもたらされたのは、ＮＳＡからの報告だった。日本国内のコンピューターから、『Heisman Report』の語句で検索がかかったという。ＮＳＡが特定した検索者の氏名を見て、ルーベンスは驚いた。

『セイジ・コガ』

ムブティ人のウイルス感染について、疫学調査を行なった学者だ。その人物がどうして、『ハイズマン・レポート』に関心を示しているのか。これが単なる偶然とは思えなかった。ネメシス作戦は『ハイズマン・レポート』の警告に基づき、コガ博士が調査対象にしたカンガ・バンドの四十名を抹殺しようとしているのだ。

最悪の場合、機密が漏洩したとも考えられた。直ちに追跡調査が行なわれ、意外な事実が判明した。コガ博士がザイールを訪れた一九九六年の同じ時期に、ナイジェル・ピアースがムブティ人のキャンプに滞在していたのだ。二人が顔見知りである可能性は非常に高かった。だが、現地の内戦勃発でそれぞれが帰国した後、二人の交流が続いていたとする証拠は何一つ出てこなかった。

セイジ・コガは、CIAとNSAの監視対象となった。まずNSAが、コガ博士がやりとりするすべての通信情報を傍受した。疑惑を決定づける証拠が得られない一方で、新たにルーベンスを困惑させる報告が入った。コンゴ東部と日本との間で、暗号化された電子メールが行き来しているのだという。

「送信者も受信者も不明であり、当該暗号文の解読も不可能」との知らせを受けて、ルーベンスはNSAの連絡担当官に質問した。「メールを傍受したのに、送受信者が分からないのか？」

「ええ。この通信は、独自の通信プロトコルを作ってやり取りをしているようです。一般には開放されていない通信網が作り上げられているということです」

「しかしIPアドレスは必要だろう？　日本のプロバイダーに照会すれば分かるはずだ」

「それもやりました。しかしプロバイダーと契約していたのは、行方不明者だったんです」

「どういうことだ？」

連絡担当官は、日本国内でテロ対策を行なう捜査機関、警視庁公安部外事三課からの報告を伝えた。「契約者は、多額の債務を抱えて十年以上も失踪している人物でした。現地警察の話では、〝コセキ〟という住民登録が売買されて、何者かがこの行方不明者になりすまし、IPアドレスを取得したのではないかということでした。コセキの売買は、詐欺などの犯罪でよく使われる手段のようです」

契約書に記載されていた住所は、東京北部の下町にある安アパートの一室で、人が生活している形跡はないという。部屋の賃貸契約の名義人も、回線事業者との契約者も、件の行方不明者の氏名になっていたため、特定は不可能だった。

「それならコンゴ側はどうだ？　送受信に使われている衛星通信サービスの契約者は？」

「同じ日本人の名前でした」

ルーベンスは考えた。この暗号通信は、セイジ・コガとナイジェル・ピアースの間で交わされているのだろうか。もしそうだとしたら目的は何か。「暗号文の内容は、NSAにも分からないのか？」

「ええ。使われている暗号技術はRSAでもAESでもなく、ワンタイム・パッド暗号の可能性が高いとのことです」

ルーベンスは即座に理解した。あらかじめ準備した乱数列に基づいて、平文(ひらぶん)を一文字ずつ暗号化していくワンタイム・パッド暗号は、解読不可能なことが数学的に証明されている。この方式が一般に普及していないのは、送信者と受信者が、膨大な乱数列を事前に共有しておかなくてはならないという実務上の問題があるからだ。現在、ワンタイム・パッド暗号でやりとりされる通信は、米・露大統領を直接結ぶホットラインなどに限られている。コンゴと日本で交わされている暗号メールは、使用されるコンピューターに、この暗号システムが組み込まれているのだろう。暗号化と復号化に使われる乱数列が、前もってハードディスクに格納されているのだ。もしも解読しようとするなら、この乱数列を直接入手するしかない。

「暗号通信をしているコンピューターに侵入できないか？」

「それも試みましたが、失敗しました」

ＮＳＡでも侵入不可能なコンピューターがあるとは驚きだった。

「ガーディアン作戦の任務に、一つ追加をお願いしたいんですが」と、連絡担当官は言った。「ピアースのコンピューターを押収するんです。その機械から乱数列を取り出せれば、どんなメッセージが取り交わされていたのかが分かりますから」

「いいだろう」とルーベンスは、作戦の一部変更を認めた。いずれにせよガーディアン作戦は、土壇場で中止になる運命にあるのだ。

そう考える一方で、作戦全体を掌握しておきたいルーベンスにとっては、不穏な事態が進行中だと認めざるを得なかった。この一件の背後には、ヌースの知性が関与しているのではないかとの疑念が頭をもたげた。それは現時点では何とも言えなかった。敵の手口は巧妙だが、この方面に知識のある人間なら計画することは可能だ。

「最初の話に戻りますが」と、連絡担当官は言った。「FBI経由で日本の警察を動かせば、プロバイダーとの契約を停止させられますが、どうします？」

ルーベンスはその提案も受け入れた。不確定要素を取り除いておかないと、作戦そのものが制御不能になってしまう怖れがある。「やってみてくれ」

数日後、ルーベンスは新たな報告を受けた。行方不明者に与えられたIPアドレスを取り上げてからすぐに、日本・コンゴ間の暗号通信は復活していた。別の名義人によるIPアドレスが使われているのだという。ルーベンスは大失態に気づいた。問題の通信を断ち切れなかったばかりか、こちらの存在を相手に気づかせてしまった。

「もう一回やりますか？」

「いや、おそらく同じことの繰り返しになる。通信傍受を続けて、解読の努力を続けてくれ」

「はい」

一体、コンゴと日本で何が起こっているのか。ルーベンスは全容把握のために、信号情報活動（SIGINT）だけではなく、対人情報活動（HUMINT）も開始することにした。在日アメリカ大使館に本拠を置くCIA東京支局に指示を出し、現地工作員をリクルートさせた。セイジ・コガというウイルス学者を徹底的に洗うためである。CIAがコガ博士と関係のある人物をリストアップする一方で、NSAがそうした人々の通信をすべて盗聴し、不倫問題を抱えた人物を選び出した。その上で、現金報酬と不倫の証拠という飴（あめ）と鞭（むち）を与えて協力者に仕立て上げた。暗号名は、工作員の職業にちなんで〝サイエンティスト〟と決められた。

ところが、〝サイエンティスト〟が内偵を始めた矢先、コガ博士は胸部大動脈瘤（りゅう）の破裂により死亡した。疑う余地のない病死だった。残された作業は、遺品となったコンピューターを押収するだけである。その機械の中には、ピアースとの暗号通信を解読する乱数列が残されているはずなのだ。

そんな時、エシュロンの盗聴網に新たな獲物がかかった。『Heisman Report』の語句で検索を行なった者が、ふたたび現われたのだ。その人物はセイジ・コガの遺児で、ケント・コガという青年だった。この大学院生は、さらに奇妙な行動に出た。ネット上で、肺胞上皮細胞硬化症という不治の病について調べ始めたのである。その病気こそ、ジョナサン・イエーガーの息子を襲っている遺伝性疾患に他ならなかった。

セイジ・コガの死をもって途切れようとしていたコンゴと日本を結ぶコネクションは、親子の間で引き継がれたように見えた。NSAが盗聴に成功した、機密区分〝ガンマ〟の情報がそれを物語っていた。

『アイスキャンディで汚した本を開け』

セイジ・コガの死後、自動発信プログラムによって息子へと送信された電子メールだ。おそらくコガ博士は、日本の警察がサーバーの一つを停止させたのを知って、自分の身柄が拘束される場合を想定したのだろう。息子への短い指示を読解するに、親子二人にしか特定できない本の中に、何かのメッセージが隠されていたに違いなかった。コガ博士は電子的盗聴の危険を見越した上で、単純だが効果的な防諜対策を講じたのだ。

しかし、ルーベンスにとって不可解だったのは、息子のとった行動だった。NSAの監視下にあるという可能性をまったく考慮せず、あまりにも無防備にインターネットにアクセスしている。そこで〝サイエンティスト〟を接触させたところ、父親の生前の行動については何も知らないのではないかという報告が返ってきた。

それを鵜呑みにした結果、ルーベンスは二度目の失態を演じてしまった。日本での工作目標をコガ博士の遺したコンピューターに絞り、現地警察に押収に向かわせたのだが、その直前に何者かがケントの携帯電話に警告を発したのだ。意外なことに、コンピューターで合成された人工音声は、ニューヨークの公衆電話から発信されていた。アメリカ大陸にも別の協力者がいたのだ。結果、ケント・コガは警察官を振り切って逃走した。

ここに至ってルーベンスは確信した。ネメシス作戦をめぐる機密情報は漏洩しており、コンゴとアメリカ、そして日本の三カ国を結ぶ正体不明の集団が、何らかの意図を持って不正にアクセスしている。しかし、どうしても分からないのは、その目的だった。ナイジェル・ピアースか、またはヌースの命を救おうとするにせよ、四名の傭兵たちによる攻撃を防ぐ手立ては何一つとしてない。原始的な狩猟道具しか持たないピグミーの一団では、元特殊部隊員たちの火力には太刀打ちできないし、キャンプ地の外に逃げ出そうとすれば、そこにはイトゥリ地方一帯を蹂躙している数多くの武装勢力が待ち受けている。どう考えても生き延びる術はないのだ。

そうしている間にも、アフリカ大陸ではガーディアン作戦が着々と進行していた。四名のオペレーターたちは訓練を終え、コンゴ東部の紛争地帯に潜入し、ターゲットとなっているカンガ・バンドのキャンプ地へと接近していた。

機密保全の問題はあるものの、作戦自体は未だ制御下にあるとルーベンスは判断した。ヌースの暗殺任務は成功するだろう。あとは、ぎりぎりのタイミングで作戦を一部変更し、他の人々を抹殺対象から外すだけだ。

そして今——

アメリカ東部時間の午後九時、アフリカ中部時間の午前三時。

『ガーディアン作戦』は最終フェーズに入っていた。

特別計画室に残っている七名の部下とともに、ルーベンスは壁の一面に取り付けられたスクリーンを眺めていた。コンゴ上空を周回する軍事偵察衛星の捉えた映像が映し出されている。真上から超望遠レンズを向けているせいで、立体感を失ったカンガ・バンドのキャンプ地は、さながらモノクロームの平面図のようだ。赤外線撮像装置は被写体の温度差を感知するので、あらゆる物体の輪郭を白から黒の階調に描き分けている。

Uの字形に並んだ十一個のテント。いくつかの住居では、屋根を葺いている木の葉が薄いために、中が透けて見えていた。眠っている人々のシルエットが、熱の違いによって白く浮き上がっている。

この最高機密のテレビ中継が滑稽に感じられるのは、近接目標偵察を行なっているガーディアン作戦のオペレーターたちが同じ画面に写り込んでいるからだった。キャンプ地の北と南に二人ずつ、華氏九十八度の体温を発する人影が、もう何時間も動かずにじっとムブティ人の動静を窺っている。ルーベンスとしては、隠れんぼに熱中している子供たちを傍から見ている気分だ。

作戦開始直前の小康状態を利用して、ルーベンスは機密情報の漏洩について考えてみた。ニューヨークから発信された、ケント・コガへの警告電話。自分たちの側にスパイがいるのは間違いない。この正体不明の人物を含め、敵はいつ、どうやって特別アクセス計画の存在を察知したのか。ルーベンスは大統領以下の指揮系統を洗ってみたが、合衆国の機密通信網をハッキングしない限り、ネメシス作戦の概要を知るのは不可能だった。

となると、差し迫った脅威が浮かび上がってくる。

ヌースはすでに、現代暗号の解読に成功しているのではないか。

ガードナー博士との話し合いで、この三歳児の知能を現生人類の成人程度と見積もったが、ピアースの傍受メールによれば、素因数分解については人間には及びもつかない能力を獲得している。その数学的才能が発揮されれば、RSA暗号だけではなく、一方向関数を使った他の暗号も解読されるのではないか。その上、ヌースと行動をともにしているナイジェル・ピアースは、ラップトップ型コンピューターをジャングル内に持ち込んでいる。アフリカ大陸の真ん中からでも、サイバー空間にアクセスできるのだ。

三列並んだ作業テーブルの最前列で、外線用秘話電話が電子音を発した。南アフリカのゼータ・セキュリティ社から送られてくる定時連絡だ。電話を受けた国防情報局員のエイヴリーが、最後列にいるルーベンスを振り返り、「強襲開始のコールサインはありません」

と伝えた。

ジョナサン・イエーガー以下四名は、今夜のところは攻撃目標の偵察に専念するつもりなのだろう。作戦決行は明日以降に持ち越しだ。

ルーベンスは絶好のタイミングだと思い、自分のコンピューターに用意しておいた文書をプリントアウトした。カンガ・バンドの四十名が、いかなるウイルスにも感染していなかったとするセイジ・コガの学術論文だ。ひそかにルーベンスは、調査日時と執筆者名を書き換えていた。その書類の束を持って、エルドリッジ監督官のデスクに向かった。

「作戦変更の余地がありそうです」

と告げると、帰り支度にかかっていたエルドリッジが動きを止めた。

「ヌースが生まれた後の疫学調査で、ムブティ人のウイルス感染が否定されています」

エルドリッジが、受け取った論文をめくって顔をしかめた。国防次官補代理の要職にあっても、ウエスタンブロット法による検査報告は理解できないのだ。

「つまり、どういうことだ？」と高級官僚は訊いた。「簡潔に言ってくれ」

予想通りの反応にルーベンスは安堵した。これで偽造論文が精査される危険はない。

「遺伝子変異が集団ではなく、個体で起こったということです。これにより、カンガ・バンドの成員とナイジェル・ピアース、それにガーディアン作戦のオペレーターを取り除く必要はなくなりました」

「ヌースと彼の父親だけを相手にすればいいと？」

「そうです」

エルドリッジは、眉を寄せて考え込んだ。計算高さだけを売り物にする政治家の顔だった。彼はルーベンスの肩に手を置き、作戦指揮所の隅へと連れて行った。「不必要な殺戮を避けられるのは、私としても大変に喜ばしいことだ。だが、ターゲットから除外するのは三十八名のピグミーだけだ。機密保持のため、ピアースを残すのはまずい。それに四名のオペレーターもな」

「オペレーターのうち三名は、合衆国の機密取扱資格（セキュリティ・クリアランス）を有してますが」

エルドリッジは頑（かたく）なに言った。「この決定は動かせない。ヌースと彼の父親、それにナイジェル・ピアースを含めた七名は、当初の計画通りに処置しろ」

どうしてそこまでオペレーターの抹殺に拘（こだわ）るのか、ルーベンスには理解できなかったが、ウォーレン・ギャレットに関連したことだろうということだけは察しがついた。結局、七名は殺さなくてはならないが、これがぎりぎりの妥協点だと思った。暗殺計画に加担したと自分を責めるのか、それとも三十八名の人命を救ったと胸を張るのかは難しいところだ。いずれにせよエルドリッジも自分も、素手でオペレーターたちを殺さないからこそ、こんな決断が下せるのだろう。

エルドリッジは緊張を和らげるように微笑み、言った。「ピグミーたち全員を殺す必要はないと、現地に伝えろ」

監督官の正式の承認が下りたので、ルーベンスは指示を伝えるべく、並んだ机の合間を縫ってエイヴリーのもとへ行こうとした。

「アーサー！」

自分を鋭く呼ぶ声に、ルーベンスは振り返った。部下の一人がスクリーンを指さしている。衛星画像に目を戻すと、ガーディアン作戦のオペレーターたちが動き始めていた。その場から離脱しようとしているのではない。腰を落とした姿勢で、ゆっくりと、しかし確実にキャンプ地に接近している。

最初、ルーベンスは、偵察行動の一環かと考えた。しかし四人が一斉に動き出したのが腑(ふ)に落ちなかった。急襲を行なうにしても、フォーメーションが違う。しばらく彼らの動きを追っているうちに、立ち並んだ住居の一番端に二方向から接近しているのだと分かった。ルーベンスは即座に異常を察知した。

「ゼータとの通信を確保しろ。コールサインの有無について、もう一度確認しろ。その返答如何(いかん)にかかわらず、〝ギャング2〟に行動中止の指示を出せ」と、ルーベンスは矢継ぎ早に指示を出した。こちらがせっかく作戦を変更しようとしているのに、傭兵たちは何をやっているのか。

「了解」と答えたエイヴリーが、電話に取り付いた。

人工衛星からもたらされる偵察映像は、別の大陸にいる男たちの動きをリアルタイムで作戦指揮所に伝えていた。イエーガーと思しきシルエットが、攻撃用ライフルを下ろして拳銃に持ち替えた。それを合図に、他の三人が小屋の前面に防御円陣を作った。住居の中は、屋根を覆っている葉が厚いせいで、赤外線撮像装置でも内部を透かして見ることはできなかった。

エイヴリーが受話器を耳から離し、声を張り上げた。「〝ギャング2〟との通信途絶」

「何だって？」

と訊き返す間に、イエーガーが滑らかに動いた。小屋の側面から正面へと回り込み、銃を握った両腕を入口から中に向けた。

ルーベンスは言葉を失って衛星画像を見つめた。襲撃が開始されたとしたら、もはや止める術はない。カンガ・バンドの四十名全員が虐殺されてしまう。

ところが、そこから被写体のすべてが凍りついた。動画が静止画に変わってしまったかのようだった。

しばらくするうちに、ルーベンスには何が起こったのか、想像がついた。

ジョナサン・イエーガーは、この世のものではない知性に遭遇した。

ヌースを見たのだ。

「どうか落ち着いてくれ。こちらは抵抗はしない」

見たこともない生き物を胸に抱いたナイジェル・ピアースは、一語一語をゆっくりと、囁くように発音した。

イエーガーは射撃姿勢を取ったまま、動けずにいた。人間とは思えない生物と睨み合ったままだった。夜のジャングルを吹き抜ける風が、音もなく首筋を撫でていた。

「右の隅に置いてあるコンピューターを見てくれないか」

イエーガーは、素早く視線を動かした。住居の中、土の地面が剝き出しになったままの片隅に、稼働中のラップトップ型コンピューターが置かれていた。一瞥しただけで、イエーガーには何が表示されているのかが分かった。軍事偵察衛星が捉えた監視画像だ。小屋を取り囲んでいる自分たちの姿が、はっきりと映し出されている。

「君たちはペンタゴンによって監視されている。このまま、何もなかった振りをして森の中に戻ってくれ」

イエーガーは、彼を凍りつかせた生き物に目を戻した。異様な頭部の中で大きな両眼だけを光らせているその子供は、森に棲みついた悪鬼そのものだった。

「監視衛星は、あと二分で撮影可能範囲を出る。それを待って、私がそちらに出向く」

イエーガーの背後から、ミックの押し殺した声が響いた。「何をしてるんだ？　早くしろ！」

「私を信じてくれ」と、ピアースは続けた。「二分後にすべての証拠をお目にかける」

「証拠？　何の証拠だ？」

「君たちが殺されるという証拠だ。ガーディアン作戦のオペレーターは、一人残らずペンタゴンによって抹殺される」

イエーガーが逡巡(しゅんじゅん)した一瞬を見計らったかのように、ミックの体が視界の隅に入り込んできた。その両腕に握られたグロックを認めるや、イエーガーは反射的に銃口をはね除(の)けた。サプレッサーによって高音部だけを減衰させた低い銃声が、葉葺きの住居全体を鋭く震動させた。発射された弾丸は、ピアースと子供の頭上を通過して住居外のジャングルに飛び去った。

ミックが〝見たこともない生き物〟を殺そうとしたのか、それともイエーガーの抵抗で銃が暴発したのかは分からなかった。いずれにせよ言い争っている暇はなかった。イエーガーはミックの腕を押さえたまま言った。「銃を外に出すな」

「何？」

「衛星が俺たちを捉えている。銃口の熱を探知されるぞ」

「しかし――」と言いかけたミックが、不意に口を噤んだ。

泣き声が響いてきた。イエーガーも驚いて、人間とは思われない生物に暗視装置を向けた。

子供が泣いていた。ピアースの胸にすがりつき、涙を流している。発砲に怯えているようだ。容貌は奇怪でも、中身は普通の子供なのだろうか。気勢を殺がれたイエーガーは、それでも冷静に現状を分析した。ピアースが自ら投降すると言うのなら、無理に拉致する必要はない。

「離脱する」とイエーガーは仲間に伝え、動き出す前に人類学者に告げた。「南側三十メートルの地点で待つ。不審な動きをすれば撃つ」

ピアースは髭面を上下させて頷いた。

ドーム型の住居に顔を向けたまま、イエーガーは後ろ向きに撤収を開始した。ミックは発砲したばかりの拳銃をベルトに挟み込み、タクティカル・ベストで覆った。ギャレットとマイヤーズが小銃を構えた接敵準備姿勢を維持しながら、イエーガーに付き従った。

広場の反対側の森へと移動し、生い茂る樹木が空を覆っている一角に入った。これならば偵察衛星に捕捉される心配はない。イエーガーはギャレットに偽装工作の指示を出した。

「ゼータに報告を送ってくれ。『〝見たこともない生き物〟の捜索をしたが、発見できなかった』と」

「了解」

「それから、『〝エンジェル〟は二十四時間後の予定』と伝えろ」

〝エンジェル〟というのが強襲開始を告げるコールサインだった。

ギャレットが背嚢を下ろし、軍用規格のコンピューターを出して電子メールの作成にかかった。

マイヤーズが訊いた。「中で何があった？」

「見たこともない生き物がいた」

驚いたマイヤーズが、早口に質問してきた。「見たのか？　どんな生き物だった？　爬虫類か？」

返答に窮したイエーガーの横で、ミックが言った。「あれはエイリアンだ」

「何だって？」

小屋の中から光の筋が走り、ペンライトを手にしたナイジェル・ピアースが出て来た。一方の腕には例の子供を抱えている。ミックがAK47を構え、いつでも撃てる体勢をとった。

「あれだ」と、イエーガーはマイヤーズに教えてやったが、離れた距離からの暗視画像では、人間の子供にしか見えなかった。

一同が注視する中、ピアースは隣の小屋を覗き込み、中に子供を入れてから短く口笛を吹いた。広場の反対側にいた犬のうちの一匹が体を起こし、長身の白人男性の足元に駆け寄った。痩せ犬を引き連れたピアースは、約束通り、イエーガーたちの待つ地点へとやって来た。

「なぜ犬を連れて来た？」と、ミックが警戒心も露わに訊いた。

「実験台だ」とピアースは答えた。「今から話の続きをする」

「いや、待て」とイエーガーは遮った。「まずはこちらから質問をする。そこに座ってくれ」

ピアースは武装した男たちを順繰りに見回してから、長身を折って地面に腰を下ろした。

「さっきの子供は何だ？　人間の子供には見えなかったが」

相手は学者らしい、きびきびした口調で答えた。「あれは脳に突然変異を来した子供だ。だが、障害児というわけではない。遺伝子の変異が起こって、我々よりも優秀な頭脳を獲得したんだ」

「我々よりも優秀な？」

「地球上のどんな人間よりも優秀だということだ。ホワイトハウスは、あの子の知力を怖れている。軍事用を含めたすべての暗号を解読されてしまうからだ。そこで君たちを雇って殺させようとした」

「待ってくれよ」と、マイヤーズが言った。「突然変異で頭脳が優秀になった？」

「そうだ」

「それが本当なら、ただの遺伝子異常じゃない。人間が進化したことになる」

「その通りだ。この地で、ホモ・サピエンスの進化が起こったのだ」

マイヤーズは信じ難いといった様子で首を振ったが、言葉は続かなかった。

イエーガーとしては、人類学者の言葉を否定はできなかった。証拠の一端をすでに見せられていたからだ。「さっきの衛星画像は、どうやって入手した？」

「あの子がハッキングしたんだ。私のコンピューターを使ってな」

「いや、それは無理だ」とギャレットが割り込んだ。「そんな簡単にハッキングできるはずはない」

「それができるのだ。人間の作ったプログラミング言語そのものが脆弱性を持っているからだ。あの子はそれを見抜いた」

「しかし通信にアクセスできたとしても、情報は暗号化されて——」と言いかけて、ギャレットは言葉を切った。「その暗号を解読したと言うのか？」

「そうだ。あの子は、あらゆる一方向関数を解いてしまうアルゴリズムを考案した。私が君たちの作戦を前もって察知できたのも、合衆国の機密計画にアクセスできたからだ」

「それなら」とイエーガーは肝心の質問に移った。「どうして俺たちも殺されなきゃならない？」

「遺伝子変異が起こった原因だ。ガーディアン作戦の立案者は、ウイルス感染の可能性を考慮した。この地に足を踏み入れる者は、子孫の脳を作り替えてしまうウイルスに感染する怖れがあるとね。つまり君たちが感染者となり、いずれ生まれてくる子供が遺伝子異常を起こさないかと、ホワイトハウスは危惧したんだ」

子供の遺伝子異常という表現に、イエーガーは顔をしかめた。それはまさに彼の身に起こったことだった。

「しかし、そんなウイルスが存在しないことは私には分かっている。もちろん、ガーディアン作戦の口実となった致死性ウイルスなどもない。あの作戦は欺瞞なのだ。君たちの抹殺までを含めた本当の作戦は、『ネメシス』という暗号名で呼ばれている」

「ならば、さっきの話だ。我々が殺されるという証拠があると言っていたが?」

ピアースは一つ頷き、満を持した様子で語った。「君たちは、大虐殺の終了後に薬を呑むように指示されただろう。致死性ウイルスを駆除するという名目で、薬物を支給されているはずだ」

ゼータ・セキュリティ社で渡された白いカプセルのことだ。どうやら本当に、ピアースはすべてをお見通しのようだった。

「それを出してくれ」

ためらう一同の中で、マイヤーズだけが素早く防水ケースを取り出した。中には、他のメンバーの分も含めた四つのカプセルが収納されていた。

ピアースは一つを受け取り、「アーミーナイフを出すが、撃たないでくれ」と断わってから、カプセルの末端を切断しにかかった。すると意外なことに、透明なカプセルは四重構造になっていた。カプセルの中に、より小さなカプセルが入れられ、中心の空洞に微量の白い粉末が詰め込まれている。

「消化速度を遅らせるための細工だ」とピアースは解説し、ポケットから取り出した燻製肉の欠片に白い粉末を振りかけた。横にいた犬が差し出された肉に食らいつき、咀嚼し、嚥下した。途端に犬の眼が生気を失った。犬は立ったままの状態で死骸と化し、口の端から血を滴らせて、その場に崩れ落ちた。

「カプセルを呑めば、君たちもこうなっていた」

地面に横たわった死体は、ぴくりとも動かなかった。自分たちに向けられた強烈な殺意を見せつけられて、さすがの傭兵たちも啞然として立ち竦んだ。

「青酸化合物か？」とマイヤーズが訊いた。

「そうだ。一つのカプセルだけで、致死量の十倍はあるだろう」

イエーガーは顔を上げ、ＣＩＡの準軍事要員を見やった。視線を受けたギャレットが、暗視装置の下で口の端を歪めて笑みを作った。「ホワイトハウスが、どれだけ私を憎んでいるかが分かったよ」

ギャレットは、ピアースの話を信じたようだった。明白な証拠を突きつけられた今となっては、イエーガーとしても祖国を信用するわけにはいかなくなっていた。命令に従えば、自分たちは殺されていたのだ。「俺たちの敵は、アメリカか？」

「ああ」とギャレットは苦々しく頷いた。

暗然としたのも束の間、イエーガーの心中に裏切られた怒りが渦巻いた。「国籍はどうすりゃいい？」

「ただの人間になれ」

「ちょっと待てよ」と、ミックが言った。「この男の言うことを信じたのか？」

「信じないと言うなら、カプセルを呑んでみるんだな」

ミックは犬の死骸を見下ろし、反論できずに黙り込んだ。

イエーガーは、ピアースに向き直った。まだ些細な疑念が残っていた。「それで、そちらの目的は？」

「あの子と私と、それに君たち全員で、このアフリカ大陸から脱出する」

四人の傭兵たちは顔を見合わせた。一同の意識は、難題が山積している現実へと引き戻された。「策はあるのか？」

「多少の算段はつけてあるが、百パーセント確実ではない。敵はホワイトハウスだけじゃないんだ。この一帯をうろついている武装勢力の動きだけは予測がつかん」

「待てよ」と口をはさんだのは、またしてもミックだった。「俺たちが狙われているのは分かった。だが逃げるとなったら、このオッサンと変な子供は足手まといだ」するとピアースは日本人には目もくれず、イエーガーを見据えて言った。「私たち二人を見捨てれば、ジャスティンは助からないぞ」

一同の視線がチームリーダーに向いた。イエーガーは、子供の命を取り引き材料に使われることに腹を立てていたが、どうにか平静を装った。「息子を救う手立てがあると言ったな？」

「ああ。私の友人が、肺胞上皮細胞硬化症の特効薬を開発しつつある。一ヵ月以内に完成するはずだ。その薬を飲めば、ジャスティンは全快する」

彼の言葉を信じるなら、まさに死の淵の一歩手前でジャスティンは生還することになる。そして、イエーガーには信じる以外に選択肢はなかった。何もしなければ、息子は確実に死ぬのだ。問題は、自分たちが生きてこの地を脱出できるかどうかだった。ピアースの言った通り、敵はホワイトハウスだけではない。イトゥリ地方に進駐している複数の武装勢力を総合すると、少なく見積もっても七万の兵力となる。たった四人で、どうやって敵の包囲網をかいくぐればいいのか。

「それに」とピアースは、今度はミックに顔を向けた。「私とあの子は、君たちの力になれる。ペンタゴンの動きを把握できるんだ。悪い取り引きじゃないと思うがね」

男たちは、しばらくの間、ジャングルの静寂の中に身を委ねた。誰しもが、己の命を懸けた決断を下そうとしていた。

イエーガーは、ピアースに最後の質問をした。「通信手段は確保されているのか？　エシュロンに傍受されずに、他の国と連絡は取れるか？」

「それは可能だが、多少の制限はある。いつでも好きな時に、というわけにはいかない」

「こちらが知りたいのは、ジャスティンの容態だ」

「それならば、数日おきに連絡は取れるだろう」

「分かった」イエーガーは決意を固め、他の三人に向き直った。「俺は、条件付きでピアースと動く」

「条件？」と、ピアースが怪訝な面持ちで訊いた。

「あんたと動くのは、息子が生きている間だけだ。もしもジャスティンが死んで、あんたたちが足手まといになれば見捨てる」

ピアースにとっては、ささやかな誤算だったらしい。一瞬、打ちのめされた表情を浮かべたが、すぐに強気の口調に戻った。「いいだろう。まったく問題はない。君の息子は間違いなく助かるからな」

その一言で、イエーガーは人類学者に好意を抱いた。この五年間、リディアと二人で切望しながら誰も聞かせてくれなかった言葉を、ピアースが初めて口にしたのだった——君の息子は間違いなく助かる。

イエーガーは、ようやく戦闘の大義を手に入れた。祖国のためでも、イデオロギーのためでも、ましてや金のためでもなく、我が子の命を救うために戦うのだ。彼は仲間たちに続けた。「俺の決定は強制しない。お前たちは、各自の判断で最善の選択をしてくれ」

ギャレットがすぐに応じた。「私はイエーガーに同行する」

「僕もだ」とマイヤーズ。

最後に残ったミックが、西洋人のように肩をすくめて言った。「全員で動いたほうが安全だろうな」

イエーガーは頷き、全員の意向を歓迎した。それからピアースに訊いた。「あの子供に、名前はあるのか？」

「アキリ、という名前だ」

「それで、我々はどこに向かう？」

「地球の裏側だよ。出アフリカは、とても遠い旅になる」とピアースは答えた。「私たちの最終目的地は、日本だ」

雑誌専門図書館を出た研人は、街路表示で公立図書館を見つけ、立ち寄った。『ハイズマン・レポート』は、父の生前の行動について何も解き明かしてはくれなかった。にもかかわらず、何か決定的な手掛かりを掴んだのではないかという、茫洋(ぼうよう)とした感覚が広がっていた。濃い霧の向こう側に、探し求めていた物のシルエットが朧気(おぼろげ)に浮かんでいる。

公立図書館の狭い通路を歩き、『人類学』の棚から数冊の本を選んで閲覧コーナーに向かった。『ハイズマン・レポート』の五番目の項目では『人類の進化』について触れられていたが、研人にはその方面の知識はなかった。

入門書をざっと読んで、チンパンジーとの共通祖先から分かれた後の人類史を頭に入れた。この六百万年の間、地球上では多くの人類種が誕生と絶滅を繰り返していた。現生人類がこの世に現われたのは二十万年前である。この時には別種の人類、原人やネアンデルタール人がまだ地上に生き残っていた。

例えばインドネシアのフローレス島には、ほんの一万二千年前まで、フローレス原人と名付けられた身長一メートルほどの人々が住んでいた。彼らの脳の容積は現代人の三分の一しかなかったが、火を使用したり石器を作って狩りをするなど、高度な知性を持ち合わせていた。研人が驚かされたのは、この同じ島に、数万年前から現生人類が住み着いていたという事実である。つまり両者は一つの島の中で、何万年にもわたって共存していたのだ。日常的に接触していたのかは定かではないが、現在、フローレス島に暮らす人々の間には、洞窟(どうくつ)に住む小人についての伝説が語り継がれている。しかしフローレス原人もまた、何らかの原因で絶滅してしまった。

フローレス原人に限らず、ネアンデルタール人にしても北京原人にしても、絶滅してしまった人類種には、最後の一人となった個体がいたはずだった。その人には意識があり、感情があり、自分の置かれた状況を理解する能力も具わっていた。彼か、あるいは彼女は、ある時、気づいたはずだ。自分のいる世界をいくら見渡しても、一人の仲間も残っていないと。そして自分が救いのない、絶対的な孤独に追いやられてしまったのだと。家族や友人だけでなく、生物種という仲間全員が死に絶えたと悟った時、どれほどの寂しさや絶望感に襲われたことだろう。あまりにかわいそうで、研人は想像しただけで胸が締めつけられる思いがした。

『ハイズマン・レポート』の警告が一つでも的中すれば、やがて人類にも同じことが起こる。本を書架に戻し、図書館を出た研人は、五番目の項目について再考した。人類がまだ、進化の途上にいると考えるのは妥当な推論だろう。現生人類を最後に進化が止まったとする生物学的な証拠は、何一つとしてないのだ。

研人は世田谷の街路を歩きながら、『ハイズマン・レポート』のコピーをポケットから取り出した。レポートには、〝超人類〟が現われた場合、『我々をはるかに凌駕する圧倒的な知性を有する』と書かれている。それがどんな知性かと言えば、『第四次元の理解、複雑な全体をとっさに把握すること、第六感の獲得、無限に発展した道徳意識の保有、特に我々の悟性には不可解な精神的特質の所有』だ。

研人の頭に、『複雑な全体をとっさに把握すること』という一節が引っかかった。科学者にとっては夢のような能力だ。肺胞上皮細胞硬化症の疾患メカニズムに見られるようなシグナル伝達は、一つの細胞内で他にいくつも起こっている。その数千とも言われる生化学反応があまりにも複雑に絡み合っているため、たった一個の細胞の活動でさえ、全容を理解するのは人間には不可能なのだ。人智を超えているのである。

もしもそんなことが可能になったら、と考えて、研人は不意に足を止めた。後ろから来た人がぶつかりそうになった。駅前商店街の道の真ん中で棒立ちになっているうちに、周囲の喧騒が研人の耳から遠のいていった。

——人智を超えてる。

自分の言った台詞が脳裏に浮かんでいた。それに重なって、李正勲の声も聞こえた。

——現在の人間には、こんなソフトは作れない。

もしも進化した人類が現われたなら、万能の創薬ソフトを作ることも可能ではないだろうか。標的タンパク質の立体構造をモデリングし、結合する物質をデザインし、その薬物の体内動態までをも正確に予測するソフトを。

——分子レベルや電子レベルの複雑極まりない生命活動を、すべて解明したように見せかけてる。

『GIFT』というソフトが「見せかけて」いたのではなく、複雑極まりない生命活動を本当に解明していたのだとしたら？『ハイズマン・レポート』が警告した人類の進化は、すでに地球上のどこかで起こっているのではないか？

研人はうつむき、ずり下がったメガネを指で押し返しながら、ひたすらに頭を回転させ続けた。人類を凌ぐ知性がこの地球上に現われたとしたら、アメリカのような超大国はどのように対処するだろう。やはり殺しにかかるのではないか。自分たちの利益になるべく、超人的な知性を利用しようとしても、知的に劣った人間には無理だからだ。それどころか、逆に自分たちが支配される危険がつきまとう。

では、進化を遂げた〝超人類〟はどのように行動するだろう。『ハイズマン・レポート』では、我々人類を滅ぼしにかかると予測しているが、そうとも言い切れないと研人は考えた。まず、超人的な知性がどのような判断を下すのかは、知的に劣った我々には推測できない。何しろ相手は、『我々の悟性には不可解な精神的特質』を所有しているのだ。それに加えて、超人類の存在を示唆する唯一の手掛かり、『GIFT』があった。あれが万能の創薬ソフトなら、まさに人類への『贈り物（GIFT）』だ。我々を滅ぼすどころか、あらゆる病気から人類を救う福音となる発明なのだ。超人類がこのソフトを作ることによって、現生人類の敵ではないというメッセージを送ってきたとも考えられる。

少しばかり思考が先走ったと感じた研人は、原点に戻って考え直した。亡き父は、直接的にか間接的にかは分からないが、超人的な知性と接触し、『GIFT』を手に入れたのではないか。それを嗅ぎ取ったアメリカ政府が妨害に動き出したと考えれば、話の筋道はきれいに通る。この仮説を証明するためには、超人類が存在する証拠を掴まなくてはならないが、何かいい手はないだろうか。

研人は慎重に論理を辿っていき、やがて一つの解答を導き出した。もしも『GIFT』を使って、肺胞上皮細胞硬化症の特効薬開発に成功すれば、それこそが超人的知性の存在を物語る間接的証明になるはずだ。現段階であの万能ソフトを作り上げるのは、人類の知力では不可能だからである。

しかしそのためには援軍が必要だった。あの頭脳優秀な韓国からの留学生に協力してもらわなければならない。何とかして李正勲と連絡が取れないかと策を練るうち、研人はまだツキが残っていることに気づいた。

「古賀か？　どうした？」

受話器の向こうから、土井ののんびりした声が返ってきたので、研人は一抹の期待を持った。

「着信表示が『公衆電話』なんで、誰かと思ったよ」

「携帯が壊れたんだ。ちょっと訊きたいんだけどさ、変な噂を聞いていないか？」

「変な噂？　何だ、そりゃ？」

「いや、心当たりがなければいいんだ」

自分が警察に追われていることは、まだ土井の耳には届いていない。他の研究室にいる院生との交友関係について、警察はまだ摑んでいないのだろう。ならば、土井に紹介された李正勲との繫がりについては、何も知らないはずだ。

そこへ突然、「あ、あのことか？」と土井が言ったので、研人はぎょっとした。

「何だ、あのことって？」

「この前の文系の女の子」

河合麻里菜のことだった。「残念だが違うよ」

「昼飯をおごってくれたら、デートの誘いを取り次いでやるぞ」

逃亡者となっている現状では、デートを持ちかけるどころではなかった。「いや、ダメだ」

「ダメ？　じゃあ、昼飯じゃなくて缶コーヒーでは？」

「違うんだ。そうじゃない。今、いろいろと忙しくて時間が取れないんだ。じゃあ、切るぞ」

「ちょっと待った。用件はそれだけか？」

「ああ」釈然としない様子の相手に、研人は付け足した。「僕から電話があったことは、人に言わないでくれ。そのうち詳しい話をするから」

「分かった」と、ちっとも分かっていない口調で土井は言った。「俺に昼飯をおごる気になったら、いつでも電話をくれ」

「了解」

受話器を戻した研人は、河合麻里菜の姿を頭から振り払い、電話番号を記したメモに目を戻した。どうか出てくれと念じながら電話をかけると、期待した声が聞こえてきた。

「はい、李正勲です」

「古賀だけど。古賀研人」

こちらの声を聞くなり、正勲は「あっ!」と驚きの声を上げた。何かまずいことがあったのではないかと研人は警戒した。

正勲は興奮気味に言った。「さっき入れた留守電、聞いた?」

「いや、聞いてない。何があった?」

「『GIFT』だよ。あのソフトを検証してみた。かなり詳しく」

「それで?」

少しの間、言い淀んでから、正勲は答えた。「こんなことを言っても笑わないで欲しいんだけど、あれは本物だと思う」

予想されたこととは言え、研人は驚きを禁じ得なかった。気を落ち着かせる間を取ってから質問した。「どうやって検証した?」

「今、うちの研究室が製薬会社とやってる共同研究があってね。新規薬物の化学構造を『GIFT』に入力して結果を予測させたんだ。そうしたら、副作用まで含めて正確に言い当てた。このデータはどこにも発表されてないから、『GIFT』が自力で計算したとしか思えない。つまりこれは、『GIFT』の予測を実験で確かめたのと同じことなんだ」

「試した化合物は一種類？」

「いや、二種類のリード化合物と十種類の誘導体、すべての構造活性相関のデータが誤差の範囲内で一致した。こんなことは偶然ではあり得ない」

「正勲」と研人は、声が高くなるのを抑えて言った。「今夜のスケジュールは？」

「六時には研究室を出られるよ」

「ちょっと遠いけど、町田まで来られる？」

「町田って、どこ？」

　東京都の反対側だと教えると、正勲は「バイクで行くから大丈夫」と言った。

「ただ一つ、尾行がないかだけ気をつけてくれる？」

「ビコウって何だっけ？」

「誰かに後を尾けられることだよ」研人は、事前にリスクを説明しておかないとフェアではないと思った。「先に謝っておくけど、かなり厄介なことになりそうなんだ」

「それは、どんなこと？」

「最悪の場合、正勲が警察に捕まるか、日本にいられなくなるかも知れない」

受話器からは、絶句しているような沈黙が返ってきた。

「それでもいいなら、来て欲しいんだけど」

しばらくしてから正勲は、「それが最悪の場合だね？」と訊いた。

「そう」

「最良の場合は？」

「全世界で、十万人の子供の命を救える」

「分かった」と正勲は、もとの朗(ほが)らかな声に戻って言った。「行くよ」

3

上司たちの到着を待つ間、ルーベンスは作戦指揮所に付属した小会議室にこもって、過去の資料を洗い直していた。

ＮＳＡが盗聴したケント・コガの通信記録。インターネットでタンパク質データバンクにアクセスし、『変異型ＧＰＲ７６９』のＢＬＡＳＴ検索を行なっている。その後、彼はヨシハラという人物に電話をかけ、面会を頼んだ。目的は、肺胞上皮細胞硬化症についての情報収集だ。ＣＩＡが調べたところ、ヨシハラなる人物は大学病院のインターンであることが判明した。

次いで、ニューヨークの公衆電話から発信された、ケント・コガへの警告電話。人工音声によって合成されたメッセージをNSAが精査したところ、不自然な日本語であることが分かった。意味は通じるが、ネイティヴ・スピーカーには奇異に感じられる文章だという。その謎は、NSAの言語学者によってすぐに解明された。市販の翻訳ソフトに英文を入力した結果、同じ日本語文が訳出されたのだ。おそらく日本語を解さない何者かが、ケント・コガに警告を送ろうとして、単純な文章を機械に翻訳させたのだろう。問題は、その人物が誰で、なぜネメシス作戦にアクセスできたのか、だった。

ルーベンスは、最後の資料に目を通した。イラクで武装勢力に襲われ、死亡した民間警備要員のリスト。その中には、ガーディアン作戦のオペレーターとして選抜されるはずだった男たちが十五名も含まれている。候補者が次々に死んでいった結果、ウォーレン・ギャレット以外のメンバーについては、リストの下位にある者が繰り上がることとなった。ジョナサン・イエーガー、ミキヒコ・カシワバラ、スコット・マイヤーズの三名だ。

この時、ホワイトハウスは、イラクの武装勢力が的確に攻撃を仕掛けたことを問題視した。敵は移動ルート上で待ち伏せていたのだ。どうやって極秘作戦の詳細を察知したのか。アメリカの軍事通信が、何者かによって傍受・解読されていたとは考えられないか。

ルーベンスは束の間、本題から離れ、イラクでの襲撃事件に思いをめぐらせた。地方都市で起こった、民間警備要員四名の殺戮。市街地で待ち伏せ攻撃に遭った元特殊部隊員たちは、至近距離から数十発の銃弾を浴びせられて即死した。犯行現場では、「神は偉大なり」の大合唱が響き渡る中、一般市民の抱いていたアメリカ人への憎悪が爆発した。そもそも民間警備要員は法の埒外に置かれているため、イラクの無辜の市民を殺したとしても殺人罪に問われることはなかった。こうした我が物顔の姿勢が、反米感情に拍車をかけていたのだった。ある遺体は首がもげるまで蹴られ続け、別の遺体は幹線道路の橋桁に吊るされた。

この蛮行に対し、アメリカは容赦のない報復に出た。イラク軍と合同で八千の兵力を組織し、反米勢力の拠点となっていたこの地方都市への総攻撃を開始したのだった。激烈な市街戦が展開され、結局、四名の報復のために千八百名の兵士と市民が死亡した。その上、アメリカ軍が多数の劣化ウラン弾を使用したため、放射性物質によって汚染されたこの地域では、ガン患者や奇形児が急増するはずである。これらはすべて、この星の上で最高の知性を持つと自負している生物たちがやったことであった。

「何かあったようだね」

落ち着いた声に振り向くと、ガードナー博士が戸口に立っていた。深夜に呼び出されたせいで、ネクタイを締めていないラフな服装だった。

科学顧問がテーブルの向こうに腰掛けるのを待って、ルーベンスは切り出した。「ヌースの知性を過小評価していた可能性はないでしょうか？」

その質問だけで、重大問題が発生したのをガードナーは見抜いたようだった。穏やかな目元をかすかに強張(こわば)らせて答えた。「可能性がないとは言い切れないな。ヌースの知性について、今の段階では何も確かなことは言えんよ。一般論で推定するしかない」

「ではヌースの知的能力が、すでに現生人類を上回っている可能性も否定できない？」

ガードナーは頷いた。「あるいは特定の領域で、突出した能力を見せるかだな。それこそ、素因数分解とか」

「他には？」

「『ハイズマン・レポート』に戻ろうじゃないか」と、ガードナーは頭の後ろで両手を組み、天井を見上げた。「あの報告書で引用されている超人類の想定能力のうち、『第四次元の理解』や『第六感の獲得』は、私にはナンセンスに思える。ヌースが四次元以上の空間を思考しようとすれば、やはり数学的抽象に頼らざるを得ないだろうし、さらに『第六感の獲得』となると神秘主義(オカルティズム)の領域だ。科学者としては何も言うことはない」

それはルーベンスも同感だった。

「次に『無限に発展した道徳意識の保有』だが、そのような意識の持ち主は神に等しくなる。科学者が議論する問題ではない」

これにもルーベンスは同意した。

「確実に正しいと思われるのは、残る二点だ。まずは、『我々の悟性には不可解な精神的特質の所有』。現生人類にとって、ヌースの思考や感情が理解不能になるのは当然だ。脳の形が変われば精神や思考も変化するからね。そして――」とガードナーは、椅子に座り直してテーブルの上に身を乗り出した。「最後の一点こそが、もっとも警戒しなければならない問題だ」

科学顧問と見解が一致していることにルーベンスは満足を覚えていた。「『複雑な全体をとっさに把握すること』ですね」

「そう。これは短いフレーズながら、実に多くのことを語っている。還元主義への懐疑や、カオス状態を前にした困惑。前世紀後半の科学者が、次世代の知性に期待して然（しか）るべき能力だ。ところで君は、この分野を学んでいたのではなかったかね？」

「サンタフェ研究所でのテーマは複雑適応系でしたが、もちろん、複雑系のほうも分かります」

「もしもヌースが、『複雑な全体をとっさに把握する』能力を具えていたとしたら、具体的にはどんなことが可能になるかね？」

「我々が混沌（カオス）と名付けた予測不能の状態が、予測可能になるかも知れません。つまり複雑系という分野の中で、さらにパラダイム・シフトが起こるということです」語りながらルーベンスは、次世代の人類がどれだけ現生人類からかけ離れた存在になるのかを思い知らされた気分になった。「そうなれば、あらゆる自然現象だけでなく、心理現象や社会現象まで、精度の高いシミュレーション・モデルを構築することが可能となるでしょう。具体的には、生命現象の解明が飛躍的に進むでしょうし、経済動向や地震の発生、長期的な気候変動まで、より正確に予測できるようになる」

「今、こうしている間も、ヌースが十年後の天気を正確に言い当てているかも知れないというわけだ」

「例えて言うなら、そうなります」

「一つ、重要な質問だが、ヌースがそのような能力を獲得したとして、我々は彼の思考を理解できるだろうか。例えばヌースが、気象予知についての解説書を書いたとしたら、我々はその内容を理解できるだろうか？」

鋭い指摘に虚を衝かれたものの、ルーベンスは淀みなく答えた。「おそらく無理でしょう。ヌースは人智を超えた存在です。彼の思考を追うのは、人類には不可能です」

「そうだろうな」とガードナーは、薄く笑った。「君は正しいよ、アーサー」

活発な議論が続けられていた小会議室に沈黙が訪れた。科学顧問の浮かべた微笑には、無力感と解放感が綯い交ぜになっているようにルーベンスには見受けられた。ヒト属の知的進化の可能性を受け入れるということは、現生人類の知性には限界があるということを認めることなのだ。知性だけではない。『ハイズマン・レポート』が指摘している超人類の特質は、そのまま現生人類の欠失を物語っている。我々は『複雑な全体をとっさに把握する』のができないのと同様に、『無限に発展した道徳意識』を保有してはいない。それは理性の問題ではなく、生物としての習性なのだ。食欲と性欲の充ち足りた人間だけが世界平和を口にする。しかし一度(ひとたび)飢餓状態に直面すれば、隠されていた本性が即座に露呈する。紀元前三世紀の中国の思想家がすでに喝破していた通り、ヒトは「寡(すく)なければ則(すなわ)ち必ず争う」生物なのである。

この先、人類の歴史が永遠に続こうと、平和の希求はいつかは滞(とどこお)る。世界のどこかに人間同士の闘争を抱えたまま、人類史は積み重ねられていく。この蛮行を根絶しようとするなら、我々自身が絶滅するしかない。次世代の人類にその後を託して。

ふとルーベンスの脳裏に、一つの疑問が浮かんだ。ヌースは我々よりも道徳的なのか、それとも残虐なのか。知的に劣った別種の人類との共存を許すのか、それとも我々を滅ぼしにかかるのか。共存が許されたとしても、我々が支配されることには変わりはない。現生人類が絶滅危惧動物を保護するように、超人類は我々を一定数に保って管理しようとするだろう。

部屋にノックの音がして、監督官のエルドリッジと、軍事顧問のストークス大佐が連れ立って現われた。エルドリッジはハイネックセーターにジャケットの軽装だが、ストークスは軍の制服に身を包んでいた。

「大佐には、事情を簡単に説明をしておいた」とエルドリッジが言った。

それを受けて、ストークスが確認した。「オペレーターたちが予期せぬ行動に出たとか」

「そうです」

「騒ぎ立てるほどのことではないと思うがね。特殊部隊員たちは、現場の状況に応じて臨機応変に対処するよう訓練されている。今回の行動も、その一環だろう」

ルーベンスは、一同を震撼させるであろう推論を開陳（かいちん）しようかと迷った末、もうしばらく待つことにした。「衛星画像解析を担当するCIAの分析官が、現在、こちらに向かっています。彼が到着すれば、さらに詳しいことが分かるでしょう」

エルドリッジが頷いた。「今は客観的な証拠に基づいて行動すべきだ。例の、コンゴと日本を結ぶ暗号通信の一件がある。あれが何の目的でなされているのか、未だに解明されていない。ネメシス作戦の妨害工作だとしたら、四名のオペレーターが不慮の事態に遭遇したとも考えられる」

ストークスが、ルーベンスに訊いた。「日本での調査は進んでいるのか？」

「ケント・コガの居場所については、エリアが絞り込まれてきました。マチダという地域に潜伏しているらしいので、明日から駅の監視が始まります。しかし日本で使える〝資産〟が限られていて、他の調査に関しては思うように進んでいません」

「〝資産〟はどれくらいだ？」

「専従で動く現地の警察官が十名。しかし、コガの実家や大学院など、立ち回り先を監視するので手一杯です。他にCIA東京支局の工作担当官と、彼がリクルートした現地工作員」

ガードナーが尋ねた。「現地工作員というのは、暗号名〝サイエンティスト〟かね？」

「そうです」

「どんな素性の人物なのかね？　セイジ・コガとの関係は？」

「さあ」とルーベンスは、軍事顧問と顔を見合わせた。「CIAに任せてますので、そこまでは」

「状況を整理すると、最悪の場合も覚悟しておいたほうがいいだろう」とエルドリッジが言った。「もしも作戦が制御不能と判断された場合は、すぐに緊急対処フェーズに移行しよう」

「それは、どんなものです？」とガードナーが訊いた。

「まず、四人のオペレーターとナイジェル・ピアース、それにケント・コガをテロリスト手配します。その上で各国の治安当局に身柄を拘束させ、特別移送します」

「特別移送というのは？」

「博士が気になさることではありませんよ」と、エルドリッジは口を濁した。

「いわゆる〝手荒な手段〟という奴ですか？」

無邪気な好奇心を顔に浮かべているガードナーに、政府高官は高踏的な態度で応じた。

「NSD-77や、PDD-62といった大統領政策指針に基づいて行なわれる行政措置です。指針自体は機密扱いですがね。大統領が署名した通達（MON）が届けば、エージェンシー（CIA）が動き出すでしょう。これでいいですか？」

何も説明していないに等しい答弁を要約すると、「この件には深入りするな」ということだった。ガードナーは賢明にも引き下がった。「ええ、よく分かりました」

ルーベンスにとって、最大の誤算がケント・コガの行動だった。一介の大学院生が、司直の手を逃れて潜伏を続けられるとは思っていなかったのである。彼が早期に警察に出頭し、公安部による訊問を受けてくれていれば、穏やかな処遇を受ける余地が残されていた。しかし今となっては、エルドリッジの頭にあるのは強硬策だけだった。ここワシントンDCに生息する他の官僚たちと同じく、エルドリッジは自分のキャリアに傷がつくことを怖れるあまり、バーンズ政権の思考様式に同一化してしまっていた。ケント・コガは、身柄を拘束されれば直ちにアメリカの拷問代行国に送られて、二度と家族のもとには戻れなくなるだろう。できれば救ってやりたいところだが、日本での秘密工作の采配はエルドリッジに握られていた。

「日本での問題はそれでいいとして、コンゴでの緊急対処フェーズはどうなっているんですか？」とガードナーが質問を続けた。

「オペレーターたちが不測の行動に出た場合には、ナイジェル・ピアースも含めて直ちに殲滅(せんめつ)します。ジャングル地帯にいる現地武装勢力を利用して、掃討をさせるんです」

ガードナーが目を丸くした。「コンゴの無法者たちが、私たちに協力してくれるんですか？」

「現地に出入りしている武器商人がいるので、その男を使って儲(もう)け話を持ちかけさせます。イトゥリの森に潜伏している白人テロリスト五名に、多額の懸賞金がかけられているとね。金に目が眩んだ数万の戦力が、オペレーターたちを殺しにかかるでしょう」

「しかし、進化をもたらすウイルスが実際に存在したとしたら、武装勢力に感染する危険があるのでは？」

「大丈夫です。ルーベンス君から報告があって、ウイルス説は否定されましたから」

ルーベンスは内心舌打ちした。偽造論文まで作ってイエーガーたちを救おうとしたことが、裏目に出てしまった。

そこへテーブル上の電話が鳴り、入室許可を求める部下の声がルーベンスの耳に届いた。「入れ」と命じると、ネメシス作戦に参加しているCIA局員のディアズが、同僚を伴って会議室に姿を見せた。

「画像解析を担当しているフランク・ヒューイットです」

紹介された若い男は、ひょろっとした体の横に、ラップトップ型コンピューターを抱えていた。型通りの挨拶が済むと、ヒューイットは機械をプロジェクターに接続し、ブリーフィング用のスクリーンに映像を投映した。

「これがコンゴ上空で撮影された、先ほどの衛星偵察映像です」

監督官と二人の顧問が、映像に見入った。昼とも夜とも区別がつかぬ、モノトーンで描写されたジャングル内の光景だ。ガーディアン作戦のオペレーターたちが、Uの字形に並んだ住居の一番端に接近している。

「この小屋は、ナイジェル・ピアースのものだと考えられます」

「その根拠は？」とルーベンスは訊いた。

ヒューイットが、映像の一部を拡大してみせた。「小屋の蔭に、幾何学的な構造物が見えます。これはソーラー式充電器のパネルです」

「なるほど」電力のないコンゴのジャングルの中で、ピアースは太陽光を使って自分のコンピューターを稼働させているのだろう。

ディアズが、レーザーポインターで四つの人影を順に指し示した。「メディカル・バッグを背負っているのがマイヤーズ、通信機器を携行しているのがギャレット、残る二人のうち、腕の長いほうがイエーガーです」

ルーベンスは軍事顧問に質問した。「大佐、彼らの動きをどのように見ます？」

ストークスは不審そうに目を細めた。「ターゲットを殺すのではなく、拉致しようとしているように見える」

防御円陣に守られながら、イエーガーが小屋の中に体の前半分を突っ込んだ。そこで一度、すべての動きが止まった。何も起こらないまま十数秒ほどの時間が経過し、カシワバラがライフル銃を拳銃に持ち替えてイエーガーに並んだ。二人の体が何かに反応したかのように激しく動いたが、半身が小屋の中に入っているので詳細は分からなかった。

「ここです」と、ヒューイットが映像を戻し、同じ箇所を何度も再生した。「何が起こったか、手掛かりが画面の隅にあります」

映像の中心が小屋の後方に移り、一本の樹木が拡大された。画素の単位まで引き伸ばされた映像が、グレーの正方形となってスクリーンを覆った。「今の瞬間をスローで再生すると、こうなります」

最初は黒かった正方形が、一コマだけ灰色に輝き、その後ゆっくりと元の黒色へと戻っていった。

「幹の一部分が、瞬間的に温度を上げてます。もちろんこれは自然現象ではありません。灼熱した小さな飛翔体が、幹の中に食い込んだんです」

「つまり?」と、エルドリッジが結論を催促した。

「小屋を覗き込んでいる二人の動きからして、発砲しようとしたカシワバラをイエーガーが妨害し、発射された弾丸が狙いを逸れたと考えられます。弾道を正確に特定することはできませんが、上方三十度ほどの角度だと推定されます。さらに、小屋から退いたカシワバラの銃が、ホルスターに戻されずに隠されています。この行動の解釈としては、自分たちの姿が赤外線偵察衛星によって監視されていると気づいたためではないでしょうか」

ストークスが訝しげに言った。「どうして監視に気づいたんだ？」

エルドリッジの顔に当惑が浮かび、その視線が高い知能指数を誇る作戦立案者に向けられた。

ルーベンスは、事態が最悪の方向へ進んでいると確信した。衛星画像がハッキングされている。すでに合衆国は、国家安全保障上の重大な脅威にさらされている。それだけではない。バーンズ政権は、まんまと罠にかけられた。この極秘作戦をコントロールしていたのは自分たちではなく、ヌースだったのだ。ルーベンスは、ディアズとヒューイットに退室を命じ、肘を突いた姿勢で両手に頭を預け、沈思黙考した。

ネメシス作戦の端緒となった、ナイジェル・ピアースの電子メール。あれはおそらく、エシュロンに傍受されるのを見越して発信されたのだ。目的は、人類の進化を知ったホワイトハウスの出方を窺うことにあった。コンゴ奥地で武装勢力に取り囲まれているピアースと、そしてヌースにとっては、アメリカ政府が自分たちの保護に乗り出すのではないかという期待があったに違いない。

しかしバーンズ政権は、超人類の抹殺を決定した。こうなると、ピアースたちが外界へと脱出する手段はただ一つしかなくなった。武力を手に入れるのだ。しかし傭兵を使おうにも、民間軍事会社の活動はペンタゴンによって監視されているので不可能だ。そこで暗殺者として送り込まれるガーディアン作戦のオペレーターたちを寝返らせ、自分たちの味方につけようとした。

ウォーレン・ギャレットを説得するのは、簡単だっただろう。ホワイトハウスが彼を消したがっており、おそらくギャレット本人もそれに気づいていただろうからだ。雇用主を裏切る以外に、ギャレットが生き残る術はなかった。

残る三人については、何らかの選抜基準が設けられていたと考えられる。そのため、基準を満たさない候補者は、イラクで次々に殺されていった。ハッキングしたアメリカの機密情報をイスラム過激派にリークし、襲撃させたのだ。結果、リストの上位に繰り上がったのが、イエーガーとマイヤーズ、そしてカシワバラだったというわけだ。

空軍パラレスキュー出身者と日本人傭兵が選ばれた理由については、まだルーベンスは解明できていなかった。が、イエーガーについては明確な解答を得ていた。日本でのケント・コガの動きを併せて考えるに、元グリーンベレー隊員は、肺胞上皮細胞硬化症の治療法があると聞かされたのだろう。彼は不治の病に苦しむ息子の命と引き換えに、アメリカを敵に回す覚悟を決めたのだ。

この計画の背後には、コンゴにいるピアースを中心にして、日本とアメリカを結ぶネットワークが存在している。故人となったセイジ・コガは、疫学調査で赴いたザイールでピアースと知り合い、今回の一件に引き込まれたと考えられる。そして彼の死後、難病の治療薬開発は息子のケントに引き継がれた。しかし、いくらヌースの知性が関与しているとは言え、肺胞上皮細胞硬化症の特効薬を開発できるのかは疑問だった。どのような手法を採るにせよ、時間的制約が厳しすぎる。

長い沈黙に耐えかねたのか、エルドリッジが訊いてきた。「何を考えているんだ？」

ルーベンスは逡巡した。何を語るべきか、何を語らざるべきか。犠牲を最小限に止(とど)めるにはどうすればいいのか。傭兵たちがヌースの側に取り込まれた今、彼らを救おうとすればヌースも生き延びる。それはアメリカのみならず、人類社会を危機に陥(おとしい)れることになりはしないか。

すでにヌースは、アメリカの機密情報にアクセスするだけの知力を獲得している。その上、無限に発展した道徳意識を保有するどころか、殺人に手を染めている。巧妙極まりない手口で、ガーディアン作戦の候補者十五名をイラクで殺害したのだ。この三歳児は、人類の敵ではないのか？

「緊急対処フェーズ発動の承認を求める」と、沈黙を破ってストークス大佐が言った。

「真に遺憾(いかん)だが、オペレーターたちの不穏な動きは看過できない。まさかとは思うが、ガーディアン作戦の最終フェーズを悟られたのかも知れん」

それが傭兵たちを寝返らせる決定打になったのだろうとルーベンスは推測した。彼らは、携行するように命じられた抗ウィルス薬が、実は猛毒だったことを知らされたのだ。

「私も同意します」とガードナー博士が続いた。

「ならば、私を含めて三人が賛成だ」とエルドリッジが言って、ルーベンスに顔を向けた。「それでいいな?」

ルーベンスは、敢えて異議を唱えなかった。今は様子を見るべきだと判断した。「ええ、結構です」

「では、この時点より本作戦は、緊急対処フェーズに移行する」

ネメシス作戦は、人類対超人類の戦いになるだろうとルーベンスは予測した。しかしその場合、人類に勝ち目はあるのだろうか?

森の夜明けは肌寒かった。

朝霧に覆われたカンガ・バンドのキャンプでは、立ち並んだ住居の中から話し声が漏れていたが、まだ外に出て来る者はいなかった。屋内の熾火(おきび)で暖を取っているのだろう、葉葺きの屋根から煙の筋が立ち上っている。

ガーディアン作戦のオペレーターたちは、未明のうちにバックパックを取りに森の奥へと戻ったせいで、短時間の仮眠しかとれていなかった。イエーガーにとっては、睡眠不足以外にも体を冷え込ませるものがあった。息子のことが気がかりだった。リディアと最後に連絡を取ってから、すでに一週間が経過している。

「〝ガーディアン〟という作戦名は正しいな」キャンプ地の外、鬱蒼(うっそう)と生い茂った樹木の下に荷物を置きながら、ギャレットが言った。「我々は、まさに〝守護者(ガーディアン)〟となったわけだ。あの人類学者と、それからアキリとかいう子供の」

我が子の守護者も兼ねているとイエーガーは思った。

マイヤーズが無邪気に言った。「早くアキリに会ってみたいな」

「会ったら、がっかりするぜ」とミックが冷淡に応じた。「不気味なガキだ」

イエーガーは、冗談めかして日本人に訊いてみた。「ミック。お前は子供が嫌いなのか？」

「あれは人間じゃない」

「いや、俺が言っているのは人間の子供のことだ」

するとミックは、質問の意図を探るようにイエーガーを見た。「俺は弱い奴らが嫌いなんだ。殴られても殴り返そうとしない奴、泣いているだけの奴らを見てると胸糞(むなくそ)が悪くなる」

「お前だって、子供の頃はそうだっただろう」

一瞬、ミックの両目に憎悪が宿ったが、すぐに例の薄ら笑いに取って代わった。「いや、俺はたっぷりとやり返した。大人になってからだが」

イエーガーは、ミックに取り憑き、支配している暗い影を見て取った。この日本人は殴られても泣かないでいられるように、そして相手を殴り返すために、ステロイド剤で筋肉を増強したり、わざわざ海外まで出向いて戦闘技術を身に付けたりしているのだろう。その徹底したやり方が、幼少時にどれだけ痛めつけられたのかを如実に物語っているようにも思えた。

そこへ、霧の中から足音がして、長身の男のシルエットがこちらに近づいて来た。傭兵たちの視線は、ピアースの横を歩く小さな人影に吸い寄せられた。布を縒り合わせたパンツを穿いているだけなので、アキリの全身が観察できた。首から下は、やはり人間の三歳児と変わりない。しかし、重量感を伴って膨れ上がった前頭部と、それに目を見れば、人間と同じ生物種であるとは思えなかった。前夜、イエーガーを凍りつかせた射貫くような眼光も、起き抜けであるにもかかわらず力を失っていない。ピアースに手を引かれ、頭をゆらゆらと揺らしながら歩いて来る異形の子供は、映画の中に出て来るモンスターのように、どこか作り物めいていた。

「可愛いな」

とマイヤーズが言ったので、他の三人は驚いて衛生兵を見た。「冗談だろう？」

「いや、冗談じゃないよ。アキリの目は猫に似てる」

言われてみればその通りだが、イエーガーにはとても可愛いなどとは思えなかった。不思議なことにアキリを前にすると、押しつけがましい宗教絵画を見せられている時と同じく、畏敬の念を強要されているかのような居心地の悪さを感じるのだった。「俺は犬のほうが好きなんだ」

「確かに猫に似てるな」とギャレットが言った。「こちらの心の中まで見透かすような目だ。だが猫に似ているが、ライオンかも知れないぞ」

「俺はライオンのほうに賭ける」とミックが小声で言った。「あの子供は危険だ。早く始末したほうがいい」

「勝手に撃つなよ」とイエーガーは牽制しておいた。

「おはよう」と、一団の前まで来たピアースが快活に挨拶した。「諸君に、アキリを紹介するよ」

男たちが身を屈めてアキリを覗き込むと、上目遣いの険しい表情が睨み返してきた。ピアースが、守護者となった傭兵たちの名前を一人ずつ言い聞かせても、アキリの表情が和らぐことはなかった。

ギャレットが訊いた。「この子は英語が分かるのか？」

「理解はできる。ただし、咽頭部の成長が遅れているので、まだ喋ることはできない」ピアースは、小脇に抱えたラップトップ型コンピューターを見せた。「言いたいことがあれば、キーボードを叩いて語りかけてくる」

　ジャングルの奥深く、秘境とも言うべき環境にあっては、何ともミスマッチな意思伝達の手段だった。イエーガーは直接、話しかけてみた。「アキリ。今、ピアースさんが言ったことは本当か？」

　するとアキリは即座に頷いた。男たちは意表を衝かれ、思わず感嘆の声を漏らした。

　ギャレットが続いて質問した。「君は本当に暗号を解読できるのか？」

　ふたたびアキリが頷いた。

「どうやって？」

　アキリがピアースを見上げ、手振りでコンピューターを所望した。人類学者がキーボードを差し出してやると、小さな手が動いた。二本の指が交互にキーを叩き、ディスプレイに文字列が浮かんだ。

『解読法を説明しても、あなた方には理解できない。』

　ギャレットが苦笑を浮かべた。「見くびられたもんだな」

　アキリの動きを眺めていたイエーガーは、かすかな疑念を覚えた。タイピングの指の動きが、あまりにもたどたどしかったのだ。こんな緩慢（かんまん）な動作で軍事通信網へのハッキング・プログラムを作成するのは、知的能力を問う以前に、物理的に不可能ではないかという気がした。イエーガーは訊いてみた。「肺胞上皮細胞硬化症は治せるのか？」

アキリは頷いた。

「治療法は？」

コンピューター画面を介して答えが返ってきた。『まず最初に創薬のソフトウエアを作り、そのソフトを使って薬物をデザインし、実際に化合物を合成する。』

「そのソフトウエアは、誰が作った？」

『私が作った。』

イエーガーは考えた。あらかじめ想定問答を作っておき、この子供に決まった文字列を打ち込むように訓練するのは可能だろうか。

「最終確認をさせてくれないか」とギャレットが、イエーガーに許可を求めた。「ピアースの言葉の裏を取りたい」

「何をするつもりだ？」と訊いたのはピアースだった。

「ここにいる人たちを全員、集めてくれ」

「何のために？」

「言われた通りにしてくれ。我々に守って欲しいなら」

ピアースは不満そうにしながらもキャンプ地を振り返り、現地の言葉で何事か叫んだ。住居の中からこちらの様子を窺っていた人々が一斉に動き出した。

イエーガーたちは広場となっているキャンプ地の中心部に移動して、小柄なムブティ人たちを迎えた。四十名ほどの人々は、特に警戒する素振りも見せずに近づいて来た。傭兵たちの胸の高さに連なった一人一人の顔には、はにかんだような微笑さえ浮かんでいる。「カリブ」と言う声があちこちで上がり、マイヤーズが意味も分からずに「カリブ」と返すと、なぜか彼らはどっと笑った。

「『カリブ』というのは、『ようこそ』という意味だ」とピアースが言った。「『こんにちは』なら、『ハバーリ』だ」

イエーガーたちが口々に「ハバーリ」と言うと、ムブティ人たちの表情がさらに明るくなって、「ハバーリ」と返してきた。

「君たちは味方だと、彼らに伝えてある」

ギャレットが一団を見回し、スワヒリ語と思しき言語で、ゆっくりと語りかけた。ガーディアン作戦に逸早く参加が決定していたCIA局員は、あらかじめ現地の共通語を叩き込まれていたらしい。「スワヒリ語を話す人はいないか」と尋ねているようだ。すると、過半数の人々が手を挙げた。さらにギャレットは問答を続け、一人の男を手招きした。イエーガーたちの前に進み出たのは、三十歳くらいの、寂しげな顔をした男だった。着古したTシャツに半ズボン姿、身長は百四十センチを超えるくらいで、ムブティ人の中では平均的な体格だった。

「彼の名前は、エシモ。アキリの父親だと言っている」

ギャレットの説明に、イエーガーはまじまじと小柄な人物を見つめた。西洋人よりも背が低いことを除けば、どこにも異常な点は見当たらない普通の人間だった。

「僕からも訊きたいことがある」とマイヤーズが言った。「アキリに兄弟がいないか、訊いてもらえるか？」

ギャレットが頷き、エシモにスワヒリ語で質問した。するとエシモは身振り手振りを交え、悲痛な表情で何かを語り始めた。耳を傾けているギャレットは、意思疎通に苦労している様子だったが、長いやり取りの末にようやく通訳した。「兄弟はいないそうだ。まず、エシモの最初の妻は、妊娠中に病気にかかった。そこで、ムズング、つまり白人の医者に治してもらうよう頼んだが、遠くの病院に連れて行かれたきり、帰って来なかった。どうやら死んだらしい」

「ムズング、ムズング」とエシモが繰り返し、横にいるミックを指さした。彼らにとっては、アジア人も白人の部類に入るらしい。

「さらにエシモの弟が毒蛇に咬まれて死んだため、弟の妻だった女性を娶ることになった。それがアキリの母親だ。しかし彼女も、アキリを産んだ直後に出血がひどくて死んだ」

エシモの顔が悲しげなのは、未開社会の過酷な現実にさらされた結果かも知れなかった。医療がないばかりに二人の配偶者と弟、それに生まれるはずだった第一子を喪ったのだ。

「その後、エシモに妻はいない。子供はアキリだけだ」

「妻が二人とも死んだのは、胎児のせいだったのかな」と、マイヤーズが言った。「だとすると、脳の変異は父系遺伝の可能性が高い。エシモの生殖細胞に変異が起こって、子供に受け継がれたんだ」

ミックが冷笑雑じりに言った。「異常な父親を持つと、子供が苦労するな」

「いや、これは重要なことなんだ。父系遺伝が正しいなら、狙われるのはアキリだけじゃない。アキリの父親も抹殺の対象になる。これから生まれてくる子供が、アキリと同じ変異を持つかも知れないからだ」

「その点は心配ない」と、ピアースが言った。「我々が出発し次第、カンガ・バンドは消滅する。ここにいる四十名は散り散りになって、他のバンドへ移ることになっているんだ。彼らには住民登録もないから、アキリの父親が特定される心配はない」

そこへエシモが、声高に割り込んできた。切実な調子で、「クエリ」や「エコニ」といった単語を繰り返している。ギャレットは何度も訊き返し、ようやく相手の言わんとしていることを通訳した。「アキリがあんな姿で生まれたのは、食べ物のせいだと言っている。妊娠中の母親が、食べてはいけない動物を食べたせいではないか、と」

「それはあり得ないよ」と、マイヤーズが大真面目に否定した。

ギャレットが顔を上げ、周りを取り囲んでいるピグミーたちにスワヒリ語で語りかけた。そのメッセージが集団の中で現地の言葉に翻訳されると、わっと一斉に声が上がった。人の輪が縮まって、ギャレットのもとへと押し寄せて来る。イエーガーには会話の内容は分からなかったが、ピグミーたちの感情表現はかなり大仰に映った。

一人一人の言葉を聞き取ったギャレットは、仲間に説明した。「アキリについて訊いてみた。ここにいる全員が、アキリは普通の人間ではないと感じている。外見だけじゃなく、能力の面でもだ」

「具体的には？」とイエーガーは訊いた。

「言葉を覚えるのが異常に早いそうだ。彼らが使っているキンブティ語だけじゃなく、スワヒリ語やスワヒリ方言のキングワナ語、それに英語も理解している。さらに雨季の間、農耕民の村の近くで生活しただけで算術をマスターした。そのお蔭で農耕民のビラ人に肉を売る際、金をごまかされることはなくなったそうだ」

「それくらいのことは、頭のいい子供ならできるんじゃないか？」

「まだ他にもある。奇妙な話だが――」と、ギャレットは当惑気味に続けた。「アキリは、不思議な力で木の葉を操るそうだ」

「木の葉を？　どういうことだ？」

「分からん」

「本人に訊けばいいじゃないか」とマイヤーズが言って、アキリの前に屈み込んだ。「今の話を聞いてたね？」

するとアキリは頷いた。

「木の葉を操るって、どういうこと？　教えてくれるかい？」

アキリの表情が動いた。見開かれていた目蓋が細くなり、小さな口の端がきゅっと締められた。この子は今、笑みを浮かべたのだとイエーガーは気づいた。遊びに興じる子供の顔だ。

アキリは指を使って足元の地面に小さな円を描き、落ちていた木の葉を拾って体を起こした。それから腕をいっぱいに伸ばして葉を掲げると、何かを計るように円の周りを動き回り、指を開いて葉っぱを落とした。ひらひらと宙を舞った木の葉は、アキリが地面に描いた円の中にぴたりと着地した。

それが不可解な現象だとイエーガーたちが思い当たるまで、少し時間がかかった。マイヤーズが落ち葉を手にして、同じように落としてみた。彼の手から離れた葉は、予測不能な空気の流れに翻弄され、目標から一メートルも逸れた位置に舞い降りた。

「どうして、そんなことができるんだい？」

マイヤーズの質問に、アキリはキーボードに指を走らせて答えた。『私には、木の葉の動きが分かる。』

「どうやって？」

『分かる、としか言えない。』

納得のいく説明ではなかったが、アキリには自分たちとは異質の、得体の知れない能力が具わっているのは確かなようだった。人類はロケットを打ち上げて月面着陸を成功させたというのに、一メートルの高さから落ちる木の葉の動きを予測できないのだ。

「諸君、そろそろ終わりにしていいかね？」と、ピアースがコンピューター画面を切り替えながら言った。「五分後に、偵察衛星がやって来る」

傭兵たちは釈然としないまま、顔を見合わせた。

「信じるしかあるまい」とギャレットが言った。「例の薬を呑んでいれば、俺たちは殺されていたんだ」

その言葉には頷かざるを得ず、男たちは森の中へと移動した。

ピアースは広場にとどまって、住人たちに何か指示を出していた。おそらく、普段と同じように振る舞えと言ったのだろう。ムブティ人たちはそれぞれの小屋の前に戻り、火を熾して食事の支度を始めた。

偵察衛星の目が届かない森の中で、ガーディアン作戦のオペレーターとピアース、それにエシモとアキリの親子が合流した。

「朝食を終えたら出発したい」とピアースが言った。「地図を見せてくれ」

ギャレットが地図を出して、一同の前に広げた。

「まず最初に概略を言っておく。ネメシス作戦は周到に準備されているが、緊急事態に関してはコンゴ国内での対策しか講じられていない。つまり国境さえ越えれば、そこがエンド・ゾーンだ。我々は突破を試み、敵は全力で阻止しにかかる」

現在位置はコンゴの東端で、ウガンダとの国境までは百三十キロほどしか離れていない。四日あれば踏破できる距離だ。しかし、まさに国境沿いに張り付く形で二十以上もの武装勢力が跋扈（ばっこ）している。フットボールに譬（たと）えるなら、エンド・ゾーンまで残り五ヤードの攻防といったところだろう。

イエーガーは訊いた。「国境越えのルートは決めてあるのか？」

「複数のプランを用意してある。状況に合わせて最適なルートを選ぶ」

ピアースは、地図を指さしながら三つの計画を説明した。いずれもコンゴ東側の国境を目指すルートで、現在位置から見て東のブニア、または南東のベニという町を抜けてウガンダに入国するか、あるいは一度南下してゴマ周辺からルワンダに逃れるか。それ以外の方角は論外だった。西に向かえば、この国の広大な国土そのものが最大の障害となってしまう。

「どう思うかね？」

「東を目指すのは賛成だが、時間的な制約がある」とイエーガーは答えた。「我々の糧食は残り五日分しかない。狩りをすれば生き抜くことはできるが、食料調達だけで一日の大半が潰（つぶ）れる。脱出どころじゃなくなるだろう」

「それは大丈夫だ。百パーセント確実というわけではないが、想定ルートの各所に補給物資や輸送手段を準備してある」

「ほう」と、ギャレットが感心して言った。「しかし、それだけじゃないぞ。時間の経過とともに、ペンタゴンはあらゆる対抗手段を講じてくる。のろのろしていれば、それだけ反撃がきつくなるということだ」

「ならば最短ルートを目指そう。真東に針路を取る。ブニアの手前、コマンダという町に車を用意してある。道路状況を考えると、東南に向かうよりも時間が稼げる。コマンダまでは徒歩だ」

距離にして百キロ、三日ほどの行軍だった。イエーガーはギャレットに指示を出した。

「〝ゼータ〟に連絡だ。『マイヤーズがマラリアにかかったため、〝エンジェル〟は延期』と伝えてくれ」

「了解」

ガーディアン作戦の日程は、まだ五日間の猶予があった。ペンタゴンが騙されてくれれば、逃亡に気づかれる前にコンゴ国外に脱出できる。「各自、このキャンプ地を出る前に、GPSの電源を切っておけ。こちらの位置が筒抜けになる」

ミックがすかさず反論した。「目標物のないジャングルで、どうやってナビゲーションをするんだ？　コンパスと歩測だけで百キロ先を目指すのか？」

「途中まで、エシモが同行する」とピアース。

「エシモだと？」

一同から見下ろされて、アキリの父親は遠慮がちな微笑を浮かべた。

「なお悪いぜ。こいつはコンパスすら持ってないじゃないか」

「森の中ではエシモのほうが優秀だ」と、人類学者は強い口調で言った。「君よりもな」

「故郷に帰れるんだから、文句は言うな」と、マイヤーズがミックを宥め、それからピアースに向いた。「国外へ出た後、最終目的地の日本へはどうやって行くんだ？」

「それも複数のプランがあるが、現時点でルートを決めるのは時期尚早だ。とにかく国境突破に全力を挙げてくれ。それが最大の難関だ」

「分かった」

イエーガーは腕時計を見て、行動開始の時刻を決めた。「〇六〇〇時に出発する。それまでに食事を済ませろ。頭の上を偵察衛星が飛んでいるのを忘れるな」

一同が散会しようとした時、電子音が鳴り響いた。ピアースが、ウエストバッグから小型のコンピューターを出した。アキリとのコミュニケーションに使っている物とは別の機械だ。A5サイズの黒い機械は、衛星携帯電話機に繋がれていた。

ディスプレイに見入っていた人類学者の顔が、だんだんと曇っていった。

イエーガーは訊いた。「電子メールか？　誰からだ？」

「それは訊かないでくれ」

「国外に協力者がいるんだな？」

「名前は明かせないが、情報提供者がいる」

「何を伝えてきた？」

「敵は予想以上に手強いようだ。すでに我々の動きに気づいている」ピアースは、コンピューターのディスプレイを閉じて一同に伝えた。「ネメシス作戦は、緊急対処フェーズに移行した。我々全員がテロリスト手配され、一千万ドルの懸賞金がかけられた。このあたり一帯の武装勢力が、一斉に襲いかかってくる」

しかしガーディアン作戦のオペレーターたちは、誰一人として動じなかった。

マイヤーズが言った。「脱出ルートを南に変えるか？」

「いや」とギャレットが首を振った。「南部を制圧している勢力もいる。そちらに向かえば挟み撃ちにされるだろう」

イエーガーは、地図を開いて言った。「東側の国境線だけでも百キロの長さがある。敵が何万人いようと、突破口は必ず見つかるはずだ。我々は予定通り、東へ向かう」


（下巻につづく）

【初　出】

「野性時代」二〇一〇年四月号〜二〇一一年四月号

本書は二〇一一年三月に角川書店より単行本として刊行された作品を文庫化したものです。

ジェノサイド 上

高野和明

平成25年 12月25日　初版発行

発行者●山下直久

発行所●株式会社KADOKAWA
〒102-8177　東京都千代田区富士見2-13-3
電話　03-3238-8521（営業）
http://www.kadokawa.co.jp/

編集●角川書店
〒102-8078　東京都千代田区富士見1-8-19
電話　03-3238-8555（編集部）

角川文庫 18306

印刷所●大日本印刷株式会社　製本所●大日本印刷株式会社

表紙画●和田三造

ISBN978-4-04-101126-3　C0193

角川文庫発刊に際して

角川源義

第二次世界大戦の敗北は、軍事力の敗北であった以上に、私たちの若い文化力の敗退であった。私たちの文化が戦争に対して如何に無力であり、単なるあだ花に過ぎなかったかを、私たちは身を以て体験し痛感した。西洋近代文化の摂取にとって、明治以後八十年の歳月は決して短かすぎたとは言えない。にもかかわらず、近代文化の伝統を確立し、自由な批判と柔軟な良識に富む文化層として自らを形成することに私たちは失敗して来た。そしてこれは、各層への文化の普及滲透を任務とする出版人の責任でもあった。

一九四五年以来、私たちは再び振出しに戻り、第一歩から踏み出すことを余儀なくされた。これは大きな不幸ではあるが、反面、これまでの混沌・未熟・歪曲の中にあった我が国の文化に秩序と確たる基礎を齎らすためには絶好の機会でもある。角川書店は、このような祖国の文化的危機にあたり、微力をも顧みず再建の礎石たるべき抱負と決意とをもって出発したが、ここに創立以来の念願を果すべく角川文庫を発刊する。これまで刊行されたあらゆる全集叢書文庫類の長所と短所とを検討し、古今東西の不朽の典籍を、良心的編集のもとに、廉価に、そして書架にふさわしい美本として、多くのひとびとに提供しようとする。しかし私たちは徒らに百科全書的な知識のジレッタントを作ることを目的とせず、あくまで祖国の文化に秩序と再建への道を示し、この文庫を角川書店の栄ある事業として、今後永久に継続発展せしめ、学芸と教養との殿堂として大成せんことを期したい。多くの読書子の愛情ある忠言と支持とによって、この希望と抱負とを完遂せしめられんことを願う。

一九四九年五月三日

角川文庫ベストセラー

夢のカルテ　高野和明　阪上仁志

毎夜の悪夢に苦しめられている麻生刑事は、来生夢衣というカウンセラーと出会う。やがて麻生は夢衣に特殊な力があることを知る。彼女は他人の夢の中に入ることができるのだ――。感動の連作ミステリ。

グレイヴディッガー　高野和明

八神俊彦は自らの生き方を改めるため、骨髄ドナーとなり白血病患者の命を救おうとしていた。だが、都内で連続猟奇殺人が発生。事件に巻き込まれた八神は患者を救うため、命がけの逃走を開始する――。

青の炎　貴志祐介

秀一は湘南の高校に通う17歳。女手一つで家計を担う母と素直で明るい妹の三人暮らし。その平和な生活を乱す闖入者がいた。警察も法律も及ばず話し合いも成立しない相手を秀一は自ら殺害することを決意する。

硝子のハンマー　貴志祐介

日曜の昼下がり、株式上場を目前に、出社を余儀なくされた介護会社の役員たち。厳重なセキュリティ網を破り、自室で社長は撲殺された。凶器は？　殺害方法は？　推理作家協会賞に輝く本格ミステリ。

狐火の家　貴志祐介

築百年は経つ古い日本家屋で発生した殺人事件。現場は完全な密室状態。防犯コンサルタント・榎本と弁護士・純子のコンビは、この密室トリックを解くことができるか!?　計4編を収録した密室ミステリの傑作。

角川文庫ベストセラー

鍵のかかった部屋

貴志祐介

防犯コンサルタント（本職は泥棒？）・榎本と弁護士・純子のコンビが、4つの超絶密室トリックに挑む。表題作ほか「佇む男」「歪んだ箱」「密室劇場」を収録。防犯探偵・榎本シリーズ、第3弾。

赤×ピンク

桜庭一樹

深夜の六本木、廃校となった小学校で夜毎繰り広げられる非合法ファイト。闘士はどこか壊れた、でも純粋な少女たち——都会の異空間に迷い込んだ彼女たちのサバイバルと愛を描く、桜庭一樹、伝説の初期傑作。

推定少女

桜庭一樹

あんまりがんばらずに、生きていきたいなぁ、と思っていた巣籠カナと、自称「宇宙人」の少女・白雪の逃避行がはじまった——桜庭一樹ブレイク前夜の傑作、幻のエンディング3パターンもすべて収録!!

砂糖菓子の弾丸は撃ちぬけない
A Lollypop or A Bullet

桜庭一樹

ある午後、あたしはひたすら山を登っていた。そこにあるはずの、あってほしくない「あるもの」に出逢うために——子供という絶望の季節を生き延びようとあがく魂を描く、直木賞作家の初期傑作。

少女七竈と七人の可愛そうな大人

桜庭一樹

いんらんの母から生まれた少女、七竈は自らの美しさを呪い、鉄道模型と幼馴染みの雪風だけを友に、孤高の日々をおくるが——。直木賞作家のブレイクポイントとなった、こよなくせつない青春小説。

角川文庫ベストセラー

GOSICK ―ゴシック― 全9巻　桜庭一樹

20世紀初頭、ヨーロッパの小国ソヴュール。東洋の島国から留学してきた久城一弥と、超頭脳の美少女ヴィクトリカのコンビが不思議な事件に挑む――キュートでダークなミステリ・シリーズ!!

時をかける少女〈新装版〉　筒井康隆

放課後の実験室、壊れた試験管の液体からただよう甘い香り。このにおいを、わたしは知っている――思春期の少女が体験した不思議な世界と、あまく切ない想いを描く。時をこえて愛され続ける、永遠の物語!

日本以外全部沈没 パニック短篇集　筒井康隆

地球の大変動で日本列島を除くすべての陸地が水没! 日本に殺到した世界の政治家、ハリウッドスターなどが日本人に媚びて生き残ろうとするが。時代を超越した筒井康隆の「危険」が我々を襲う。

陰悩録 リビドー短篇集　筒井康隆

風呂の排水口に○○タマが吸い込まれたら、自慰行為のたびにテレポートしてしまったら、突然家にやってきた弁天さまにセックスを強要されたら。人間の過剰な「性」を描き、爆笑の後にもの哀しさが漂う悲喜劇。

夜を走る トラブル短篇集　筒井康隆

アル中のタクシー運転手が体験する最悪の夜、三カ月以上便通のない男の大便の行き先、デモに参加した女子大生を匿う教授の選択……絶体絶命、不条理な状況に壊れていく人間たちの哀しくも笑える物語。